3-90

JAISHREE MISRA

Das Eheversprechen

Buch

Janu ist achtzehn Jahre alt, als sie nach Südindien reist, um dort, in der Heimat ihrer Eltern, die Ehe mit Suresh einzugehen – einem jungen Mann, den sie nicht kennt, dem sie jedoch seit Kindheitstagen versprochen ist. Nie hätte Janu sich träumen lassen, dass dies geschehen könnte. Denn schon früh sind ihre Eltern nach Delhi gezogen, um der Armut und Rückständigkeit des indischen Südens zu entfliehen. Janu erhielt eine fortschrittliche Erziehung in einer katholischen höheren Schule und genoss verhältnismäßig viele Freiheiten.

Doch als sie mit sechzehn Arjun kennen lernt, der ihre große Liebe wird, verändert sich plötzlich alles: Ihre Eltern geben dem Druck der Familie nach und schicken Janu nach Kerala zu den Großeltern, die auf die Einlösung des alten Heiratsversprechens drängen. Janu gehorcht schließlich, denn sie liebt ihre Eltern und will – trotz ihrer weltlichen Erziehung – eine gute Tochter sein. Ebenso pflichtbewusst verhält sich Suresh, den sie am Hochzeitstag zum ersten Mal sieht. Auch er empfindet keine Liebe zu seiner jungen Frau, und die Geburt der kleinen Tochter Riya nimmt er traditionsgemäß mit Gleichgültigkeit zur Kenntnis. Zehn Jahre nach der Hochzeit flieht Janu endlich nach England, wo Arjun inzwischen lebt, und baut sich dort ein neues Leben auf. Doch noch immer befindet sich die kleine Riya in Kerala, und der Kampf um ihre Tochter scheint Janus Zukunft für immer zu überschatten …

Autorin

Jaishree Misra, Jahrgang 1961, ist in Indien geboren und aufgewachsen. 1993 wanderte sie nach England aus, nachdem sie an der Universität von Kerala ihren Abschluss in englischer Literatur und Fernsehjournalismus erworben hatte. Zuletzt arbeitete sie als Korrespondentin beim BBC in London. Erst seit kurzem lebt sie mit Mann und Tochter wieder in Indien.

JAISHREE
MISRA

Das Eheversprechen

Roman

Aus dem Englischen
von Angelika Bardeleben

BLANVALET

Die Originalausgabe erschien unter dem Titel
»Ancient Promises«
bei Penguin Books Ltd, The Penguin Group, London.

Umwelthinweis:
Alle bedruckten Materialien dieses Taschenbuches
sind chlorfrei und umweltschonend.
Das Papier enthält Recycling-Anteile.

Blanvalet Taschenbücher erscheinen im Goldmann Verlag,
einem Unternehmen der Verlagsgruppe Bertelsmann.

Deutsche Erstveröffentlichung Juli 2000

Umschlaggestaltung: Design Team München
Satz: deutsch-türkischer fotosatz, Berlin
Druck: Elsnerdruck, Berlin
Verlagsnummer: 35275
Lektorat: SK
Redaktion: Martina Wolff
Herstellung: Heidrun Nawrot
Made in Germany
ISBN 3-442-35275-4

1 3 5 7 9 10 8 6 4 2

Gestern erst war es, dass wir uns trafen, in einem Traum.

Du sangest mir in meiner Einsamkeit ein Lied, und ich baute aus deiner Sehnsucht einen Turm, der bis in den Himmel ragte.

Aber jetzt flieht uns der Schlaf, unser Traum ging zu Ende, und die Dämmerung wich dem hellen Tag.

Die Sonne steht jetzt hoch, wir sind erwacht und müssen uns nun trennen.

Doch sollte uns das Zwielicht der Erinnerung noch einmal zueinander führen, dann werden wir wieder miteinander reden, und du wirst mir wieder dein Lied singen, schöner als je zuvor. Und sollten sich unsere Hände in einem zweiten Traum wieder treffen, dann werden wir noch einen zweiten Turm bauen, der in den Himmel ragt.

Aus ›Der Prophet‹ von Khalil Gibran

Erster Teil

1

Heute wurde meine Ehe geschieden. Ohne den Schein von Öllampen und den Wirbel der Tempeltrommeln, in einem überfüllten kleinen Zimmer eines Scheidungsgerichts, beiläufig, ohne Aufhebens, so wie diese Dinge meist gehandhabt werden. Als wir das Gebäude verließen, sagte Ma, Trauer in der Stimme und in den Augen, dass dies mein Schicksal gewesen sei. Ich versuchte, sie zu trösten, und entgegnete ihr, jedes Ende berge auch einen neuen Anfang in sich. Sie wollte mir glauben, das spürte ich, aber ihre Lippen blieben stumm, während sie seitlich aus dem Busfenster schaute.

Was hätten Sie getan, wenn Ihnen jemand angeboten hätte, für eine bestimmte, begrenzte Zeit vollkommen glücklich zu sein? Sagen wir, für ... achtundneunzig Tage. Achtundneunzig Tage ... in denen Sie so glücklich sind, wie es nur in Träumen möglich ist. Ohne Aussicht darauf, dass es mehr werden würden. *Und* mit der unausgesprochenen Drohung, dass Sie alles andere, was Sie je besaßen, dadurch verlieren könnten. Würden Sie diese Möglichkeit beim Schopfe packen und dann jeden denkbaren Trick anwenden, um die Zeitspanne zu verlängern? Würden Sie entsetzt zurückschrecken, überzeugt, dass an der Sache ein Haken sein muss? Würden Sie sich die Chance entgehen lassen, aus

Angst, alles zu verlieren? Oder würden Sie sie einfach ergreifen, voller Dankbarkeit, dass auch Ihnen einmal ein Wunder zuteil wird?

Ich bin nicht sicher, wofür ich mich am Ende entschieden habe. Und leider auch nicht, was ich als Nächstes tun würde. Ich entschied mich für das Glück, o ja, daran bestand kein Zweifel. Voller Ehrfurcht und Dankbarkeit. Ich war nahe daran gewesen, alles andere zu verlieren, gewiss, aber diese Möglichkeit hat ohnehin immer bestanden. Niemand hat mir jemals einzureden versucht, das würde vielleicht nicht geschehen. Aber jetzt war es vorbei. Der Traum war vorbei, der Schlaf war geflohen. Und die Dinge lagen mehr oder weniger so wie vorher ...

Ich drückte einen Kuss auf das weiche Haar meiner schlafenden Tochter. Die Geborgenheit in meinen Armen, das Brummen des Busses, der sich seinen Weg durch das nasse Kerala bahnte, hatten sie innerhalb einer Viertelstunde in den Schlaf gewiegt. Sie würde aufwachen, wenn wir Alleppey erreichten, ihren durchweichten Daumen aus dem schlaffen Mund ziehen und fragend um sich blicken. Sie würde sich gewiss an das Haus ihrer Urgroßmutter erinnern, das Haus unserer Vorfahren, erhellt nur von gedämpftem Licht, den Vierzig-Watt-Lampen der Traurigkeit. Würde die Ecken und Winkel wieder entdecken, in denen sie sich am liebsten aufhielt, und sie eine Weile mit Leben erfüllen. Ma, die so nahe wie möglich an mich herangerückt war, schien die Wärme und Nähe in sich aufzusaugen, nach der sie sich so lange gesehnt hatte. Wie seltsam, dass ich zu ihr hatte zurückkehren müssen, um wieder frei zu sein. Als wäre es ohne diesen Endpunkt nicht möglich gewesen. Ich schaute aus dem Fenster auf den breiten braunen Bogen von Schlammwasser, den die Räder des Busses hochwirbelten. Die Scheibenwischer aller Wagen, die wir überholten, ruckten plötzlich mit doppelter Geschwindigkeit.

Englands Straßen, mit ihren wunderlichen kleinen Höflichkeitsritualen, schienen in der dröhnenden, nassen Dunkelheit dieser Nacht Welten entfernt zu sein. Es regnet auch in England, manchmal scheinbar erbarmungslos, ohne Unterlass. Aber nicht so wie hier. Selbst der Regen dort scheint wohlerzogen zu sein, bemüht, so unauffällig wie möglich zu fallen. Er scheint sich ständig zu entschuldigen, wie ein wohlerzogener Engländer. (›Würde es Ihnen vielleicht etwas ausmachen, wenn ich mich … äh … für ein paar Minuten auf Ihrem Kopf niederließe, meine Liebe?‹) Keine Spur von diesem nervenaufreibenden Drama, diesem ungehörigen Tumult hier, von zuckenden Blitzen und ohrenbetäubenden Donnerschlägen. Konnte der Fahrer durch diese unablässig fallenden Vorhänge aus Wasser auch nur das *Geringste* sehen? Das war der Monsunregen, schwere Regenfälle standen bevor. Aber heute Abend … heute Abend, angesichts der Erbarmungslosigkeit, mit der es regnete, konnte ich nicht umhin, mich zu fragen, ob irgendein Gott es nicht schließlich leid war, sich ständig zu mühen und zu sorgen. Ob er nicht in blanker Verzweiflung *endlich* all seine Werkzeuge fallen gelassen hatte, in Anbetracht der Bürde all jener Irrtümer und Fehler, gegen die er nichts hatte ausrichten können. Um sich zurückzuziehen und bitterlich zu weinen …

Es tut mir Leid, flüsterte ich in die nasse Nacht hinein. Ich entschuldige mich für all die Fehler … so kostspielige Fehler … so viele Jahre und eine Ehe …

Aber ich bin noch immer nicht sicher … war es mein Fehler oder war es deiner … war es überhaupt ein Fehler oder

Teil eines groß angelegten Plans? Ich wünschte, es wäre so. Ein großartiger Plan, uralt und sinnvoll, in dem es niemals um Schuld ging.

Es *muss* einen Grund dafür geben ... Nichts, so sagen alle, erfüllt von Glauben und Ehrfurcht, nichts geschieht ohne einen Grund ...

Aber ich muss die Geschichte von Anfang an erzählen. Natürlich weiß jeder, dass es keine wirklichen Anfänge und Schlusspunkte gibt. Deshalb werde ich für den Augenblick einfach bei meinem achtzehnten Geburtstag beginnen. An dem Tag, den die meisten von uns als eine Art Anfang betrachten, bereit, dem planlosen Chaos der Kindheit endgültig Lebewohl zu sagen.

2

Dieser Geburtstag war anders als alle anderen gewesen. Kein Kuchen aus der besten Konditorei, kein Ausflug laut schnatternder Schulmädchen zum Marktplatz von Bengali, wo man Münzen in einem Haufen auf den Formikatisch schüttete (und sie sorgfältig zählte), bevor die Bestellung aufgegeben werden konnte. Tatsächlich wurde ich mir erst sehr spät am Abend überhaupt bewusst, dass dieser Tag auch mein Geburtstag gewesen war. Es waren an jenem Tag so viele andere ungewöhnliche Dinge passiert, und die lange Autofahrt zu meinem neuen Zuhause war erst der Anfang. Ich warf einen verstohlenen Blick auf meine neue Armbanduhr. Elf Uhr. Ich war seit genau zwölf Stunden verheiratet.

Das Haus tauchte aus der Dunkelheit auf, ragte schemenhaft in der schwülen, klebrigen Nacht von Kerala auf, eine riesige Geburtstagstorte in einer düsteren, von Fliegen wimmelnden Bäckerei. Mit rosafarbenen Rändern und Rosen aus Zuckerguss, die auf weißes Marzipan gespritzt worden waren. Man hatte die hohen schmiedeeisernen Pforten geöffnet, um den kleinen Wagenkonvoi passieren zu lassen. Wir fuhren die geschwungene Zufahrt hinauf, an einem zentralen, aus verschiedenen Lagen Zement bestehenden Kuchen und einem grasbewachsenen Hügel vorbei, an dessen Spitze die Gipsfigur einer Frau erkennbar war. Selbst die Garage, die sich seitlich gegen das Haus schmiegte, ähnelte einem rosafarbenen und weißen Törtchen, in das irgendein ungeduldiger Partygast hineingebissen hatte. Seine Zähne hatten zwei große Kerben hinterlassen, in die die beiden weißen Luxuslimousinen vor uns jetzt hineinglitten. Sie in eine wie ein Ungeheuer grinsende Garage verwandelten, mit zwei Luxuslimousinen als Schneidezähnen. Ich zitterte wieder.

Das war es, das Gebäude, das mein neues Zuhause werden sollte. In Wahrheit ist es das niemals geworden. Bald, sehr bald, würde ich ihm wieder enfliehen, den Hochzeitssari, die Hochzeitsfotos und den Hochzeitsschmerz hinter mir zurücklassend. In ein paar Jahren, in naher (oder nicht ganz so naher) Zukunft, abhängig davon, in welchen Zeiträumen man rechnete. Aber natürlich wusste jetzt, in diesem Augenblick, noch niemand etwas davon, und es hätte mich selbst wahrscheinlich mehr als sonst irgendjemanden überrascht.

»Bleib hier.« Die Anweisung einer neuen Schwiegermutter. »Wir müssen erst die Öllampe anzünden lassen.«

Ich verharrte in derselben Haltung, die ich während der letzten fünf Stunden eingenommen hatte, in der Mitte des

Rücksitzes, in meinem cremefarbenen und goldenen Brautsari, der an meinem schweißbedeckten Körper klebte, den Nacken gebeugt von meinen wirr herabhängenden Halsketten. Etwas musste mich in meiner Seele berührt und mich wachgerüttelt haben, denn ich riss plötzlich die Augen auf und beobachtete, wie Menschen aus den anderen Wagen herausquollen. Schlafwandelnde Kinder, blind voranstolpernd. Fahrer, die sich nach der gewaltigen Anstrengung reckten, lachend ein paar Worte miteinander wechselnd. Eine Ammumma, gebeugt von den Anstrengungen des Tages. Gesichter, die mir nur von der Hochzeitszeremonie vertraut waren, als wir einander die Füße berührten, die Bananenmilch tranken. Meine neue Familie. Die neue Familie meiner Familie, die Verbindung, die sie so energisch angestrebt hatten und die uns nun alle so schicksalhaft miteinander verstrickte. Würden wir wirklich lernen, einander zu lieben? Das Wissen darum, dass das gewöhnlich geschah, vermochte mich nicht zu überzeugen, mir keine Sicherheit zu vermitteln.

»Es ist alles bereit.« Eine Tante mit einem freundlichen Gesicht schob den Kopf durch die Tür. »Komm raus und halte diesen *Vilakku* mit der Flamme hinter deinen Rücken. Und denk daran, den rechten Fuß zuerst auf die Schwelle zu setzen.«

Nicht zum ersten Mal an diesem Tag waren aller Augen auf mich gerichtet. Und nicht zum ersten Mal schlug mein Herz mir bis zum Hals hinauf.

Stolper nicht, fall nicht, ruiniere bloß nicht alles.

Weine nicht und sag nicht, dass du überhaupt nicht hier sein solltest.

Heute weiß ich natürlich, dass ich mich nur selbst hinters Licht führte. Es war von Anfang an meine *Bestimmung* gewesen, dorthin zu kommen. Es war so viele Jahrhunderte zuvor entschieden und festgelegt worden, dass sogar der Schreiber Mühe gehabt hätte, sich daran zu erinnern, wann diese Geschichte ihren Anfang genommen hatte. Und es war nichts als Selbstbetrug, wenn ich mir einredete, sie sei allein meine Geschichte. Dies war nichts als ein Wort in einem Absatz auf der Seite der ganzen, sehr viel längeren Story, nicht mehr. Aber genau wie ein Wollpullover sich nach und nach aufräufelt, wenn man nur eine Masche herauszieht, so wäre meine Bitte, nur ein einziges Wort der Geschichte wegzulassen oder auszutauschen, wohl vergeblich gewesen.

Mit dem rechten Fuß auf der ersten Stufe begann ich meine einsame Reise durch die Menge, drei glänzende, polierte Stufen hinauf. Vijimami hatte mich vor diesen gefährlich polierten Böden gewarnt. Sie hatte sich darauf nicht halten können, war ins Schlittern geraten, ungefähr einen Meter weit, als meine Familie in der letzten Woche hier gewesen war und das traditionelle Brautgeschenk, die *Laddoos*, zehn Kilo Zuckergebäck, abgeliefert hatte. Gott sei Dank hatte Vijimami sich an meiner (zukünftigen) Schwiegermutter festhalten können und dadurch verhindert, dass die Laddoos in einem zuckrigen gelben Haufen auf dem Fußboden landeten. Was für ein schlechtes Omen wäre das gewesen, sagte sie seufzend. Ich konnte das kreischende Lachen meiner Schwiegermutter hören, als ich vorsichtig meinen Weg durch eine Glasveranda hindurch fortsetzte, die die Flamme meines *Vilakku* im Halbdunkel widerspiegelte. Jemand schoss Fotos, ein anderer rief: »An der Tür wieder den rechten Fuß zuerst.« Kichern und amüsierte Bemerkungen drangen an mein Ohr. Jetzt waren alle hellwach. Und dann erhob sich, die Stille der feuchten Nacht zerreißend, ein

Wehklagen schriller weiblicher Stimmen, die aus den dunklen Tiefen des Gartens auf unheimliche Weise anschwollen. Die *Korava*, dazu bestimmt, böse Geister fern zu halten. Man hatte den Dienerinnen des Hauses, die sich unter dem Jackfruitbaum versammelt hatten, befohlen, mit aller Kraft Klagelaute anzustimmen, um selbst die kleinsten, behändesten Geister abzuschrecken, die versuchen könnten, sich mit bösen Absichten in diese gesegnete Nacht einzuschleichen. Die wehklagende Schar war in der Schwärze der Nacht kaum zu erkennen, eine Gruppe von Frauen, die mit erhobenen Köpfen und geschwollenen Hälsen dastanden, ihre elfenbeinfarbene Haut unsichtbar vor dem dunklen Baum, der über und über bedeckt war mit seiner massigen Last von Früchten.

Während das beschwörende Klagen die stille Nachtluft zerriss, stolperte ich ins Haus. Das Heulen und Weinen ließ mich erschaudern. Jetzt, jetzt ist es unwiderruflich, dachte ich, plötzlich von Panik ergriffen, dies ist der erste Schritt in mein neues Leben, ein Einschnitt, für ewig unwiderruflich. Der Punkt, an dem ich noch in der Lage gewesen wäre, meinem Schicksal eine andere Wendung zu geben, ist nun überschritten. Im Geiste hatte ich diesen Augenblick in den letzten Tagen viele Male durchlebt. Aber heute frage ich mich, wenn (und jenes *Wenn* ist ganz und gar überflüssig, nichts als ein Spiel der Gedanken), *wenn* es wirklich einen Punkt der Umkehr gegeben hätte – welcher Punkt wäre es genau gewesen? Der Tag vor der Hochzeit? Der Tag, der Brautschau, an dem ich vorgeführt wurde? Der Morgen, bevor die Saris gekauft und die Karten gedruckt worden waren? Jetzt? Jetzt, da ich gerade mein neues Zuhause betreten hatte? (›Könnte … könnte ich bitte ein bisschen Geld für ein Taxi haben? Ich habe plötzlich das Gefühl, ich muss zurück zu meiner Familie in Alleppey ...‹ *Das* hätte diese klagenden *Korava* sehr abrupt zum Verstummen gebracht. All jene armen Dienerinnen, aus vollem Halse wehklagend, plötzlich ihrer Stimmen beraubt: offen stehende Münder, erstarrt zu schwarzen Höhlen, aus denen kein Laut herausdrang ...)

Stattdessen schaute ich mich schüchtern im Wohnzimmer um, elegant, aber kalt, selbst in dieser schwülen Nacht. Keine zerknautschten Kissen, kein herumliegendes Spielzeug, nur viele Meter schimmernden bedruckten Samtes und glatter Teakholzoberflächen. Konzentrier dich auf deine Füße, ermahnte ich mich, viele Augen folgen jetzt deinen Blicken, während du sie ängstlich umherschweifen lässt. Jemand führte mich zu einer der mit bedrucktem Samt bespannten Sitzflächen. Wieder wurde eine gravierte Silberschale mit in Milch zerdrückten Bananen herumgereicht. Das Hochzeitsmahl, das am Mittag serviert worden war, hatte ich dem Bananenblatt, auf dem es mir gereicht worden war, fast wieder opfern müssen, aber es war mir gelungen, die Übelkeit zurückzudrängen und weiterhin so zu tun, als nähme ich an dem Essen teil. Kurz vor der eigentlichen Mahlzeit hatte ich unendlich viele Löffel in Milch zerdrückter Bananen leeren müssen, einen für jeden älteren Verwandten. Und jetzt sollte ich noch mehr von diesem süßlichen, pappigen Brei schlucken, einen Löffel für jeden *neuen* älteren Verwandten ... Ob es mir wohl erlaubt war, darauf hinzuweisen, dass ich Bananen nicht einmal besonders mochte? Wahrscheinlich nicht. Und so öffnete ich wieder brav meinen Mund, während die Kameras klickten.

Stunde um Stunde verstrich, alte Frauen saßen in der Runde und tauschten mit zahnlosen Mündern ihre Geschichten aus, und Kinder starrten mich mit weit aufgerissenen Augen an. Alle anderen schienen mit irgendetwas beschäftigt zu sein. Ich saß mit gesenktem Kopf da, versuchte, nicht um mich zu sehen, nicht zu denken. Würde ich mich wohler fühlen, wenn dieses Fest endlich zu Ende war? Ein paar eilige Füße unter dem Saum eines Saris tauchten vor mir auf, und die Stimme, die zu ihnen gehörte, redete auf mich ein. Ich schaute auf. Meine Schwiegermutter. Hastig erhob ich mich. Man drückte mir ein Tablett in die Hand und schob mich in Richtung einer geschlossenen Tür. Der schwere Duft der Jasminblüten, aufgehäuft auf dem Tablett, erinnerte mich an all jene Hochzeiten, denen ich als Gast beigewohnt hatte. Und jetzt war ich Gast auf meiner eigenen Hochzeit. Unter den Jasminblüten schimmerte weiß ein weiteres Glas Milch. Jemand zündete ein Bündel Räucherstäbchen an und steckte sie in eine der Bananen auf dem Tablett. Die Menge, jetzt hellwach, begann zu brüllen und zu kreischen. Für alle anderen war dies der beste Augenblick des Tages. Sie schwelgten in Erinnerungen an zahllose Hindufilme, in denen schüchterne Bräute symbolisch defloriert wurden, mit der Scherbe eines Milchglases oder einer zerdrückten Blume zwischen den Laken. In der Dunkelheit des Kinosaals wurden diese Szenen mit verlegenem Schweigen verfolgt, untermalt vom Krachen des Popcorns und dem Weinen eines Babys, das rasch an einer warmen Brust verstummte. In der Wirklichkeit kam es mir jedoch schrecklich komisch vor: Angeheiratete Onkel schlugen einander jetzt klatschend auf den Rücken, und angeheiratete Tanten kicherten verschämt hinter ihren Saris. Eine elegante Schwägerin mit einem langen, schwingenden Zopf schob mich, viel zu rasch, vor sich her, in Richtung einer glänzenden Teakholztür. Langsam, bitte langsam, wollte ich zu ihr sagen, ich bin an Saris nicht gewöhnt. Ich werde wahrscheinlich gleich stolpern – und fallen und allen das Fest verderben …

Zuerst war ich an der Reihe, dann der Bräutigam. Während die kreischenden Stimmen zu einem Crescendo anschwollen, wurde ich ins Schlafzimmer gestoßen; fast wäre die Milch in meinem Glas über den Rand geschwappt. Jemand schlug die Tür hinter mir zu, und ich konnte hören, wie der Riegel ins Schloss glitt. Ich umklammerte das Glas Milch und strich ein paar Tropfen von meinem Sari. Meine Zunge fühlte sich pelzig und sauer an von milchigem Bananenmus. Ich musste kaltes klares Wasser trinken, den Geschmack herunterspülen. Aber jetzt hatte ich dafür keine Zeit. Ich wusste, dass ich mich auf dem Bett niederlassen, mich schüchtern in Positur setzen musste, bevor der Bräutigam dieselbe lärmende Prozedur über sich ergehen ließ. Mein Körper fühlte sich klebrig an, und die Ketten begannen, meinen Hals wie würgende Hände zu umschließen und mir den Atem zu rauben. Während die Wände immer näher zu rücken schienen, schauten mich vergitterte Fenster finster an … war das eine Tür? Ich stürzte in die angrenzende Toilette, das voll beladene Tablett noch immer in der Hand. Nie zuvor hatte mich Kerala so sehr in Angst und Schrecken versetzt.

Meine Mutter sagte, ich sei ein typisches Kerala-Mädchen, obwohl ich im entfernten Delhi geboren und aufgewachsen war. Als man mich zum ersten Mal dorthin brachte, war ich drei Monate alt und schrie die gesamten zweitausend Meilen, das Flugzeug, das uns dort hintrug, für alle anderen Passagiere in eine Hölle verwandelnd. Nach einem kurzen Schlummer auf dem Flughafen von Cochin setzte ich während der dreistündigen Taxifahrt zu Appuppas Haus mein

Geschrei fort. Als wir Thakazhy erreichten, war ich ein winziges nasses und zitterndes Bündel, heiser von der Anstrengung, die Kraft meiner Lungen so rücksichtslos erprobt zu haben.

Appuppa hatte das große Boot geschickt, damit es unsere Koffer aufnahm. Wir kletterten an Bord, meine Eltern mit ihrem kleinen, schwitzenden, mit Talkum gepuderten Bündel, der Bootsführer mit den Koffern, und zum ersten Mal an jenem Tag, so erzählte man mir, verstummten meine Schreie. Ma sagte, es sei der plätschernde Rhythmus der Stangen gewesen, die das Boot voranstießen, während Dad mein Schweigen auf das leise Rauschen des Windes in den Palmwedeln zurückführte. Es ist wahr, mich faszinierten all die neuen Eindrücke und verwandelten mich wie durch einen Zauberspruch in ein glucksendes, glückliches Baby. Aber war ich nicht offensichtlich schon einmal, vor langer Zeit, hier in dieser Gegend gewesen? War vielleicht in diesen toten Gewässern, so dunkel und tief, geschwommen. Oder hatte, ein paar Jahrhunderte zuvor, mit einer Lieblingsfreundin an ihren Ufern gelegen und kindliche Spiele gespielt.

Wir reisten jedes Jahr nach Kerala, um meine Großeltern mütterlicher- und väterlicherseits zu besuchen. Wir flogen mit der Indian Airlines nach Cochin und nahmen dann ein Taxi zum Haus meiner Großeltern in Thakazhy. Die Straße von Cochin nach Thakazhy endete immer abrupt auf dem leeren sonnenbeschienenen Hof der Grundschule von Thakazhy, wo die Autos geparkt werden mussten. Jahrelang lebte ich mit der Vorstellung, dass dies der Ort sei, an dem die Welt endete. Hier begann die ›andere‹ Welt, die sich hinter der chaotischen, von Autos überfüllten, erstreckte, welche so plötzlich auf dem leeren Schulhof endete. Wenn man den kleinen Pfad hinter der Schule hinunterging, der über eine Treppe bemooster Stufen immer weiter nach unten führte, dann kam man zu dem Bereich, den man die »toten Gewässer« nannte. Plötzlich befand man sich, abrupt und unerklärlich, in einer Welt der Stille und der schwarzgrünen Tiefen. Eine Welt, die die Eltern meines Vaters in Thoduporam bewohnten, in ihrem großen, verschlafenen Haus, das sich am Ufer des Kanals entlangzog, den ganzen Tag über in den grünen Spiegel zu seinen Füßen starrend, wie eine schöne Wassermaid.

Die Bootsfahrt von der Grundschule in Thakazhy zum Haus meines Großvaters blieb meine ganze Kindheit über wenig verändert. Dieselben Sommerferien, dieselben Wasserhyazinthen, die an der Seite des Bootes hin und her schaukelten, dasselbe schüchterne Lächeln, das von den Ufern des Kanals aufblitzte, wo Frauen ihre Kleider wuschen und ihre Töpfe schrubbten. Ich war schon älter, ein Teenager, als ›Die Straße‹ gebaut wurde, staubig-orange, an den Rand des Kanals gedrängt, als wäre sie anfangs ein wenig unsicher gewesen, welches ihre wirkliche Aufgabe war. Später verbreiterte sie sich, erhielt sogar eine Decke von mit Schlaglöchern durchsetztem Teer. Allmählich erdrückte sie alles, was im Kanal noch lebendig war, der nach und nach an seinen Hyazinthen erstickte und ihr kampflos das Feld überließ. Aber lange bevor der Kanal endgültig starb und es zuließ, dass schwerfällige Luxuslimousinen seine Eroberin hinauf- und herunterrumpelten, war er die Straße für Appuppas Boot. Lange, glänzende, geölte Holzplanken, die stumm das dunkle Wasser teilten; nur das rhythmische Plätschern der Stäbe an seinen Seiten unterbrach die Stille.

Wir kamen fast immer um die Zeit der Abenddämmerung in Thoduporam an. Das Haus war immer schwach be-

leuchtet, und die einsame Öllampe unter dem Tulsibusch flackerte in der sanften Brise. Beim Anblick des Bootes, das auf das Haus zuglitt, stieß Appuppa einen Freudenschrei aus, und ohne auf Ammumma zu warten, rannte er die Stufen hinunter, weinend und lachend, mit weit ausgebreiteten, nach Sandelholz duftenden Armen. Zuerst umschloss er seinen Sohn, dann seine Schwiegertochter und dann das kleine, heisere Bündel, das im Laufe der Jahre zu seiner geliebten Enkelin heranwuchs.

Appuppa, der immer nach Kokosnussöl und Sandelholz roch, war nur einer der Gründe, warum ich Kerala liebte. Seine Umarmungen, wenn er uns willkommen hieß, gehörten zu den wunderbarsten Düften meiner Kindheit, die sich mit dem Aroma der warmen Unniappams zur Teestunde und dem von geöltem, nassem Holz vermischten. Mit den Jahren wuchs ich seinen Umarmungen entgegen, jedesmal ein Stückchen höher. Anfangs vergrub ich meine Nase zuerst tief in dem gestärkten Mundu, der seine Beine bedeckte, bevor er mich in seine sicheren Arme hob. Dann, einige Jahre später, drückte sich mein Gesicht in seinen braunen Bauch, eine federnde, mit Kokosnuss geölte Kostbarkeit. Aber das war, bevor ich plötzlich in die Höhe schoss und ihn überragte, und bevor er sich dem erbarmungslosen, todbringenden Voranschreiten des Lebens überließ, zusammengekauert in einem Sessel, sich selbst aufgebend, wie sein Kanal, ohne auch nur an Kampf zu denken. Zu nichts mehr in der Lage, als sich umarmen zu lassen, manchmal sogar, ohne die Fremden aus der Stadt zu erkennen, die jeden Sommer kamen. Heute Morgen schien er sich wohl gefühlt zu haben … und hatte sich in Guruvayur mit einem breiten, zahnlosen, stummen Lächeln von mir verabschiedet. Aber das war heute Morgen gewesen … vor so langer Zeit …

Selbst durch zwei geschlossene Türen hindurch konnte ich die Menge noch immer grölen und kreischen hören. Hatte der Bräutigam das Schlafzimmer schon betreten? Ich verschloss ganz langsam die Toilettentür, damit der Riegel nicht quietschte und mein Entsetzen verriet. Zuerst musste ich all den Schmuck loswerden, der an mir klebte und mich niederdrückte. Ich kämpfte mit den sieben Ketten, die Preethi Chechi mir um den Hals gehängt hatte. Sie hatte sie, je nach Bedarf, mit Zwirn verlängert oder gekürzt. Diese Tricks hatte sie in Preethis Braut- und Schönheitssalon in Bangalore gelernt. Ich hatte den Wunsch geäußert, nur meine beiden Lieblingsketten tragen zu dürfen. Die traditionelle *Pachakulla Thali* um meinen Hals und die Mullamuttu, die bis zu meinem Bauchnabel herabhing. Aber Ma hatte Sorge, dass die Maraars und ihre reichen Freunde und Verwandten denken könnten, ich besäße nur zwei Halsketten. (›Weißt du, sie hat *nur* eine Mullamuttu und eine Pachakulla Thali, und die ist geradezu winzig.‹) Sie erklärte mir mit fester Stimme, es sei überaus wichtig, jede einzelne Kette zu tragen, die ich besaß. Dann dachten sie möglicherweise sogar, ich hätte noch *mehr* davon, die alle in ein paar Dutzend Bhima-Schmuckkästchen aus rotem Samt aufbewahrt würden. Widerspenstige Verschlüsse und fleischfarbener Zwirn verfingen sich in meinen zitternden Händen. Ein Ohrring fiel zu Boden, Mas schöner alter siebenkarätiger Diamant! Nachdem ich ganze zehn Minuten lang auf allen Vieren herumgekrochen war, fand ich ihn schließlich; er lag hinter der Zisterne und zwinkerte mir zu, und ich legte ihn sorgfältig in sein Schmuckkästchen.

Was mochte er bloß *denken* … dass ich die Absicht hatte, die ganze Nacht hier, in dieser Toilette zu verbringen? Der Mann da draußen … Mein *Ehemann* … Dieses neue

Wort … Wieder spürte ich, wie ein Kichern in meiner Brust aufstieg. Was würde er tun? Zweifellos auf seinen ehelichen Rechten bestehen! So war das zumindest in Kinofilmen in der ersten Nacht. Und dann kaute man Tamarinden, und die Braut erbrach sich. Und danach, genau neun Monate später, flutschten die Babys heraus. Ma hatte letzte Woche versucht, mich zumindest über einige Fakten des Lebens aufzuklären, aber es war nur ein gestelzter kleiner Vortrag dabei herausgekommen; es hatte ihr ein wenig den Atem verschlagen, und ihre Blicke glitten nach allen Richtungen beiseite. Sie war ehrlich überrascht, als ich ihr erklärte, ich wisse schon alles, obwohl ich es nicht *genau* wusste. Leena und ich hatten in der Mittagspause häufig genug die Köpfe zusammengesteckt, um die Puzzleteile unseres Wissens zu einem Ganzen zusammenzufügen; das ergab eine vage Vorstellung von dem, was mir bevorstand. Ich war offenkundig entschlossen, den Moment so lange wie möglich hinauszuzögern.

Ich nahm ein ausgedehntes Bad, ließ das Wasser vorsichtig am Rand des Zubers einlaufen, um keinen Lärm zu machen. Es war das lautloseste und schaurigste Bad, das ich je genommen hatte, nichts von dem fröhlichen Trällern, das ich häufig zu Hause ertönen ließ. Eine Geckofamilie beobachtete mich stumm, ebenso verstört wie ich selbst. Trotz des lauten Surrens des Ventilators konnte ich, während ich mich abtrocknete, den Lärm der Nachttiere im Garten hören. Da draußen waren noch mehr ängstliche Lebewesen wie ich, aber während sie piepsende und krächzende Geräusche von sich gaben, um ihre Feinde auf Distanz zu halten, verharrte ich in grimmigem Schweigen. Ich hatte mir wieder den Sari-Petticoat und die klebrige Bluse angezogen, da ich, auf meinem Weg ins Bad, nicht die Geistesgegenwart besessen hatte, mein Nachthemd aus dem Koffer zu nehmen. Vorsichtig und sehr leise schob ich den Riegel zurück und stieß die Tür auf. Das Zimmer lag im Dunkel, die Vorhänge waren geschlossen. Ich wartete darauf, dass meine Augen sich an die ungewohnte Schwärze gewöhnten. Ein sanftes Schnarchen drang an mein Ohr. Er schlief! Ich konnte es nicht glauben. Dieser Tag hatte auch ihn völlig erschöpft; Müdigkeit hatte wahrscheinlich alle anderen Pflichten und Bedürfnisse überlagert. *Oh, danke, danke, lieber Gott!*

Ich glitt in das große Bett neben ihn, ohne die Bettdecke zu heben, die zur Hälfte seinen schlafenden Körper bedeckte. Ich brauchte sie eigentlich nicht; die Nacht war warm. Eine halbe Stunde später wurde es allerdings kühler, und Moskitos begannen ihr leises Summen, eine Warnung vor den Stichen, die sie mir zufügen würden. Aber ich zog es vor, nicht an der Decke zu ziehen, die Suresh mittlerweile fest um sich gewickelt hatte. Wo käme man auch hin, wenn man im Bett an der Decke eines völlig fremden Mannes zöge? Wie Ma und Dad das damals wohl gemacht hatten? Sie hatten einander doch auch kaum gekannt, als sie heirateten. Wann hatten sie entschieden, dass sie lange genug verheiratet waren, um sich nachts gegenseitig die Bettdecke wegzuziehen?

Trotz meiner tiefen Erschöpfung lag ich, so schien es mir jedenfalls, den größten Teil der Nacht wach. Meine Gedanken kamen nicht zur Ruhe, ständig gingen mir irgendwelche völlig unwichtigen Dinge durch den Kopf. Wahrscheinlich muss man achtzehn sein, um angesichts lebensentscheidender Ereignisse an völlig Belangloses zu denken. Die Tiere draußen im Garten, vermutlich ebenso verängstigt wie ich, lärmten noch immer in der Dunkelheit. Jetzt begann es zu regnen. Eine hohe Gartenlaterne mit einer runden Glaskuppel warf milchiges Licht in das Zimmer. An den Wänden führten Zweige und Blätter einen Schattentanz auf. Ich drehte meinen Kopf auf dem Kissen zur Seite, um einen verstohlenen Blick auf den Mann zu werfen, den ich heute Morgen geheiratet hatte. Ich konnte nur das Profil einer ziemlich großen Nase erkennen, die sich an der Spitze zu einem kleinen Höcker wölbte. Er schnarchte leise, atmete die Luft tief durch geweitete Nasenlöcher ein und stieß sie durch seine leicht geöffneten Lippen wieder aus. Ein seltsam monotones Geräusch: kuuh-whiie, kuuh-whiie. Wie ein mir unbekannter Raubvogel der Nacht. So fremd war mir der Anblick, dass mir erneut eine eiserne Hand das Herz zusammendrückte. Tu so, als wäre es Arjun, sagte ich mir tapfer.

Ich schloss die Augen und sah ... noch einmal ... das blitzende Weiß eines verschmitzten Lächelns. Weiße Krickethosen, mit grünen Flecken an den Knien. Grüne Augen (oder waren sie grau, ich konnte es nie so genau sagen), gesäumt von braunen Wimpern, länger als meine. Braunes, sehr dunkelbraunes Haar, das auseinander fiel, während er bowlte oder battete und ich vom staubigen Rand des Spielfelds aus zu ihm hinüberspähte. Ihn beobachtete, im Geiste Schnappschüsse schoss, besorgt, es könnte mir später schwer fallen, mich an alle Details zu erinnern. Und tatsächlich fiel es mir, nachdem er Delhi verlassen hatte, nicht leicht, mir diese Bilder ins Gedächtnis zu rufen. (Heben Sie den Arm, Sir, tun Sie so, als ob Sie den Ball werfen, geeenau ... klick). Ich nannte in meiner Vorstellung ein ganzes Album jener Bilder mein Eigen, die ich mir die ganze Nacht über anschauen konnte, wenn ich wollte. Das einzige wirklich vorhandene Foto hatte ich in meinem Zimmer zurückgelassen, versteckt unter einem Haufen Glasarmbänder und alten Haarschleifen, zusammen mit ein paar Briefen, von denen zwei sehr rasch ihren zarten Duft verloren, in einem Bata-Schuhkarton, auf dem untersten Regal meines Schranks. Dad und ich hatten ihn gemeinsam ausgesucht und uns für die Farbe Weiß entschieden; damenhaft und zierlich sollte er aussehen. Und dann hatten wir ihn neben mein Fenster gerückt, das den Blick freigab auf den Jacarandabaum, der zu dieser Jahreszeit anfing, lilafarbene Tränen über meine Ringelblumen zu weinen, direkt vor meinem Zimmer. Zu Hause in Delhi.

Was in aller Welt *tat* ich hier, auf der neuen Matratze eines Mannes, die noch nach Latex roch, auf einem so erschreckend sauberen Bettlaken? Mein Rücken schmerzte, während ich mich steif machte, um nicht gegen den Mann zu stoßen, der neben mir lag und mir nicht den Teil der Bettdecke überließ, der mir zustand. Selbstmitleid überflutete mich in Wellen, und meine Augen brannten. Tränen, die ich, um mir keine Blöße zu geben, den ganzen Tag über mühsam zurückgehalten hatte, füllten nun meine Augen und rannen an meinen Schläfen herab. Ich musste unbedingt meine Eltern sehen und ihnen sagen, dass der Traum, den sie für ihre Tochter hegten, keinen guten Anfang nahm. Musste sie bitten, mich hier herauszuholen, mich wieder zu sich zu nehmen. Mich aus dem Zimmer zu schicken (selbst *wenn* es im Zorn geschehen sollte), damit ich ins Bett ging, unter den Postern von Pink Floyd und Amitabh Bacchan, die der vergilbte, bröckelnde Tesafilm kaum noch an der Wand hielt. Dort, wo ich *zu Hause* war, wo die Kissen zerknautscht und die Gerüche vertraut waren. Weit, weit fort von Kerala.

3

Mein Zuhause war, praktisch mein ganzes Leben lang, Delhi gewesen. Das riesige, geschäftige, von Menschen wimmelnde New Delhi. Zweitausend Meilen von Kerala entfernt, eine Strecke, gerade so weit, wie man sie in Indien reisen kann, ohne in den Indischen Ozean zu stolpern. Delhi und Kerala – sie hatten meinem Leben wahrscheinlich immer etwas seltsam Paradoxes verliehen: dass diese beiden Städte sich in meinem Blut vermischten, wobei ihre unterschiedlichen Sprachen und verschiedenen Sitten niemals ganz miteinander verschmolzen, sich niemals zu einer Einheit zusammenfügten. Und als ich, ein Malayali-Mädchen, das in Delhi aufwuchs, mit Malayali-Eltern, aber Freundinnen aus Delhi und dem Denken und dem Benehmen eines Mädchens aus Delhi, mich auch noch enschied, mich in einen Jungen aus Delhi zu *verlieben*, der in meinem Malayali-Zuhause niemals willkommen sein würde, hätte ich eigentlich ein wenig umsichtiger sein und den Skandal vorausahnen müssen, den ich auslösen würde. Aber das war nicht der Fall, und so, wie man es eben macht, wenn man jung und uneinsichtig ist, stürzte ich mich Hals über Kopf, ohne Furcht und ohne Scham, in das Abenteuer, das mir später so viel Kummer bereiten sollte.

Es war draußen vor dem Schulgebäude, zwei Jahre vor meiner Hochzeit, als ich Arjun zum ersten Mal begegnete. Ich besuchte die irische Klosterschule, weil meine Eltern Wert darauf legten, dass ich gut Englisch sprach, damit ich in der vornehmen Gesellschaft Delhis den anderen Mädchen gegenüber im Vorteil wäre. Arjun besuchte die benachbarte Jungenschule, deren Schüler durch hohe Dornenhecken und ständig verschlossene Pforten von uns getrennt wurden.

»Hey yaar, Janaki, schau dir den mal an, den werde ich mir heute nach der Schule mal vornehmen.«

Ich spähte durch die staubigen Blätter der Hecke und sah eine große, schlaksige Gestalt: »Den in dem Kricketanzug?«

»Nee, nicht diesen Blödmann, den neben ihm. Groß und dunkel, ziiiemlich gut aussehend.«

Die sexuellen Bedürfnisse meiner Freundin Leena entwickelten sich anscheinend schubweise und jedenfalls sehr viel rascher als meine eigenen. Wenn wir während des Mittagessens die Köpfe zusammensteckten, genoss ich es, mir die Details ihrer verschiedenen Eskapaden anzuhören. Nach und nach war mir klar geworden, dass sie eine Schwäche für Jungen hegte, die sie als ›groß, dunkel und mit himmlischen Händen‹ beschrieb. Bei einigen ihrer Erzählungen von den besagten Händen, die sich an Körperteilen zu schaffen machten, die ich nur heimlich im Badezimmer erkundete, hatte ich einen atemlosen Schauder verspürt. Für den Augenblick war ich allerdings damit zufrieden, mich stundenlang in unbekleidetem Zustand vor dem Spiegel hin und her zu drehen, einen Schmollmund zu ziehen, erfüllt von Bewunderung für die sich allmählich entwickelnden Rundungen, die ich entdeckte.

»Los, *komm*«, sagte ich, Leena am Ärmel zerrend, »Schwester Seraphia wird uns gleich aufs Dach steigen, wenn wir nicht vorsichtig sind.«

»Na gut, du Spielverderberin, aber du wirst sehen, wie ich heute Nachmittag in Nullkommanichts draußen vor dem Schultor bin.«

Die Schultore waren die Stelle, an der die Architekten und die Hüter unserer Keuschheit sich hoffnungslos verkalkuliert zu haben schienen. Am Ende des Unterrichtstages strömten Mädchen und Jungen aus beiden Schulen in diesen gemeinsamen Bereich, um in die Schulbusse zu steigen. In dem anschließenden Chaos waren sich zahllose Augenpaare begegnet, zahllose Verabredungen getroffen worden, und die Hoffnungen zahlloser Eltern, ihre Kinder auf eine teure Klosterschule zu schicken und dadurch sicherzustellen, dass sie ein gutes Englisch, gute Sitten und reine Gedanken lernten, wurden zerschlagen.

Als wir uns an jenem Nachmittag unter die Schüler und Schülerinnen in den blauweißen Uniformen mischten, öffnete Leena den Knopf ihres gestärkten Kragens und zog ihre Bluse aus ihrem blauen Faltenrock. Dann warf sie mir ein listiges Lächeln zu und krempelte den Bund ihres Rocks einmal und dann noch einmal um. Dies war einer der Tricks, wie man das Dasein in einer Klosterschule überlebte, den eine Generation von Schulmädchen an die nächste weiterverriet. Trotz strengster Regeln (›nicht kürzer als 2,5 Zentimeter über dem Knie‹) konnten dicke Sommerröcke auf diese Weise in die süßesten kleinen, hin und her schwingenden Dinger verwandelt werden, die natürlich bewirken sollten, den Puls konfuser Schuljungen in die Höhe zu treiben.

»Warte«, sagte Leena und zog mich in das Gewühl vor den Toren zurück. Wir hatten uns an Schwester Seraphia vorbeigeschmuggelt, die erneut ihre Aufsichtspflicht verletzt hatte, indem sie die tadelnswerte Länge (oder vielmehr Kürze) von Leenas Rock übersah. Als Leena mit lauter Stimme »Auf Wiedersehen, Schwester«, rief, nickte diese kurz und ließ dann weiter ihre Augen über die Menge schweifen, um nach verräterischen Anzeichen dafür Ausschau zu halten, dass sich blaue Uniformen mit grauen mischten. Diesen Aspekt jedenfalls hatte die Obrigkeit sinnvoll geplant. Die Mädchen trugen blaue Röcke und die Jungen graue Hosen, und es war relativ leicht, zu erkennen, wenn sich irgendeine unerwünschte Interaktion zwischen Hose und Rock anbahnte.

Leena hatte ihre Beute gesichtet und bereitete den großen Coup vor. »Los, komm, dort hinter den Bus, Jans, beeil dich!« Ich wurde hastig um einen der Busse herum gezerrt, der nach und nach die drängelnden Schuljungen verschluckte. Wir waren jetzt auf verbotenem Territorium, und ich spürte, wie der Flaum auf meinen Armen kribbelte und sich sträubte.

»Hallo«, sagte Leena mit einer gekünstelt lasziven, geheimnisumwitterten Stimme, »ich bin Leena, und dies ist meine Freundin Janaki.«

Wir standen Leenas ›groß, dunkel und mit (hoffentlich) himmlischen Händen‹ gegenüber, der jetzt (heimlich) eine Zigarette rauchte, und einem zweiten Jungen, seinem Kricketkameraden, dessen helle Haut von Leena grausam als ›bleichgesichtig‹ abgetan worden war. ›Himmlische Hände‹ war über die unerwartete Begegnung offensichtlich erfreut, nahm aber zunächst einen tiefen Zug aus seiner Zigarette, warf sie zu Boden, zermalmte sie mit seinem Schuh und erklärte dann gedehnt: »Ich bin Jai, und dies ist Arjun.«

Arjun hatte grünlich graue Augen. Ich hatte solche Augen noch nie zuvor gesehen. Das Prickeln auf meinen Armen war jetzt zu meinem Nacken hinaufgewandert. Ich war mir bewusst, dass ich mich kaum auf das Gespräch konzentrierte und meine Blicke wild umherschossen, da mich die nackte Angst packte, plötzlich könnte mitten im wogenden Grau der Jungenseite die Ordenstracht einer Nonne auftauchen. Wie in aller Welt schaffte es Leena, in Anbetracht der Tatsache, dass sie möglicherweise lebenslang bei

Brot und Wasser im Karzer verbringen würde, so unbekümmert zu sein? Jetzt lachte sie laut über irgendetwas, was ›Himmlische Hände‹ gerade hatte verlauten lassen, wobei sie ihren ungewöhnlich langen, wohlgeformten linken Oberschenkel auf provozierende Weise vorstreckte. Schüler beobachteten uns, größere Jungen voller Neid, kleinere mit einem eher angewiderten Gesichtsausdruck. Als ich mich zwang, meine Aufmerksamkeit wieder auf meine Begleiter zu richten, bemerkte ich mit Schrecken, dass ›Grüne Augen‹ diese voller Bewunderung auf mir ruhen ließ. Ich konnte fühlen, wie meine Zunge plötzlich unbrauchbar wurde und nutzlos in meine Kehle zurückglitt. Es hatte allerdings nicht den Anschein, als hätte ›Grüne Augen‹ seine sehr viel besser unter Kontrolle. Unsere Blicke begegneten sich einige verwirrte Sekunden lang, und ich entschied rasch, mich stattdessen darauf zu konzentrieren, den ›Gedanken zum Tag‹ auf dem schwarzen Brett vor der Schulkirche auf mich einwirken zu lassen. In den zwei Jahren, in denen ich die Schule besuchte, hatte ich diese Sätze niemals mit einer solchen Aufmerksamkeit gelesen. Steckbuchstaben aus Plastik in einem Glaskasten ermahnten den Leser nicht ohne Strenge: Lass dein Gespräch ohne Lüsternheit sein; sei zufrieden mit dem, was du hast (Hebräer 13,5). Vielleicht wäre es sinnvoll, Leena das mitzuteilen, dachte ich. Sie war noch immer damit beschäftigt, kokett mit ›Himmlische Hände‹ zu plaudern, und ich warf erneut einen Blick auf meinen Zufallsbekannten. Er schlug seinen Kricketschläger gegen die Seite seines Schuhs, und als ich in sein Gesicht schaute, sah ich, dass auch er mir einen verstohlenen Blick zuwarf. Sprachlosigkeit hielt uns gefangen, schlug einen magischen, undurchdringlichen Kreis um uns.

Selbst Jahre später habe ich nicht ergründen können, ob

die Zeit, ja, die Welt für mich damals nur deshalb stillzustehen schien, weil ich schlichtweg verängstigt war. Oder weil etwas sehr viel Bedeutungsvolleres geschah. Ein Ereignis, das mein Leben so unwiderruflich prägte, wie ich es damals auch nicht im Entferntesten ahnen konnte. Später lachten Arjun und ich, wenn wir uns jene erste Begegnung ins Gedächtnis riefen, und ich versuchte, ihn davon zu überzeugen, dass es mir nur deshalb die Sprache verschlagen hatte, weil Leena und ich in den Bereich vorgedrungen waren, der für die Jungen reserviert war, und von Schwester Seraphina jeden Augenblick ertappt werden konnten. Erst sehr viel später wusste ich, dass dies in meinem Leben ein neuer Anfang, der Beginn einer neuen Geschichte gewesen war. Einer neuen – oder sehr alten – Geschichte, die schon viele Male zuvor geschrieben wurde.

Ich wusste auch nicht, dass an jenem Nachmittag zwischen dem Schnauben und dem Vibrieren von Dieselabgase spuckenden Bussen etwas Altes, Zeitloses und Unaufhaltsames langsam wieder heranzureifen begann. Wie eine Frucht, gefüllt bis zum Bersten mit Versprechen, die ins Leben drängten. Manchmal habe ich mich gefragt, ob wir uns am folgenden Tag wieder getroffen hätten, wenn wir gewusst hätten, wie viel Unheil daraus so viele Jahre später entstand. Und ob wir uns darauf eingelassen hätten, unsere Eltern anzulügen, um einander wiedersehen zu können, wieder und wieder und immer wieder ... Hätten wir uns, in Anbetracht all des Unheils, das uns erwartete, gewünscht, dass die Geschichte überhaupt geschrieben würde?

Wir trafen uns am folgenden Tag wieder, nachdem wir uns ein verlegenes »Bis morgen« zugeflüstert hatten. Diesmal lösten sich unsere Zungen, und wir entdeckten überrascht, dass wir unbefangen miteinander plaudern konnten. Und dann, in der folgenden Woche, kaufte Arjun mir einen aus einem dicken grünen Blatt bestehenden Teller mit *Kulcchey Choley* von dem Straßenverkäufer, der so schlau gewesen war, seinen Stand vor dem Territorium von Schwester Seraphia aufzubauen. Nachdem wir Brocken ölgetränkten Brots in den sauren braunen Brei getunkt hatten und uns beeilen mussten um unsere Hände an einem nahe gelegenen öffentlichen Wasserhahn abzuspülen, verpassten wir natürlich unsere Schulbusse. Und mussten, um überhaupt nach Hause zu kommen, in einen überfüllten DTC-Bus klettern. In der Menge aneinander gepresst, umringt von gelangweilten Pendlern, tat es uns fast weh, unser Gespräch zu beenden, als es Zeit für mich war, in Hauz Khas aus dem Bus zu steigen. Innerhalb weniger Wochen und auf jene sorglose, gedankenlose Art von Menschen, denen plötzlich das Glück über den Weg gelaufen ist, wurden Arjun und ich Freunde. Es wäre auch schwierig gewesen, uns nicht anzufreunden, selbst wenn wir einander nicht gemocht hätten, denn schließlich war ich Leenas Vorwand für ihre heimlichen Treffen mit Jai, zu denen mittlerweile gewiss weit mehr gehörte als nur ›himmlische Hände‹. Deshalb nahmen Arjun und ich, wenn Leena und Jai im Nehru Park hinter einem Sichtschutz diskreter Büsche und Bäume verschwanden, im Laufe der Wochen die Gewohnheit an, unsere Verlegenheit mit einem nervösen Wortschwall zu betäuben. Dass wir, lange nachdem Leena und Jai sich sechs Monate später nach einem erbitterten Streit getrennt hatten, noch immer miteinander redeten, hatte etwas seltsam Ironisches, was uns beiden durchaus bewusst war. Irgendwann danach – aber ich bin nicht ganz sicher, wann –, begann ich mich zu verlieben.

Trotz allem, was später geschah, macht es mich noch immer ein wenig verlegen, diese Gefühle einer Sechzehnjährigen mit einem so großen Wort wie ›Liebe‹ zu beschreiben. Aber ich finde kein anderes dafür. Arjun wurde zu einem Menschen, dessen Wohlergehen mir unendlich wichtig war, manchmal wichtiger als mein eigenes. Er nahm einen großen Teil meiner Gedanken in Beschlag, und ich sehnte mich ständig danach, in seiner Nähe zu sein. Es gefiel mir, dass er, wenn wir uns trafen, nicht wie Leenas Jai darauf aus war, meinen Körper mit seinen Händen zu erkunden. Mit seinen Erzählungen, seinen Scherzen brachte er mich zum Lachen. Wir mochten dieselbe Musik und dieselben Bücher. Für sein Kricketspiel hatte ich zwar nicht besonders viel übrig, aber es machte mir nichts aus, am Rand des Spielfelds herumzustehen und darauf zu warten, dass das Spiel zu Ende ging. Mit ihm zusammen blühte ich auf, schmolz bei seinem verschmitzten Lächeln dahin, verlor mich in den grünen Tiefen seiner Augen. Ich hätte in sein Gehirn eindringen und darin herumwandern, seine geheimsten Gedanken erkunden wollen. Ich riskierte sogar den Kummer und Zorn meiner Eltern, um mit ihm zusammen zu sein. Wenn das nicht Liebe war, was dann?

Leena fand eine einfachere Erklärung. »Er hat einen tollen Hintern, Mensch, und kann sich jederzeit das Motorrad seines Bruders leihen. *Das* ist es.«

Ich hatte vor meinen Eltern vorher nie Geheimnisse haben müssen. Nicht einmal allzu viele meiner *Gedanken* hielt ich vor ihnen zurück; die meisten vertraute ich Ma an, während sie ihre Hausarbeit erledigte und ich ihr von einem Zimmer ins andere folgte. Aber das, was mich jetzt bewegte, hielt ich tief in meiner Seele verschlossen, mit einer Verschwiegenheit, die mich selbst überraschte und faszinierte.

Ich war ziemlich sicher, dass meine Eltern meine Freundschaft zu Arjun missbilligen würden; schließlich hatte ich häufig genug gehört, wie Dad sich heftig räusperte, wenn im Kino Liebesszenen gezeigt wurden, besorgt, dass seiner Tochter dadurch irgendwelche Flausen in den Kopf gesetzt werden könnten. Für ihn bedeutete Liebe ein leises Angerührtsein, als seine Mutter ihm das Bild eines Mädchens mit keckem, frischem Gesicht zeigte, das sie vor achtzehn Jahren für ihn ausgesucht hatte. Diese rührseligen Szenen, Pärchen, die einander in romantischen Landschaften zu haschen versuchten, waren, so erklärte er häufig, etwas für Filmstars und Dummköpfe. Was mich betraf, so gab es zu jenem Zeitpunkt nach Leenas Meinung jämmerlich wenig, wofür ich mich hätte schuldig fühlen müssen. Aber in den Augen meiner Eltern gehörte Arjun definitiv dem falschen Geschlecht an, um nichts weiter als ein Freund zu sein. Selbst ich war nicht so sicher, ob ich ihn tatsächlich als ›nichts weiter als ein Freund‹ hätte bezeichnen können. Mein Gewissen und meine Vorsicht rangen miteinander, bis ich am Ende entschied, den Versuch zu wagen und den noblen Weg einer Halbwahrheit zu wählen.

Nachdem ich mich vergewissert hatte, dass Dad nicht in der Nähe war, rückte ich mit der Neuigkeit heraus. Ich hatte es mir neben Ma auf dem Sofa bequem gemacht und versuchte den Anschein zu erwecken, als säße ich rein zufällig dort. Mit bemühter Begeisterung erklärte ich: »Ma, ich habe einen neuen Freund! Wir haben *wahnsinnig* viel gemeinsam, die Schulen, die wir besuchen, unsere Väter sind beide im öffentlichen Dienst, wir haben denselben Geschmack, was Bücher und Musik angeht ...« Ich wusste, dass meine Begeisterung übertrieben klang, und beschloss, mich zurückzunehmen.

Ma lächelte geistesabwesend, geschäftig mit ihren Stricknadeln klappernd, den Blick auf ihre Lieblings-Serie gerichtet, die sie sich jeden Mittwochabend im Fernsehen anschaute. Ich atmete tief ein und fuhr fort: »Er ist wirklich nett – was meinst du, ob ich ihn mal, zusammen mit Alka und Leena, sonntags zu einem Dosa-Essen einladen kann? Ich bin unter meinen Freundinnen die Einzige aus dem Süden, und sie nerven mich ständig, dass sie unbedingt mal Dosas probieren möchten.«

Diesmal hatte ich, da ich beiläufig das Pronomen »ihn« benutzt hatte, ein Alarmsignal ausgelöst. Ihr Blick wandte sich abrupt von Dilip Kumars liebeskranken Augen auf dem Schwarzweiß-Bildschirm ab und landete suchend auf meinem Gesicht. Es gab nichts, wofür ich mich hätte schuldig fühlen müssen, jedenfalls nicht *viel*, nach Leenas Meinung, aber ich konnte fühlen, wie ich rot anlief.

»Seit wann kennst du ihn? Wer ist er? Wie hast du ihn kennen gelernt?«

O je, vielleicht hatte ich mit meinem Geständnis am Ende doch einen Fehler gemacht.

»Er ist der Sohn eines Colonel Mehta. Geht auf das St. Paul's-College. Wir haben uns in der Schule kennen gelernt. Ma, er ist bloß ein Freund, schau nicht so entsetzt drein.«

»Ich weiß nicht«, sagte sie zweifelnd, »als ich ein junges Mädchen war, hatte ich nie solche Freunde. Du musst vorsichtig sein, weißt du, es gibt da draußen eine Menge Jungen, die nur darauf warten, hübsche junge Mädchen auszunutzen.«

»Oh, Ma! Er ist ein Freund, genau wie Leena, Alka, Anju ...« Ich zog meine Trumpfkarte aus dem Ärmel, sprach den Satz aus, den ich vorher so viele Male geübt hatte: »Wenn er nicht nur ein Freund wäre, würde ich ihn dann hierher einladen, damit er dich kennen lernt?«

Ich konnte sehen, wie diese Frage ihr zu schaffen machte. Sie wollte ihn sehen, gewiss, da er offenbar bereits ein Teil meines Lebens war. Aber wenn er mich besuchen durfte, würde das dann auch bedeuten, dass sie die Verbindung billigte? Und dass wir Dosas für ihn zubereiteten? Die köstliche, aber sehr zeitaufwändige und komplizierte Speise, die wir nur für unsere allerbesten Freunde aus Nordindien reservierten! Das wäre sicherlich eine übertrieben herzliche Willkommensgeste, fast als wolle man damit andeuten, dass er jetzt Teil der Familie sei.

»Ich werde deinen Vater fragen, aber ich kann dir nichts versprechen. Dass wir Dosas machen, kommt allerdings nicht in Frage!«

Arjun durfte mich am Ende tatsächlich besuchen, umringt von der Schar meiner Schulfreundinnen, deren Schnattern und Kichern die Gefühle, die Arjun und ich füreinander hegten, kaschierten. Er hatte Mühe, in Anbetracht ihres Kreischens und ihrer Lachsalven die Fassung zu bewahren, und sah den größten Teil des Nachmittags ein wenig verlegen drein. Aber er hielt sich tapfer, und ich liebte ihn dafür. Ich konnte sehen, dass ihn das unverhohlene Misstrauen meiner Eltern ein wenig verletzte, und er beantwortete Dads Fragen höflich, aber nervös. Ich hoffte, er würde es mir nicht anlasten, und machte mir eine mentale Notiz, ihn einer solchen Befragung nicht noch einmal auszusetzen.

Im Großen und Ganzen konnte ich die Befürchtungen meiner Eltern verstehen. Sie hatten ein geregeltes, ehrbares Leben geführt, und genau das wünschten sie auch für mich, ihr einziges Kind. Weder mein Vater noch meine Mutter hätte es sich je einfallen lassen, irgendetwas zu tun, ohne zunächst den Segen der Eltern einzuholen. Sie hatten alle größeren Entscheidungen ihres Lebens deren Weisheit anheim gestellt, und diese Entscheidungen hatten sich immer als gut und sinnvoll erwiesen. Ihre Eltern hatten ihnen befohlen, einander zu lieben, was ihnen ohne Heuchelei und ohne Anstrengung gelang. Als sie Kerala verlassen hatten, um in das elegante, geschäftige Delhi zu ziehen, wo Dad seinen ersten Posten bekam, hatten sie in dem uralten Erdreich der Traditionen ihrer Vorfahren bereits starke, tiefe Gräben ausgehoben und litten unter keinerlei Loyalitätskonflikten. Im Gegensatz zu mir.

Meine Welt hatte für sie etwas Verwirrendes. Sie waren fest davon überzeugt, dass ich am besten bei meinen eigenen Leuten aufgehoben wäre, am besten in meinen eigenen Kreis hineinheiraten sollte. Aber ich hatte alle möglichen Freundinnen und alle möglichen Erlebnisse, die ihnen fremd waren, die man aber nicht verhindern konnte. Arjun gehörte unglücklicherweise in diese Kategorie – er hatte das falsche Alter (zu jung), gehörte der falschen Gruppe an (kein Malayali) und kam zur falschen Zeit in mein Leben (*ich* war zu jung).

Ich konnte sehen, wie Ma die Reste der Dosas in der Küche wegräumte. Meine Freundinnen und Arjun hatten nach einem üppigen Mittagsmahl das Haus wieder verlassen, und ich glühte vor Stolz. Arjun hatte zwei große, mit scharf gewürzten Kartoffeln gefüllte Dosas gegessen. Er hatte sich, mit einem Seitenblick auf mich, bemüht, mit den ungeübten Fingern eines Nordinders flüssiges Sambar mit den Dosabrocken aufzutunken. Und erklärt, dass sie köstlich schmeckten, besser als die Dosas im India Coffee House. Ich rannte hinter Ma her, die einen Stapel Teller in den Händen balancierte, und umschlang sie mit beiden Armen, sie dabei fast vom Boden hebend: »Danke, Ma!«

»Schon gut, schon gut, das reicht! Ich allein weiß, wie lange es gedauert hat, deinen Vater dazu zu überreden. Aber das war das erste und letzte Mal, ja? Wir gehören nicht zu den Familien, die ihre Töchter ermutigen, sich einen Freund zuzulegen.«

Und so kam es, dass Arjun mich nie wieder besuchte, aber Delhi war groß, und ich hatte meinen Eltern wohlweislich nicht versprochen, ich würde ihn nie wieder *sehen*. So sahen die Spitzfindigkeiten aus, mit denen ich später meine Schuldgefühle beschwichtigte. Tatsächlich trafen Arjun und ich uns sehr bald wieder. Leena hatte für den letzten Tag vor den Sommerferien eine Party zu ihrem siebzehnten Geburtstag geplant. Zu der auch Jungen eingeladen werden sollten! Als Tochter eines Piloten der Air India und einer früheren Stewardess, die ihr Haar kurz trug und Zigaretten rauchte, war Leena die einzige meiner Freundinnen, die auch mit Jungen befreundet sein durfte. Aber selbst sie durfte eigentlich nur solche Freunde haben, die *zufällig* Jungen waren, ein *richtiger Freund* war niemandem von uns erlaubt. Aber wir waren alle schrecklich neidisch, dass sie Eltern hatte, die es zuließen, dass sie eine Party gab, zu der auch Jungen kamen. Dass meine Eltern mir nicht nur erlaubten, dabei zu sein, sondern auch zustimmten, es wäre besser, bei Leena zu übernachten, anstatt spät in der Nacht nach Hause zu kommen, sicherte ihnen meine ewige Liebe und Dankbarkeit. Natürlich wussten sie nichts von den Jungen, die ebenfalls eingeladen worden waren. In jener Woche steckten in jeder Mittagspause sieben Schulmädchen in der Basketballhalle aufgeregt die Köpfe zusammen.

»Ich werde meine Mum bitten, ihre Schokoladenbrownys zu machen, ja?«

»Ja, und die Babyidlis, die du letztes Jahr zu dem Kirchenfest mitgebracht hast.«

»Nein, keine *Idlis*, Idlis sind uncool.«

»Na ja, sie sind okay für irgendwelche Feste oder so, aber nicht für *Partys*.«

»Tja, für Partys, für *Tanz*partys, braucht man eigentlich diese englischen Sachen ... Beispielweise ... Na, du weißt schon ... Fischstäbchen und Schnitzel und so.«

»Wie wärs mit Pizzas? Meine Mom hat in ihrer Frauengruppe gelernt, Pizzas zu backen.«

»Ja, super! Komm, ich setz das mal auf die Liste: kleine Pizzas.«

»Wie viele Jungen darfst du einladen, Leena?«

»O, mein Dad ist ziemlich cool, ungefähr sieben oder acht.«

»Mensch! Der ist ja super! Hoffentlich erfährt meiner nicht, dass auch Jungen kommen, sonst kann ich die Sache gleich vergessen.«

»Meine Mutter würde *sterben*, wenn sie wüsste, dass sie für *Jungen* Brownys backt!«

Am Abend der Party wurden die Möbel aus dem eleganten Wohnzimmer von Leenas Mutter getragen, um Platz für eine Tanzfläche zu schaffen. Der Esstisch im angrenzenden Zimmer bog sich unter dem Gewicht verschiedener Speisen aus verschiedenen Elternhäusern und einem gewaltigen Schokoladenkuchen von Wengers, der in seiner ganzen Pracht in der Mitte thronte. Leenas Vater stöpselte mit leidendem Gesichtsausdruck die Kabel der Musikanlage ein.

»Ihr hättet den Apparat nicht umstellen sollen«, ermahnte er uns milde, »ihr habt alle Kabel dabei herausgerissen. Und wofür ist das rote Zellophanpapier?«

»Och, das ist nichts Besonderes, Papa, damit sollen nur die Glühbirnen verkleidet werden.«

»Was! Ihr werdet noch das Haus in Brand setzen! Und weshalb sollen denn die Glühbirnen verkleidet werden?«

»Ach, Papa, weißt du, du hast aber auch wirklich von *nichts* eine Ahnung.« Leena entschuldigte sich für diese ziemlich unhöfliche und völlig unzutreffende Bemerkung mit einer heftigen Umarmung und ein paar schmatzenden Küssen. »Glaub mir, wir setzen hier gar nichts in Brand. Ich hab mal gesehen, wie man so was macht. Und außerdem: Mama hat nichts dagegen.«

Leenas Zimmer sah aus, als hätte eine Bombe eingeschlagen. Kleider, Schuhe und Lip-Gloss mit Kirscharoma lagen überall im Zimmer verstreut. Mehr oder weniger bekleidete junge Mädchen staksten auf ungewohnt hohen Absätzen herum, schminkten sich gegenseitig und frisierten einander das Haar. Mein eigenes, normalerweise zu einem wippenden Pferdeschwanz zusammengebunden, war mit Haarspray zu einem eleganten Chignon gezähmt worden, der mich jedes Mal, wenn ich an einem Spiegel oder dem polierten Sideboard vorbeiging, ein wenig erstaunte. Selbst die brave kleine Remu, die Chemiekanone und der Liebling der Lehrerin, war in ihrem Top mit Spagettiträgern, das sie sich für den Abend von jemandem geborgt hatte, nicht wiederzuerkennen. Gegen sieben waren wir von der Anstrengung, uns herzurichten und in unseren glänzenden, neuen, hochhackigen Sandaletten nicht zu stolpern, völlig erschöpft. Wir setzten uns auf die herumstehenden Stühle, warteten auf die Gäste und versuchten, möglichst lässig zu wirken. Als die Jungen auf ihren knatternden geborgten Motorrädern eintrafen, penetrante Düfte von Aftershave verströmend, geriet unsere Runde in heftige Bewegung. Leena hatte Jai bereits strikte Anweisung gegeben, sich unter den Augen ihrer Eltern nicht wie ein *richtiger Freund* zu verhalten – ein Befehl, den er nicht ungern zu befolgen schien, da er so in einem Raum voller hübscher junger Mädchen seine männliche Attraktivität unter Beweis stellen konnte. Aber Arjun, dem einige der Mädchen vor den Schultoren bereits den Spitznamen »Herzensbrecher« verpasst hatten und dem ich mein eigenes Herz bereits wortlos und heimlich geschenkt hatte, winkte mir von der anderen Seite des Zimmers einen Gruß zu. Ich brauchte mir in dieser Umgebung keine Sorgen zu machen, dass meine Eltern jede kleine Geste argwöhnisch beobachteten, aber ich konnte fühlen, wie mein Herz zu klopfen begann, als Arjun quer durch den Raum auf mich zu steuerte. Er trug ein dunkelgraues Hemd, und seine Augen schienen heute Abend eine völlig andere Farbe zu haben. Nur, um mich noch mehr zu verwirren, dachte ich. Ich begrüßte ihn mit einem leisen »Hallo«.

»Es macht dir doch nichts aus, wenn ich dich den ganzen Abend über in Beschlag nehme, oder?«, flüsterte er. In den wenigen Monaten, seit wir uns angefreundet hatten, war seine Schüchternheit völlig von ihm abgefallen, und er sah mich keck und selbstbewusst an. Ich konnte an den Blicken, die mich trafen, erkennen, dass von Arjun in Beschlag genommen zu werden mich bei meinen Freundinnen wahrscheinlich nicht besonders beliebt machen würde, und es war nicht leicht, so zu tun, als machte mir das etwas aus.

»Nein, eigentlich nicht«, sagte ich und versuchte, meine Freude nicht allzu deutlich zu zeigen.

Ich rückte ein wenig zur Seite, damit er neben mir auf

dem Sofa Platz nehmen konnte, und stellte ihn den anderen Mädchen vor, die sich in Positur gesetzt hatten wie kunstvoll frisierte Geier, die die Jungen mit nur scheinbar distanziertem und kalkuliertem Desinteresse musterten. Wir schwatzten alle durcheinander, redeten über irgendwelche unwichtigen Dinge, während ich mich insgeheim fragte, warum Arjuns Augen heute Abend so dunkel leuchteten und sein Blick jedes Mal, wenn er auf meinem Gesicht ruhte, so weich und sanft wurde. Seine Augen verwirrten mich und weckten Gefühle, die zu benennen mir schwer gefallen wäre. Es fühlte sich sicherer an, wenn ich schwieg und meinen Augen verwehrte, in seine zu schauen. Ich ließ meine Hand geistesabwesend über den blauen Jacquard des Sofas gleiten. Arjun ergriff sie und machte eine Bemerkung über meinen neuen pinkfarbenen Nagellack. Ich lachte und entzog sie ihm nicht, erstaunt über meinen Mut vor all meinen Freundinnen. Natürlich konnten wir, Arjun und ich, nicht wissen, dass wir uns, viele Monate später, auf genau demselben Sofa wieder bei den Händen halten würden. Dann jedoch nicht mit jenem sanften Erwachen zarter Gefühle, sondern in dem verzweifelten Wissen, dass diese gerade aufkeimende Beziehung zu Ende ging. Nach einer Weile fragte Arjun, der meine Hand noch immer nicht losgelassen hatte, ob ich tanzen wolle. Dort, auf der Tanzfläche, hofften wir, ungestört und ein wenig geschützt zu sein, aber die Musik dröhnte ohrenbetäubend laut, und, ich war mir vieler Augenpaare bewusst, die uns neugierig beobachteten. Arjun schien das weniger auszumachen als mir, und als ein langsameres Lied erklang, zog er mich ganz nahe an sich. Als seine Arme mich umschlossen, hatte ich das seltsame und, wie sich später zeigte, völlig unangemessene Gefühl, dass ich für alle Zeiten beschützt und geborgen wäre und alles gut werden würde. Meine Nase lag, dank der acht Zentimeter hohen Pumps, die ich von Leena geliehen hatte, direkt auf seiner Schulter, und ich schmiegte meine Wange gegen seinen Hals. Was für ein wunderbarer Duft ... Später analysierte ich diesen Duft als eine Mischung aus After-Shave, Talkumpuder und jungenhaftem Schweiß. Mein Gott, ich liebe ihn, dachte ich ...

Nach einer Stunde trat Leena an uns heran. Sie runzelte missbilligend die Stirn. »Hör mal, Arjun, du musst dich auch ein bisschen um die *anderen* kümmern.« Sie brüllte, damit man sie über das zu einem ohrenbetäubenden Lärm angeschwollene Gurren von George McCrae hinweg hören konnte.

Arjun ließ seinen Blick über die Gruppe von Mädchen schweifen, die sich schüchtern an der Wand aufgereiht hatten. »Warum? Wir stören hier doch niemanden.«

»Ja, aber es sind nicht genug Jungen für die vielen Mädchen da. Du kannst doch nicht ständig bloß mit Janu flirten!«

»Sorry, Leena, ich verspreche dir, auch mal mit den anderen zu reden.« Und um sie endgültig wieder zu vertreiben, fügte er hinzu: »Aber Janu ist jetzt meine Freundin.«

Ich war nicht sicher, ob Arjun das gesagt hatte, damit er sich nicht der Mühe unterziehen musste, mit einem ganzen Schwarm von Mauerblümchen Konversation zu treiben. Aber selbst, wenn sie wahr war, lag in seiner Aussage etwas Autoritäres und Unwiderrufliches, das ich, wie ich wusste, eigentlich missbilligen sollte. Aber ich lachte nur, schwebte wie auf Wolken und vergaß alle Zurückhaltung. »Bin ich das?«, fragte ich mit aufrichtiger Neugier, nachdem Leena sich, ganz anders, als es sonst ihre Art war, verwirrt und ratlos entfernt hatte.

»Das würde mir sehr gefallen«, sagte er. Sein Blick war plötzlich sehr ernst. Mir war entgangen, wann genau er sich von einem errötenden Jüngling in einen selbstbewussten jungen Mann verwandelt hatte, der die Frau, die er liebte, umwarb, aber an seinem Lächeln konnte ich ablesen, dass er keine Sekunde an meiner Antwort zweifelte. Ich wusste genug über den Umgang mit jungen Männern, um mir darüber klar zu sein, dass ich lieber Desinteresse heucheln sollte, jedenfalls eine Zeit lang. Aber in diesem Augenblick lag mir ein solches Verhalten absolut fern.

Ich stellte mich in Leenas Stilettos auf die Zehenspitzen und drückte ihm einen keuschen Kuss auf die Wange, um unseren Bund zu besiegeln. Meine Füße fingen an, schrecklich zu brennen, aber jetzt hatte ich keine andere Wahl, als die ganze Nacht über zu tanzen. Umschlungen von Arjuns Armen, hatte die winselnde Falsettstimme von ›Rock your Baby‹ mir nie süßer geklungen. Ich war mir vage bewusst, dass sich noch sieben andere Paare langsam um uns herum drehten, die alle in einem seltsamen Zellophanrot glühten. Die an der Wand aufgereihten Mauerblümchen musterten uns finster mit glutroten Gesichtern. Aber Liebe hat etwas Selbstsüchtiges, und die Gefühle von Mädchen, die sehr viel länger meine Freundinnen gewesen waren, als ich Arjun kannte, schienen plötzlich unwichtig zu sein. Ich hatte einfach das Gefühl, und das konnte vielleicht als Entschuldigung gelten, dass ich nicht länger *ich selbst* war. Darüber hinaus waren meine Knie weich, meine Zunge trocken und meine armen Füße so heiß, als tanzte ich auf glühenden Kohlen. Dies jedenfalls konnten keinesfalls die Gefühle sein, die man empfand, wenn man verliebt war! Aber welcher Zauber auch immer uns umfangen halten mochte – gegen Mitternacht wurde er abrupt gebrochen, als Leenas

Vater ins Zimmer trat und alle Lampen anschaltete. »Okay, Kinder, jetzt kommt mal allmählich wieder zur Vernunft!« Der rote, warme Schein wich schlagartig einer harten, weißen Helligkeit, in der wir uns erstarrt, blinzelnd und erschrocken umschauten. Lautes Protestgestöhn vertrieb ihn jedoch wieder, und die Lampen wurden prompt wieder ausgeschaltet. Zehn Minuten später tauchte er jedoch erneut auf, diesmal zusammen mit Leenas Mutter, und ihrer beider Stimmen klangen sehr laut und sehr fest. Nachdem zwei oder drei weitere Male die Lampen an- und dann wieder ausgeschaltet worden waren, sah jeder ein, dass die Party vorbei war. Und, wie es schien, um dem Ganzen einen krönenden Abschluss zu verleihen, verkündete Leena mit strahlendem Lächeln: »Arjun und Janu sind jetzt ein Paar!«

Wir verabschiedeten uns an Leenas Gartenpforte. »Bis dann, macht's gut!« und: »Schöne Ferien!«, riefen die anderen sich laut und fröhlich zu. Unser neuer Status als Paar war unwiderruflich proklamiert worden, deshalb gestand man uns unseren kleinen privaten Bereich der Dunkelheit zu, in dem wir uns zärtlich voneinander verabschieden konnten. Ich schaute in Arjuns Gesicht, schwach erleuchtet von einer flackernden Straßenlaterne, in deren Schein Hunderte von Insekten schwirrten. Irgendwo in mir erklang Mas warnende, flüsternde Stimme: ›Diese Jungen sind alle nur auf das Eine aus‹ … aber die Augen, die auf mich herabschauten, strahlten liebevoll und plötzlich unwiderstehlich. Selbst wenn Arjun tatsächlich nur ›auf das Eine aus‹ war – heute Nacht würde er es von mir bekommen. »Ich liebe dich, Arjun Mehta«, flüsterte ich und stellte mich, diesmal für einen richtigen Kuss, auf die Zehenspitzen. Es war ein langer und tiefer Kuss, so, wie ich ihn in Filmen gesehen hatte, und er hinterließ eine warme Nässe auf meinen Lippen, die das Kind in mir mit dem Handrücken wegwischen wollte, bevor es sich endgültig aus meinem Leben verabschiedete. Die wichtigen Meilensteine unseres Lebens haben eine seltsame Art, stumm und meist unbemerkt, ohne Warnsignale und ohne Trompeten und Fanfaren an uns vorbeizugleiten. Einmal, einige Monate später, fragte mich Ma, wann eigentlich der Zeitpunkt gewesen sei, an dem alles angefangen hatte – und warum ihr niemand erzählt habe, dass ihr kleines Mädchen plötzlich zu einer Frau geworden war. Es bekümmerte sie, dass sie nicht genau gewusst hatte, wann sie sich von diesem kleinen Mädchen verabschieden sollte. Aber es war auch niemand auf die Idee gekommen, mich vor diesem Augenblick zu warnen. Nicht nur davor, dass das Erwachsenwerden so rasch, von einem Augenblick zum anderen, geschehen konnte, sondern dass dieser Augenblick auch so unwiderruflich und endgültig war. Und wahrhaftig kein so wünschenswerter Zustand, wie ich naiverweise angenommen hatte.

Später, in der Dunkelheit von Leenas Zimmer, versuchte ich, mir ein wenig Sicherheit zu holen. »Stimmt das? Fühlt es sich wirklich so an, Leena?«

»Was?«, fragte sie schläfrig.

»Ich weiß es nicht ... *Liebe* ... Was meinst du?«

Leena schwieg, eher weil sie schläfrig war, als weil sie bereit gewesen wäre, über meine neuen Verwirrungen nachzudenken. Ich redete weiter, in der besänftigenden Dunkelheit der Nacht mehr zu mir selbst als zu ihr: »Ich fühle mich völlig aufgewühlt, in meinem Kopf wirbelt alles durcheinander ... und alles, was ich jetzt will, ich meine, was ich mir *vom Leben* wünsche, ist, wieder mit Arjun zusammen zu sein ...«

»Glaub mir«, sagte sie und drehte sich mit einem lauten

Gähnen zur Seite, »Liebe ist 'ne verdammt lästige Angelegenheit.«

»Kerala? Aber du kannst doch jetzt nicht nach Kerala fahren!«

»Aber ich muss nach Kerala, es sind Sommerferien!«

»Genau. Es sind Sommerferien. Deshalb kannst du jetzt nicht nach Kerala.«

»Arjun, es scheint, wir reden aneinander vorbei. Ich fahre in den Ferien *immer* mit meinen Eltern nach Kerala. Ich muss meine Großeltern besuchen. Du glaubst doch wohl nicht, dass meine Eltern auch nur im Traum daran denken, mich hier zu lassen, oder?«

»Aber es sind Ferien. Was soll ich ohne dich machen?«

»Kricket ... Kricket ... und noch mehr Kricket ...«

Ich musterte aufmerksam Arjuns Gesicht. Plötzlich sah er nicht mehr so unglücklich aus.

»Tja, vielleicht hast du Recht, ein bisschen Training könnte nicht schaden.«

Wir saßen unter staubigen Bäumen am Rand des Spielfelds. Ich war unter dem Vorwand, die Schublade meines Schreibtischs ausräumen zu müssen, zur Schule gefahren und dann die Straße hinuntergerannt, um eine halbe Stunde mit Arjun zusammen sein zu können, bevor ich wieder zu Hause sein musste. Jai hatte bereits zehn Minuten der kostbaren Zeit, die wir miteinander verbringen konnten, vergeudet, indem er Arjun Vorwürfe machte, weil er das Training vorzeitig abgebrochen hatte, um sich neben mich ins Gras zu setzen.

»Mensch, hau ab, Jai«, sagte Arjun, »sieh zu, ob du Leena oder sonst irgendjemanden triffst.«

Jai lief, irgendetwas Unfreundliches vor sich hin murmelnd, mit federnden Schritten davon. Schon jetzt schien die Welt sich gegen uns und unsere Liebe verschworen zu haben, und ich fühlte eine plötzliche Zärtlichkeit in mir aufwallen, eine zarte Liebe für den jungen Mann, der mir gegenübersaß und mir jetzt den Rest des Nimbu Pani in seiner Thermosflasche anbot. Ich schüttelte den Kopf und rieb vorsichtig an einem länglichen grünen Grasfleck auf seiner Hose.

»Deine Mum wird nicht gerade begeistert sein, wenn sie merkt, dass er nie wieder rausgeht.«

»Wahrscheinlich wird sie ihn überhaupt nicht zu sehen kriegen.« Er lachte, als er meinen verdutzten Gesichtsausdruck sah. »Sie lebt in England.«

»In England? Nicht mit deinem Dad?« Ich stellte mir entsetzt vor, dass sie wahrscheinlich geschieden waren. Das würde meinen Eltern bestimmt nicht gefallen. Wir kannten niemanden, der geschieden war.

»Dad wollte nicht, dass wir die Schule und das ganze Schulsystem wechseln müssen – und er musste sich auch um unsere Farm kümmern. Natürlich denkt jeder, sie wären geschieden.« Er zerrte wütend an einem Grasbüschel.

»Nein, das hab ich überhaupt nicht gedacht. Es gibt eine Menge Leute, die getrennt leben«, sagte ich hastig. »Ist noch ein bisschen Nimbu Pani übrig?«

Arjun reichte mir seine Thermosflasche, und ich spähte hinein. Zwei winzige Eiswürfel kämpften in einem Rest trüben Zitronensafts um ihr Leben. »Trink ihn aus«, sagte er zärtlich, »ich bin nicht mehr durstig.« Der Juni in Delhi war heiß genug, um den Teer auf den Straßen zum Schmelzen zu bringen, und alle in der Stadt hatten ständig Durst. Plötzlich wurde mir bewusst, wie großzügig und fürsorglich Arjun sich mir gegenüber immer verhielt. Ich spürte sehr deutlich, wie privilegiert ich war, einen Menschen wie ihn gefunden zu haben.

»Und wer, wenn nicht deine Mutter, hat dann das Nimbu Pani für dich zubereitet?«

»Ramvati«, sagte er. »Sie arbeitet für uns, seit ich fünf bin.«

»Ist sie diejenige, die am Telefon immer so geziert ›Hallooh? Wer ist bitte am Apparat?‹ sagt?«

Arjun lachte. »Mein Bruder und ich haben ihr das im ersten Monat bei uns beigebracht. Aber allen weiteren Versuchen, sich gewählt auszudrücken, hat sie sich standhaft widersetzt. Warum besuchst du uns nicht mal, um uns alle kennen zu lernen, bevor du nach Kerala fährst?«

»Hätte dein Dad denn nichts dagegen?«

»Nein. Er ist für mich so etwas wie ein Freund; ich kann ihm alles sagen. Ich könnte ihm sogar sagen, dass ich nicht nach Kerala fahren wollte, wenn ich nicht wollte.«

Ich seufzte. »Arjun, meine Eltern sind anders. Sie lieben mich abgöttisch.«

»Tja, meine lieben mich auch, aber sie erlauben mir, das zu tun, was ich möchte.«

Ich dachte über diesen Satz nach. Ich hatte keinerlei Zweifel, dass es aus Liebe geschah, wenn mir meine Eltern nicht erlaubten, das zu tun, was ich wollte. Selbst Arjun konnte mich nicht eines Besseren belehren. »Die Menschen zeigen ihre Liebe eben auf unterschiedliche Art«, sagte ich.

»Du hast vermutlich Recht. Aber du wirst mir fehlen, wenn du in Kerala bist.«

»Du wirst mir auch fehlen, Arjun, aber ich werde dir so häufig schreiben, dass es für dich vielleicht sogar noch schöner wird, als wenn ich in deiner Nähe, in Delhi, wäre.«

»Was willst du damit sagen?«

»Schau mal, niemand wird meine Briefe lesen, das weiß ich, aber dich hier zu treffen ist immer schrecklich kompliziert. Und selbst anrufen kann ich dich nur, wenn niemand in der Nähe ist.«

»Tja, gestern hab ich mich tatsächlich ein bisschen erschreckt, als du mich plötzlich, mitten im Gespräch, Renu nanntest und irgendetwas von einer chemischen Gleichung gefaselt hast!«

Wir lachten, und ich hoffte, Arjun würde verstehen, dass meine kleinen Tricks und Lügen auf die schwierigen Umstände und nicht auf eine Charakterschwäche zurückzuführen waren. Aber Arjun, offen und unkompliziert, sah mich noch immer ein wenig verwirrt an. »Aber du hast mich doch neulich zum Lunch zu euch nach Hause einladen dürfen.«

»Ja, aber jetzt liegen die Dinge anders. Ich glaube, es würde mir kaum gelingen, meine Gefühle zu verbergen.«

Ich war nicht sicher, ob Arjun mein Dilemma verstehen konnte, und sah ihn an, besorgt, er könnte in Anbetracht der vielen Schwierigkeiten das Interesse an mir verlieren. Aber dann lächelte er mich strahlend an und meinte mit gespielter Besorgnis: »Tja, wenn du zum Mittagessen zu Hause sein willst, dann sollten wir jetzt wohl besser gehen, damit du keine Probleme bekommst.«

Wir standen auf und klopften Büschel von trockenem Gras von unseren Kleidern. Arjun winkte eine Auto-Rikscha herbei, während ich unsere Habseligkeiten zusammensammelte. Eine bunte Rikscha rollte, ihre Diesel-Abgase in die heiße Luft spuckend, heran. Der Fahrer sah uns fragend an.

»Mehrauli«, fragte Arjun, »über Hauz Khas?«

Die Antwort war ein mürrisches, aber zustimmendes

Nicken, und wir kletterten hinein, drängten uns auf dem schmalen Rücksitz aneinander. Der Rikschafahrer beobachtete uns finster und misstrauisch in seinem Rückspiegel. Sexbesessene Schulkinder, konnte ich ihn denken hören. Ich saß, die Hände in den Schoß gelegt, steif und befangen da, während Arjun seinen Arm selbstbewusst auf der Rücklehne ausstreckte. Einander bei den Händen zu halten war völlig unmöglich, selbst in der Anonymität dieser von Menschen wimmelnden Stadt. Mädchen wie ich waren in dem Wissen aufgewachsen, dass ein weniger als untadeliges Verhalten entweder den ›Straßenromeos‹, die überall herumstanden, die falschen Signale sendete, oder dass man dadurch riskierte, von irgendjemandem verpetzt zu werden. Zweifellos war dieser Rikschafahrer, wenn ich Arjuns Hand hielt oder ihn küsste, durchaus imstande, ohne weitere Diskussion in mein Elternhaus zu marschieren, um meinem Vater und meiner Mutter die schrecklichen Details mitzuteilen; deshalb blieb ich steif und verlegen auf dem vorderen Rand des Sitzes hocken und schaute so sittsam wie möglich vor mich hin.

»Man kann nicht vorsichtig genug sein, überall lauern irgendwelche Sittenwächter«, flüsterte ich Arjun als Erklärung zu. Er machte eine abwehrende Handbewegung, aber er lachte mit mir, als ich hinter dem Kopf des Fahrers, der jetzt vollauf damit beschäftigt war, mit dem unberechenbaren Verkehr auf Janpath zurechtzukommen, eine Fratze zog.

Mir wurde klar, dass Arjun mein Bedürfnis nach Diskretion verstand, als er dem Fahrer, kurz vor der Abzweigung zu meinem Haus, auf die Schulter klopfte: »Idhar rokna bhai ek minute. Es ist am besten, wenn du hier aussteigst, außer Sichtweite deines Hauses«, sagte er zu mir. »Fünfzehn Minuten zu spät. Ich hoffe, du bekommst keine Schwierigkeiten.«

Ich sah ihm zärtlich in die Augen, um die erzwungene Kälte unseres Abschieds zu mildern. Ich würde ihn jetzt fast zwei Monate lang nicht sehen, und mir fehlten die Worte, um ihm zu sagen, wie sehr ich ihn vermissen würde. »Viel Spaß in Kerala«, sagte er wehmütig. »Schreib mir, wie es dort ist. Du wirst mir schrecklich fehlen.«

»Lass dir von Leena meine Adresse geben«, erwiderte ich, während ich aus der Rikscha kletterte. »Die zwei Monate werden wie im Flug vergehen –, ich verspreche es dir.«

Er nickte schweigend, und für einen Moment vergaß ich den Habichtblick des Fahrers und streckte meine Hand aus, um sie sanft an Arjuns Wange zu legen. Er drückte einen flüchtigen Kuss auf die Innenseite, und der Dieselmotor gab keuchende Startgeräusche von sich. Ich zog meine Hand rasch zurück und schaute ängstlich zu, wie die Auto-Rikscha sich die Straße hinunter entfernte. O bitte, bleib gesund, dachte ich, und warte auf mich, bis ich zurückkomme. Dann wandte ich mich ab, um langsam, die Hand an meinem Gesicht, die mit Blättern bedeckte Straße hinunter zu gehen, die zu meinem Haus führte. Ich sah die Welt plötzlich mit anderen Augen, nichts war mehr so wie vorher. Früher waren meine Sommerferien für mich die schönste Zeit des Jahres gewesen. Ich konnte mich nicht erinnern, dass ich einmal nicht hätte nach Kerala fahren wollen …

Wir reisten jedes Jahr in den Ferien dorthin, weil meine Großeltern sich so sehr auf diese alljährlichen Besuche freuten und schon Monate zuvor mit den Vorbereitungen dafür begannen. Sie lüfteten die Matratzen, brieten Neyyappams, bestellten ganze Stapel von schmelzend weichen Bolis, die zuzubereiten fünfzehn Minuten dauerte und die in weniger als einer Minute verspeist waren. Mas Eltern lebten in dem von Menschen wimmelnden kleinen Alleppey. Dort gab es unzählige Kinos, in denen schlüpfrige Filme in malayamischer Sprache liefen, so laut, dass man manchmal die Dialoge und die pathetischen Songs hören konnte, während man draußen in der Schlange wartete, um Karten zu kaufen. Dads Eltern lebten fünfzehn Meilen entfernt in dem ein wenig verschlafenen, träumenden Thoduporam an den Ufern der toten Gewässer in Thakazhy. Fast meine ganze Kindheit über lebten in beiden Häusern jeweils ein Paar Großeltern, und natürlich ahnte ich damals nicht, dass diese beiden Paare in wenigen Jahren auf nur eine einzige Ammumma reduziert sein würden. Und dass Thoduporam am Ende völlig verschwunden wäre und sich mein Zuhause in Alleppey von einem glücklichen Ferientreffpunkt (wo sich Cousins und Cousinen versammelten und gewaltige Mengen Essen verspeisten) in ein Haus verwandeln würde, das nur vom gedämpften Vierzig-Watt-Licht der Traurigkeit erhellt wurde. Eine Traurigkeit, zu der ich, ein besonders geliebtes Enkelkind, in nicht geringem Maße beitragen würde.

Die Erinnerung an meine ersten Ferien in Kerala geht auf die Zeit zurück, als ich vier Jahre alt war. Das waren auch die Ferien, in denen ich, wie ich jetzt erkenne, zwei Mythen lernte, die ich noch lange Zeit danach, selbst noch als erwachsene Frau, nicht zu entzaubern vermochte. Die ersten Ferientage hatten wir in Thoduporam verbracht, wo Appuppa mir eine schlafende weiße Wasserschildkröte in einer Ecke des Kolam gezeigt hatte. Neben Appuppa sitzend, der seine Zeitung auf den Zementstufen des Kolam ausgebrei-

tet hatte, verbrachte ich viele Stunden damit, die Schildkröte aus ihrem Schlaf aufzustören. Ich benutzte dafür lange Bambusstäbe, mit denen ich, in der Hoffnung, das reglose Tier wachzukitzeln, die Oberfläche des Wassers wieder und wieder durchbohrte. Unser Schweigen und unsere stumme Kameraderie an jenen stillen Nachmittagen, an denen die Insekten uns umschwirrten, wurde nur durch das gelegentliche Tuckern eines Motorboots auf dem Kanal unterbrochen und von besonders hartnäckigen Rufen, dass wir zum Lunch kommen sollten. Im Haus waren Ammumma und meine Mutter gewöhnlich mit dem Zubereiten der Speisen beschäftigt oder damit, die neuesten Klatschgeschichten über Verwandte auszutauschen. Die Gesellschaft Appuppas und meines Vaters war für mich weitaus aufregender, vor allem, wenn sie hinaus gingen, um sich die Reisfelder anzuschauen, und wir dabei durch den herrlich glucksenden Morast stapften. Aber als es Zeit wurde, nach Alleppey zu reisen, um an der Hochzeit teilzunehmen, begann das erfolglose Kitzeln einer leblosen Schildkröte mich zu langweilen.

Ramam mama, der Bruder meiner Mutter und der Onkel, den ich am meisten liebte, heiratete. Ich war in die Gruppe der Frauen aufgenommen worden, die zwei Tage vor der Hochzeit die Familie meiner neuen Tante besuchten, um ihr Schmuck, Kleider und Süßigkeiten zu bringen. Vijimami, die Braut, war klein, rundlich und süß, konnte aber manchmal erschreckend laut und kreischend lachen. Ich liebte sie abgöttisch und war zugleich unglaublich eifersüchtig auf sie. Es war klar, dass Ramama und ich wegen dieser kleinen, rundlichen Frau, von der er seine Augen nicht abwenden konnte, auf grausame Weise getrennt werden würden. Alle schienen bester Laune zu sein, und Vijimami wurde eine ungewöhnliche Menge an Aufmerksamkeit und

Geschenken zuteil, während sie die ganze Zeit über kreischend lachte. Ich konzentrierte mich angestrengt auf die köstlichen Rava Laddoos, die nach Volksfesten rochen und kleine harte Krümel zwischen meinen Zähnen zurückließen, mit denen meine Zunge noch Stunden später zu kämpfen hatte.

Bei dieser Hochzeit war ich, so sagte Mama, schrecklich ungezogen. Während des Fests und der Zeremonie des Bananenmilchtrinkens drängte ich mich ständig zwischen das Brautpaar. Von dieser günstigen Position aus konnte ich mir die Grübchen und die Zahnfüllungen meiner neuen Mami anschauen und verhindern, dass sie Ramama allzu nahe kam. Später, als wir den Saal verließen, der jetzt aussah, als wäre ein Hurrikan durch ihn hindurchgefegt, wurde Vijimami in ihr neues Zahause gebracht, in das Haus Ammummas. Sie wurde zur Tür geleitet und musste eine Lampe tragen, deren Flamme, während sie das Haus betrat, hinter ihr her flackerte. Wogende Flammen, die den Raum erleuchteten, tauchten ihr hübsches Gesicht in flüssiges Gold, und durch den Dunst des Weihrauchs hindurch konnte ich sehen, dass in ihren Augen Tränen glänzten. Für den Augenblick jedenfalls war ihr kreischendes Lachen verstummt.

»Warum weint sie, Ma?«

»Weil sie das Haus ihrer Mutter verlassen hat, um mit Ramama und Appuppa und Ammumma zu leben.«

»Aber es ist schön, mit Ramama und Appuppa und Ammumma zu leben.«

»Ich weiß, Schatz, aber sie weiß es noch nicht. Wir müssen dafür sorgen, dass sie es bald herausfindet, also musst du ein braves Mädchen sein und dich bemühen, so nett wie möglich zu ihr zu sein.«

Ich dachte über diese Aufforderung nach und befolgte

meine guten Vorsätze bis zum Abend, als ich sah, wie Ma Vijimami sanft in Ramamas Zimmer geleitete und dann Ramama heranwinkte, ihr zu folgen.

»Ich will bei Ramama schlafen, Vijimami kann ja bei Appuppa übernachten!«

Trotz meines Protestgeschreis schlief Vijimami in jener Nacht in Ramamas Zimmer. Ich hoffte, sie fände bald heraus, dass es in Wahrheit sehr schön war, bei Ramama und Appuppa und Ammumma zu leben, und dass ihre Tränen an jenem Abend eigentlich überflüssig gewesen waren. Auf jeden Fall wurde sie sehr bald ein von allen geliebtes neues Familienmitglied. Ein ständig präsentes und willkommenes Anhängsel Ramamas, Ammummas loyale Stellvertreterin, Appuppas Liebling, vor allem auch deshalb, weil sie auf all seine Witze mit ihrem kreischenden, lauten Lachen reagierte …

Das war es, was, so dachte ich, nach allen Hochzeiten geschah: Tränen, die verstohlen weggewischt wurden, und mehr Menschen, die man lieben und von denen man geliebt werden konnte. Damals wusste ich jedenfalls noch nicht und hätte es auch sehr seltsam gefunden, dass die Entscheidungen über Ehen und Hochzeiten an irgendeinem jenseitigen Ort gefällt wurden, an dem man ständig irgendwelche Berechnungen anstellte, wer wen zu welchem Zeitpunkt heiraten solle. Mein eigenes Horoskop war am Tag meiner Geburt berechnet worden und ruhte, sorgfältig die Geheimnisse meiner Zukunft hütend, in Ammummas Bankschließfach. Irgendwo gab es einen jungen Burschen, der unwiderruflich zu mir gehörte, weil dies schon vor so langer Zeit entschieden worden war, dass es dumm gewesen wäre, sich nach dem genauen Zeitpunkt zu erkundigen. Dieser junge Mann musste natürlich nicht unbedingt derjenige sein, den ich liebte, denn das war eine ganz andere Geschichte, womöglich Tausende Jahre von diesem Leben entfernt. Er war allerdings, daran bestand kein Zweifel, ebenfalls bereits geboren worden, und schon jetzt verschmolzen unser beider Schicksale und unsere vielen vergangenen Leben zu einem großartigen Tanz, so akribisch choreographiert, dass wir uns der Illusion hingeben konnten, wir selbst seien es, die alles in die Wege geleitet hatten.

Selbst der Moment meiner Ankunft in Kerala hatte nicht geholfen, meine Stimmung zu heben. Dieser Urlaub, Urlaub Nummer siebzehn, war eine völlig neue Erfahrung. Ich hatte kein Interesse mehr daran, Dad auf dem Boot zu begleiten, während er um Thakazhy herumfuhr und, um mich zu unterhalten, so tat, als hätte er eine Menge Dinge zu erledigen. Auf sein verletztes »Moley, willst du nicht mitkommen?«, murmelte ich lahme Entschuldigungen und lümmelte träge neben Appuppa auf der Veranda. Wenn die Zeit für den Postboten kam, stellte ich mich neben der Gartenpforte auf. Ich sehnte mich nach Arjuns Nähe und schrieb ihm endlos lange Briefe, während ich auf den Stufen von Appuppas Kolam hockte und kleine Stückchen Puffreis für meine Schildkröte ins Wasser warf. Weil in Thakazhy keine Briefe ankommen, konnte ich es nicht erwarten, endlich in Ammummas Haus in Alleppey zu sein. Möglicherweise, so dachte ich, hatte Arjun die andere Adresse benutzt. Dem Himmel sei Dank! Zwei Briefe lagen da für mich! Einer sorgfältig kaschiert mit Leenas Namen und Adresse auf der Rückseite, und der andere, in einer völlig anderen Handschrift, mit dem Namen Anjus. Als in der folgenden Woche der dritte Brief ankam, mit »Ayatollah Khomeini« auf der Rückseite und einer Adresse im Iran, musterte mein Vater mich prüfend, stellte mir aber noch immer keine Fragen.

Arjun schien kein besonderes Talent zum Briefeschreiben zu haben; seine Briefe waren nur etwa ein Zehntel so lang wie meine. Was er schrieb, drehte sich im Wesentlichen darum, wann er Kricket spielte und mit wem. Aber ich konnte fühlen, wie mir bei der letzten Zeile des ersten Briefes heiß und kalt wurde. Sie lautete: »Ich vermisse dich so sehr, es fühlt sich so an, als liebte ich dich mehr als irgendjemanden oder irgendetwas sonst auf der Welt.« Und ebenso beim zweiten Absatz im dritten Brief, in dem es hieß: »Ich schlafe in diesen Tagen draußen, weil es drinnen so heiß ist und dauernd der Strom ausfällt. Und ich helfe auch Dad, der ständig aufpassen muss, dass unsere Kohlköpfe nicht noch einmal gestohlen werden. Er hat mir gesagt, ich soll das Luftgewehr neben mein Bett legen, für den Fall, dass ich irgendwelche Eindringlinge verscheuchen muss. Manchmal betrachte ich es und frage mich, wie es wohl wäre, wenn *du* stattdessen neben mir lägest!« Jegliche Zweifel, die ich zuvor gehegt haben mochte, waren jetzt zerstreut. Das innere Beben und die Freude, die diese ein wenig unbeholfene Erklärung eines Schuljungen in mir auslöste, *mussten* ganz einfach Liebe sein, dachte ich.

Es gab drei Dinge, die später jene Ferien in Alleppey als etwas Besonderes auszeichneten, durch das sie sich von allen anderen unterschieden. Es war das einzige Mal, dass man mir einen Sari und nicht Stoff für ein Kleid kaufte. Und es waren, ohne dass einer von uns das damals geahnt hätte, die letzten Ferien, die ich in Kerala verbrachte. Jedes dieser drei Ereignisse war natürlich untrennbar mit den anderen verknüpft, aber die Verbindung wurde erst sehr viel später erkennbar. Im Rückblick konnte ich deutlich sehen, dass es meine kindliche Sehnsucht nach Arjun war, die Kerala für mich zu einem Ort machte, in dem ich nicht nur meine Ferien verbrachte, sondern wo ich viele Jahre lang leben sollte. Und das Ritual, das den Kauf des ersten Saris eines jungen Mädchens begleitete, hätte mir eine Warnung sein sollen.

Aber als der Zeitpunkt gekommen war, strebte ich zusammen mit Ma, Vijimami und Ammumma fröhlich in den größten Laden, ›Seemati Sari Emporium‹ – überglücklich in Anbetracht der Aussicht, bald meinen eigenen Sari zu besitzen. Wenn Ma ihn sich von mir leihen wollte, dann müsste sie mich darum *bitten*. Ramama gab uns das Geld dafür, aber weder er noch Dad ließen sich dazu überreden, sich uns bei unserem Ausflug, der ja reine Frauensache war, anzuschließen. Als wir das Haus verließen, saßen sie, Politik diskutierend, auf Ammummas Veranda, und wir schlenderten die Hauptstraße hinunter, blieben aber schon bald stehen, um Girlanden aus Jasminblüten zu kaufen – so lang wie ein Unterarm für Ma und Vijimami, so lang wie eine Hand für mein kürzeres Haar. Wir kamen auf der Mullakkal Main Road nur langsam voran, da die Hälfte der Einwohner Alleppeys entweder durch Ammumma oder Vijimami von unserer Ankunft gehört hatten, aber dennoch darauf bestanden, uns persönlich zu fragen, wann wir eingetroffen seien.

In der vornehmen Sariboutique wurden wir wie bevorzugte Kundinnen in den inneren Bereich geleitet, der reserviert war für Käuferinnen seidener Saris, die wenigen Privilegierten, die auf roten Samtsesseln sitzen durften und denen auf Kosten des Hauses Flaschen mit sprudelnder Limonade serviert wurden. Unserer kleinen Gruppe wurde eigens ein Verkäufer zugewiesen, und wir sahen zu, wie er vor uns stand und einen wunderbaren seidenen Sari nach dem anderen um seinen schmächtigen Körper schlang. Obwohl ich mir dieses Schauspiel schon viele Male zuvor hatte anschauen dürfen, bereitete es mir immer wieder großes Vergnügen, und ich fragte mich, ob dieses Vergnügen wohl gegenseitig wäre. Unermüdlich streckte der Sariverkäufer, Alleppeys geheimes Starmannequin, seine Hüfte vor, fächerte die seidenen Falten auf, hob seinen Arm, um den Pallu von allen Seiten vorzuführen, ließ ihn mit eleganten Bewegungen schwingen und fließen. Das kokette Schmollmündchen, mit dem er all seine Drehungen und Wendungen begleitete, bewirkte, dass Vijimami, trotz Mas flehentlicher Blicke, so hemmungslos zu kichern begann, dass ihre Schultern bebten. Deshalb entschieden wir uns rasch für eine wunderschöne orangefarbene, goldgesäumte Crêpe-de-Chine-Seide. (»Überaus ideal für Mols Teint«, sagte der Sariverkäufer, der den Stoff in Seidenpapier einwickelte, erfreut, dass seine Posen und der Schmollmund Wirkung gezeigt hatten.)

An jenem Abend trug ich bei unserem Besuch im Tempel meinen neuen Sari. Mullakkal Devi's Tempel war immer hell erleuchtet von den Öllampen an den Wänden. Es gab offensichtlich genug Menschen in Alleppey, die sich nach der Erfüllung ihrer Träume sehnten, denn unserer Göttin mangelte es niemals an Öl in ihren Lampen.

Diesmal hatte auch ich eine besondere Bitte auf dem Herzen und hatte Vijimami um eine kleine Flasche Öl gebeten. Als ich ihren Inhalt in den großen Nilavilakku schüttete, bat ich die Lieblingsgöttin meiner Familie, mir dabei zu helfen, nicht mehr lügen zu müssen, was meine Beziehung zu Arjun betraf. Mullakkal Devi wüsste, wie man meinen Wunsch, eine gute Tochter zu sein, mit meiner

Liebe zu Arjun in Einklang bringen konnte. Sie sah heute in einem tiefbraunen Seidenhemd, das irgendjemand ihr für diesen Tag gespendet hatte, wunderbar aus … »Bitte bring das für mich in Ordnung, Devi«, flüsterte ich und spähte in ihr Gesicht, das hinter den Öllampen golden glühte. Sie sah aus, als lächelte sie. Als gäbe es nichts, was sie lieber täte. Konnte sie sehen, was die Zukunft für mich bereithielt?

Nach dem Deeparadhana versammelten wir uns unter dem Banyanbaum, damit Ammumma uns ihren Freunden vorführen und den Klatsch des Tages austauschen konnte.

»*Aiyyo*, da kommt diese Maheswari«, flüsterte Vijimami mit einem Kichern.

»Mahee!«, rief Ammumma. »Schau mal, mein Mani und meine Janu sind gekommen. Aus Delhi.«

Eine schwere Gestalt trabte mit behäbigen Schritten auf uns zu und musterte uns in der sich vertiefenden Abenddämmerung. Den Blick auf mich gerichtet, aber meine Mutter anredend, sagte sie: »Enda, Mani! Wann bist du gekommen?« Und, ohne auf eine Antwort zu warten: »Also dies ist deine Janu. Ja, sie ist so hübsch, wie du gesagt hast, Chechi. Wie alt bist du jetzt, Moley?«

Antworten schienen für sie keine Bedeutung zu haben, deshalb beschränkte ich mich darauf, irgendetwas vor mich hin zu murmeln. Ich wusste, dass ich einer strengen Musterung unterzogen wurde – Gesicht, Figur, Jasminblüten, orangefarbener Seidensari. Und, ja, schon sprach sie es aus …

»Ich werde sofort Padmaja Maraar anrufen und mal hören, was sie sagt. Sie können mit ihrem Sohn doch in der nächsten Woche einmal vorbeischauen, oder?«

Ammummas Katze war aus dem Sack, und sie war klug

genug, ein verlegenes Gesicht aufzusetzen, als Ma sich ihr zuwandte, nachdem ihre Freundin weg war.

»Was fällt dir ein, Ehestifterin für Janu zu spielen, Ma? Hast du vergessen, dass sie erst siebzehn ist? Sie wird im nächsten Jahr aufs College gehen. Heutzutage werden die Mädchen nicht im Teenageralter verheiratet wie damals, zu unserer Zeit, was, Viji?«

Vijimami, die, obwohl sie selbst sehr jung geheiratet hatte, immer glücklich, zufrieden und zum Kichern aufgelegt war, stimmte ihr zu.

Ich jubelte innerlich über Mas Entschlossenheit. Die alten Zweige des Banyanbaumes flüsterten einander über meinem Kopf ihre Weisheiten zu, und ich schaute auf, um über meinen Boten, den Abendstern, der jetzt auch über Delhi aufging, Arjun eine liebevolle Botschaft zu schicken. Arjun ... wir beide, du und ich, sind für den Augenblick sicher ... Es sieht so aus, als wäre Ma auf unserer Seite, und sie weiß es noch nicht einmal. Liebe, *liebste* Ma.

Den Rest meiner Ferien bemühte ich mich angestrengt, meine Sehnsucht nach Arjun ein wenig zu verdrängen, indem ich Vijimami mehrere Male ins Kino begleitete, in dem Filme in malayalamischer Sprache gezeigt wurden; allerdings erinnerten mich deren zahlreiche Songs und Liebesszenen ständig daran, dass auch ich schrecklich verliebt war. Ich stopfte so viele pralle gelbe Mangos in mich hinein, bis mir übel wurde, und konnte es nicht erwarten, dass meine, wie ich damals allerdings noch nicht wusste, letzten Ferien in Kerala endlich zu Ende gingen. Glücklicherweise tauchten Padmaja Maraar und ihr Sohn am Ende doch nicht auf, da Ammumma offensichtlich ein ernstes Wort mit ihrer Freundin gesprochen hatte. Sie kamen erst, als ich meinen nächsten Besuch in Kerala machte, den letzten.

Zurück in Delhi war der gemächliche Rhythmus des Lebens in Kerala rasch vergessen. Dies war unser letztes Schuljahr, und die gefürchteten Abschlussprüfungen standen bevor. Selbst Leena machte meist ein gequältes Gesicht und eröffnete Gespräche mit Fragen über Formeln der organischen Chemie. Aber für Arjun und mich blühte die Liebe wie jene faszinierend schönen Wüstenblumen, die anscheinend weder Wasser noch Nahrung brauchen. Und enwickelte sich zu einem Gefühl, das Kraft und Bestand hatte, trotz des Drucks, unsere Beziehung geheim halten zu müssen, und trotz der bevorstehenden Examen.

Glücklicherweise war ich ausgewählt worden, in der Aufführung von »Monkey's Paw« zum Ende des Schuljahres die Rolle des Sohnes zu spielen. Dieser unglückliche junge Mann starb einen grässlichen Tod, während das Schauspiel noch in vollem Gange war, weshalb ich mich lange vor dem Ende der Probe davonschleichen konnte, um Arjun zu treffen. Während Mr. und Mrs. White weiterhin auf der Bühne hin und her stolzierten, den Tod ihres einzigen Sohnes beklagend, bestieg ich den Soziussitz von Arjuns wartendem Motorrad. Er brachte mich zum nahe gelegenen Connaught Place, und dort teilten wir uns einen Eiskaffee und ein Sandwich. Manchmal, wenn wir hungrig waren, fuhren wir stattdessen zum Bengali Market, wo es für unser zusammengekratztes Taschengeld ein wenig mehr zu essen gab, weil Aloo Tikkis und Tee billiger waren als Kaffee und Sandwiches. Arjun hatte ständig seine Armbanduhr im Blick, besorgt, ich könnte Schwierigkeiten bekommen, wenn wir allzu lange fortblieben. Es überraschte mich, dass er sich so sehr für mich verantwortlich fühlte, da ich selbst mehr und mehr dazu neigte, sämtliche Vorsicht fahren zu lasen, aber ich liebte ihn dafür umso mehr. Allmählich bekam ich das Gefühl, jene kurzen, gestohlenen Momente des Zusammenseins wären alles, was in meinem Leben Bedeutung hatte. Während ich später mit leerem Blick in meine Lehrbücher starrte, zogen jene Momente im Geiste an mir vorüber.

Wir hatten es mittlerweile geschafft, einen Treffpunkt zu finden, an dem wir ganz allein waren: Chor Minar, der ›Turm der Diebe‹, in der Nähe meines Hauses. Hier, in diesem langsam zerfallenden früheren Aufenthaltsort einer Diebesbande, deren Geschichte aufzuzeichnen niemand sich die Mühe gemacht hatte, genossen wir die wenigen Augenblicke, die wir füreinander erübrigen konnten. Überall in Delhi gibt es ähnliche Bauwerke, vielleicht von der Denkmalschutzbehörde Indiens geschützt, damit junge Liebende wie wir, die keinen Ort haben, an dem sie sich treffen können, sie entdecken. Das erste Mal, als wir die von Kies knirschenden Stufen zur Spitze Chor Minars hinaufkletterten, Spinnweben von unseren Ohren hebend und aus unseren Mündern spuckend, sahen wir auf Delhi hinab, das sich im Schein der Wintersonne unter uns ausbreitete. Und später beobachteten wir fasziniert, wie die breiten Kronen der Gulmoharbäume sich allmählich, mit dem Herannahen des Sommers, von einem tiefen Grün in die grellsten Orange- und Rottöne verfärbten. Wir eroberten uns diesen Aussichtsturm, den einst eine Bande Missetäter bewohnt hatte, und machten ihn zu unserem Eigentum. Wir fühlten uns sicher in dem Wissen, dass wie bei den Dieben, die vor langer Zeit hier gelebt hatten, niemand auf die Idee käme, uns hier zu suchen.

Dies war unser Zuhause fern von unserem Zuhause. Unser kleiner Turm im Himmel, eine Zeitkapsel aus bröckelnden gelben Steinen, die uns mühelos in eine erträumte Zukunft versetzte. Hier schob ich den Bougainvilleazweig beiseite, der uns als Eingangstür diente, wenn Arjun nach Hause kam. Ich sagte: »Hallo, möchtest du eine Tasse Tee?«, nahm ihm sein Jackett und seine Aktenmappe ab, fragte ihn nach seinem Tag im Büro und erzählte ihm, wie sehr die Kinder mir auf die Nerven gegangen waren. Hier war es leicht, so zu tun, als wären wir ein Paar, als müssten wir niemals zu unseren getrennten Elternhäusern zurückkehren. Es war leicht, zu vergessen, dass wir uns davonschleichen mussten, bevor die Straßenlaternen angingen und die Fledermäuse aufwachten und gereizt über unsere Köpfe hinweg flatterten. In diesem alten gelben Backsteinturm spielten wir jenes kindliche Spiel, bei dem wir so taten, als seien wir erwachsen. Ohne ganz sicher zu sein, was Erwachsensein wirklich bedeutete. Wir waren zufrieden, wenn uns eine Stunde geschenkt wurde, in der wir, die Arme umeinander geschlungen, dasitzen und über dieses und jenes reden konnten. Und in der wir einander küssten, immer wieder küssten, und uns unsere Gesichter einprägten, damit wir sie in den langen Stunden, in denen wir nicht zusammen sein konnten, nicht vergaßen. Hier fiel es mir schrecklich leicht, nicht daran zu denken, dass auch meine Eltern mich innig liebten – und zu Hause arglos und mit einem warmen Essen auf mich warteten. Sie hegten ihre eigenen Träume für meine Zukunft, die ganz anders aussahen als meine.

Chor Minar war unsere Lösung des Problems, dass wir einander nicht zu Hause besuchen konnten. Und da uns der Gesprächsstoff niemals auszugehen schien, gab es Gott sei Dank auch noch das Telefon, das uns unsere häufigen Trennungen erleichterte. Der Malayalijunge, der uns im Haushalt half, pflegte verstohlen ›Arjan bhaiyya‹ in den

Hörer zu flüstern, nachdem er sich mit seinem üblichen »Wer spricht da bitte?«, gemeldet hatte. Wenn mein Vater oder meine Mutter ihn fragten, mit wem ich mich am Telefon unterhielt, antwortete er ernst: ›Leena didi‹ oder: ›Renu didi‹, wobei er verstohlen mit der Münze klimperte, die ich ihm gelegentlich als Bestechungsgeld in die Tasche schob. Ich hatte Arjun zweimal zu Hause besucht. Einmal zusammen mit Leena, um mit Jai und Arjuns Bruder irgendein wüstes Kartenspiel zu spielen, und einmal, um Arjuns Vater kennen zu lernen, der mich zurückhaltend, aber freundlich begrüßte. Später sagte Ma, das sei überhaupt nur deshalb möglich gewesen, weil solche Dinge für die Familien von Jungen immer weitaus weniger beunruhigend seien. Der Ruf einer Familie ruhe auf den Schultern ihrer Töchter, sagte sie. Und Eltern von Jungen brauchten sich über Dinge wie (und dies war ihre größte Angst) *Schwangerschaften* keine Sorgen zu machen!

Es war schwierig und zu dem Zeitpunkt zu spät, ihr zu erklären, dass eine Schwangerschaft sehr unwahrscheinlich war, weil Arjun und ich niemals miteinander schliefen. Nicht wirklich jedenfalls, wobei ich noch immer eine sehr vage Vorstellung von diesem »Wirklich« hatte. Zwar leistete Chor Minar uns gute Dienste, uns von der Welt abzuschirmen, aber sein kiesbestreuter Boden, mit Fledermauskot bedeckt, war einer Romanze nicht gerade förderlich. Außerdem waren wir ständig in Sorge, dass eines Tages ein anderes Liebespaar in unser Versteck hineinstolpern könnte. Ungünstige Umstände, ein Mangel an Privatsphäre und schlichte, altmodische Angst – all das kam zusammen, sodass unsere Liebe unerfüllt blieb. Hätten wir ein wenig mehr Zeit gehabt, wären dies leicht überwindbare Hindernisse gewesen. Aber Zeit war genau das, was wir nicht hatten, wenn wir das auch in jenen Augenblicken noch nicht wussten. Und hätten wir es gewusst – in welche Richtung hätte unsere kindliche Liebe sich entwickelt? Wäre sie eines natürlichen Todes gestorben, wie so viele andere? Rührende oder quälende Erinnerungen hinterlassend, abhängig von den Umständen? Wenn wir miteinander geschlafen, unsere Liebe wirklich gelebt hätten – hätte das ausgereicht, um die Schuld abzubezahlen, von der wir damals nichts wussten? Die wir nicht erkennen konnten, obwohl sie bereits darauf wartete, ausgeglichen zu werden, wie ein zorniges, unerfülltes Versprechen? Um mich zu jagen und zu verfolgen, bis ich den Preis zahlte, den sie von mir verlangte.

Und so spielten wir, unschuldig und gedankenlos, unser Spiel weiter. Wobei Schauspielproben und Nachhilfestunden in Mathematik uns dabei halfen, unsere Treffen geheim zu halten. Und Schuldgefühle gelegentlich ihr hässliches Haupt hoben, nur, damit die Jugend ihm in ihrer Unbekümmertheit sofort einen unbarmherzigen Schlag versetzte. Wenn ich mir jemals die Mühe gemacht hätte, mich hinzusetzen und das Gesetz der Wahrscheinlichkeit auf all meine Schwindeleien und kleinen Täuschungsmanöver anzuwenden, dann hätte ich erkannt, dass es nur eine Frage der Zeit war, bevor eine meiner Lügen ans Tageslicht kommen musste. Ich hätte auch erkannt, dass ich nicht so leicht davonkommen würde. Als es jedoch am Ende tatsächlich geschah, war die Strafe überraschenderweise nicht das Ende unserer Liebe. Sondern das Ende meines Lebens mit meinen Eltern. Das ist nicht so ungewöhnlich, mögen Sie jetzt vielleicht sagen, das passiert jedem früher oder später einmal. Aber in meinem Fall fühlte es sich an, als hätte ich eine beschützte, in Liebe eingehüllte Kindheit plötzlich an mich gerissen und ihr für immer ein Ende gesetzt.

Ich hatte meinen Eltern gesagt, ich sei bei einem Förderkursus in Mathematik, als ein Freund meines Vaters mich zufällig auf dem Beifahrersitz von Arjuns Motorrad sah. Wir waren auf dem Rückweg von Akasaka, wo wir gemeinsam eine Schale Nudeln, ein Geburtstagsgeschenk für Arjun, ausgelöffelt hatten. Und fädelten uns sorglos durch den abendlichen Verkehr auf der Outer Ring Road. In unserem Glück waren wir mittlerweile so übermütig geworden, dass wir uns keinerlei Gedanken darüber machten, vielleicht gesehen und verraten zu werden. Ein wohlmeinender Anruf war meiner Ankunft zu Hause vorausgegangen, denn als ich später an diesem Abend die Haustür öffnete, war das Gesicht meines Vaters verfinstert, und ich konnte sehen, dass meine Mutter geweint hatte.

»Wo warst du?«

Ich hätte den kalten Zorn in seiner Stimme erkennen und die Wahrheit sagen sollen, aber stattdessen reagierte ich wie ein Automat: »Mathematik-Förderkursus ...«

Ich hatte den Bambusstock, den mein Vater in seiner rechten Hand hielt, nicht bemerkt. Ma sagte später, als sie unter Tränen Burnol auf meine Beine rieb, dass er in den Garten hinausgestürmt sei und ihn selbst aus der Hecke gehackt habe. Mit einer blinden Wut, die sie nicht hatte besänftigen können. Wut und Verwirrtheit, weil sein kleines Mädchen zu einer jungen Frau geworden war, ohne dass jemand sich die Mühe gemacht hatte, es ihm mitzuteilen. Ich vernahm ein Zischen und wurde mir Sekunden später bewusst, dass er auf meine Beine einhieb. Einmal, zweimal ... Ich konnte hören, wie meine Mutter ihn anschrie, er solle aufhören, sofort damit aufhören. All der Zorn ... darüber, Kerala je verlassen, versucht zu haben, eine Tochter an einem undankbaren Ort wie Delhi großzuziehen. Und tiefe Enttäuschung darüber, von dem Menschen, den er auf der Welt am meisten liebte, getäuscht worden zu sein, schienen sich jetzt Bahn zu brechen, sich mit schrecklichen Hieben Luft zu machen, mit jenem zischenden, erbarmungslosen Bambusstock. Der aus der Hecke in unserem Hintergarten herausgeschnitten worden war, die mein Ringelblumenbeet begrenzte. Dad, der zärtlichste, liebevollste Mench der Welt ... Ich war zu schockiert, um zu fliehen, und ich hätte nicht geglaubt, was geschehen war, wären da nicht die brennenden Striemen an meinen Beinen gewesen.

Breite rote Schwielen überzogen meine Haut und mein Herz am nächsten Morgen, der Zeuge meines Zorns und meiner Verzweiflung war. Man erklärte mir, dass ich von jetzt ab bis zu meinen Abschlussexamen zur Schule gebracht und von dort wieder abgeholt werden würde. Ich dürfe das Telefon nicht mehr benutzen, und man werde mich überall hin begleiten. Schauspielproben und Mathematik-Förderkurse seien gestrichen. Und in Zukunft werde man verhindern, dass ich mich mit Jungen in der Stadt herumtrieb. Ich verbrachte Stunden in meinem Zimmer, starrte mit blicklosen Augen auf meine Lehrbücher und fragte mich, ob in der Welt da draußen noch irgendwelche Normalität herrschte. War es möglich, dass die Menschen dort, in ihren Häusern, lachten und liebevoll miteinander umgingen? Hatte inzwischen ein anderes Liebespaar Chor Minar in Besitz genommen?

Mein Vater, so schien es mir, konnte es danach kaum ertragen, mir in die Augen zu sehen, aber ich wusste nicht recht, ob es seine Schuld war oder meine, die jene schreckliche Entfremdung bewirkte. Aus Dickköpfigkeit und wahrscheinlich auch aus Trotz blieben Arjun und ich weiterhin in Kontakt, schmuggelten einander über unsere Freunde Briefe und kleine Botschaften zu, aber Angst hemmte uns jetzt wie eine bleierne Decke. Unsere Liebe war zu etwas Grauem, Freudlosem geworden, das eine seltsame Sprachlosigkeit verbreitete.

Nachdem die Examen vorbei waren, begann das Gerangel um die Studienplätze im College. Es war offensichtlich, dass meine Eltern mittlerweile kein Interesse mehr daran hatten, mich aufs College zu schicken. College war etwas für Mädchen, die es mit ihrer Ausbildung ernst meinten und die Hoffnungen und das Geld ihrer Eltern nicht vergeudeten. Man bot mir einen Studienplatz im Miranda House an, wo ich einen Bachelor of Arts in Englisch machen konnte, aber meine Eltern beschlossen, dass wir wie üblich in ein paar Monaten unsere alljährliche Reise nach Kerala machen und dort die veränderte Situation im Einzelnen diskutieren würden.

Arjun hatte sich in der Zwischenzeit entschlossen, für eine Weile bei seiner Mutter in England zu leben. Obwohl sich mein Magen schmerzhaft zusammenzog, bemühte ich mich, erfreut zu klingen, als er mir in einem geheimen Telefonanruf davon erzählte. Man hatte ihm einen Studienplatz an der Hull University angeboten, die sich in der Nähe des Scunthorpe General Hospital befand, in dem seine Mutter arbeitete. Keiner von uns beiden hatte zuvor von Kingston-upon-Hull gehört, und ich zog sofort meinen Atlas aus dem Regal, um nachzuschauen, wo der Ort liegt. Da war er, ein kleiner schwarzer Fleck an der Nordostküste Englands. Es könnte eine Hafenstadt sein. Ich konnte Vorfreude auf die Veränderungen, die demnächst in seinem Leben stattfinden würden, spüren. Er war mit seinem Vater zur British High Commission gegangen, und man hatte ihm ein Visum gewährt. »Ich muss an meinem Akzent arbeiten«, sagte er. »Sie haben immer wieder nachgefragt, was ich sagte. Aspiration der Konsonanten, das ist der Trick.« Wir aspirierten gemeinsam: »Puh... kuh... p(h) ot of t(h)ea ... p(h)iece of c(h) ake ...« und brachen in ein hysterisches Lachen aus. Aber nachdem ich den Hörer aufgelegt hatte, vergrub ich mein Gesicht in meinem Kissen, beschämt, dass mir in Anbetracht von Arjuns Glück nichts Besseres einfiel, als hemmungslos zu weinen. Obwohl er jetzt intensiv damit beschäftigt war, seine Abreise zu organisieren, gelang es uns, uns noch ein paarmal heimlich zu treffen. Trotz allem, was geschehen war, redeten wir noch immer so, als wäre es möglich, eines Tages ein Paar zu werden, *richtig* zusammen zu sein. Wann und wie wir das erreichen würden, lag in allzu weiter Ferne, und es war zu anstrengend, ernsthaft darüber nachzudenken. Aber dieser Traum war bei weitem angenehmer als leise, kräftezehrende Resignation.

Schließlich kam der Tag, an dem Arjun nach England abfliegen sollte, und nicht einmal meine glühendsten Gebete hatten dies verhindern können. Ich wachte an jenem Morgen mit einem Gefühl so tiefer, verzweifelter Trauer auf, wie ich sie nie zuvor empfunden hatte. Selbst der Jacarandabaum vor meinem Fenster schien um meinetwillen purpurrote Tränen zu weinen. Traurigkeit ist etwas, das im Laufe der Monate gewöhnlich an Schwere verliert, aber die tiefe Verzweiflung dieses strahlenden, schönen Morgens begleitete mich noch lange danach. Ich rief sie mir später häufig ins Gedächtnis, um die Intensität anderer Traurigkeiten zu messen. In einem Spiel, das ich manchmal spielte, um die Heftigkeit meines Gefühls im Vergleich zu neuen, unbekannten Gefühlen der Schwermut in mein Bewusstsein zurückzuholen. Monate später konnte ich mich noch immer daran erinnern, wie sie sich angefühlt hatte, diese Hitze meiner tränenlosen Augen und die Trockenheit meines Mundes. Schlimmer, so dachte ich später, als der Kummer an jenem Tag zwei Monate später, an dem ich heiratete, weil meine Hochzeit wenigstens von einigen beiläufigen Freuden begleitet war, beispielsweise dem Glück meiner Eltern ... Arjuns Flugzeug sollte am späten Abend starten. Bis zum Nachmittag sehnte ich mich verzweifelt danach, ihn vor seinem Abflug noch einmal zu sehen – ein Gespräch am Telefon genügte ganz einfach nicht. Ich muss ihn sehen, in seine Augen schauen und ihm sagen, dass ich ihn, was auch immer geschah, liebte. Ich ging in Mas Zimmer, um sie zu fragen, ob ich Leena besuchen und mich von ihr verabschieden könne, bevor sie mit ihrer Familie nach Goa in Urlaub fuhr. Ma sah mir forschend in die Augen, irgendetwas musste sie im Tiefsten berührt, ihr meinen Kummer verraten haben, und wider Erwarten bedeutete sie mir mit einem Nicken ihre Zustimmung. Ich wusch hastig mein Gesicht, bürstete mein Haar und rannte die Straße hinunter, um mir eine Auto-Rikscha heranzuwinken. Leenas Mutter war ausgegangen, um in ihrem Club Karten zu spielen, und würde erst später zurückkommen. Wie seltsam, dachte ich, dass sich, als es Zeit war, sich zu verabschieden, endlich alles so wunderbar fügte. Leena rief rasch bei Arjun an, um ihm zu sagen, ich sei bei ihr. Mein Herz klopfte mir bis zum Hals. Er ist bestimmt ausgegangen, er ist wahrscheinlich bei *Jai* am anderen Ende der Stadt ... Aber er war zu Hause und packte seine Koffer. »Ich komme sofort«, sagte er, »das Packen kann warten ...« Zwanzig Minuten später stürmte er zur Tür herein, lachend, weil sein Bruder ihn wahrscheinlich schrecklich beschimpfen würde, dass er sich ohne das übliche Betteln und Bitten sein Motorrad ausgeliehen hatte. Uns blieb noch eine kostbare Stunde …

All die schrecklich wichtigen Dinge, die ich ihm hatte mitteilen wollen, blieben unausgesprochen. Sie fielen mir erst sehr viel später ein. Später machte ich mir schlimme, bittere Vorwürfe, dass ich Arjun nicht gesagt hatte, wie sehr ich ihn liebte und wie froh ich, trotz allem, war, ihn kennen gelernt zu haben. Ich konnte mich später auch nicht daran erinnern, ob er *mir* etwas mit auf den Weg gegeben hatte, das ich für immer in meinem Herzen hätte bewahren können. Wir sprachen über belangloses und unwichtiges Zeug. Redeten wir über die Zukunft? Darüber, dass wir irgendwann wieder zusammen sein würden, *irgendwie*, an irgendeinem entfernten Ort? Wenn wir es taten, dann glaubten wir zu jenem Zeitpunkt wahrscheinlich beide nicht recht daran. Zwischen uns waren zu viele Schranken und Hindernisse gewesen, obwohl wir in derselben Stadt gelebt hatten. Zu viele Lehrerinnen in einer Nonnenschule (vielleicht ihre eigenen ungelebten Träume beweinend), die streng darauf achteten, dass junge Leute nicht den Fehler machten, ihre Zukunftsträume zu realisieren. Vor allem nicht vor den Pforten einer Schule, für die Eltern hohe Gebühren bezahlten, um sicherzugehen, dass sich Blau *niemals* mit Grau vermischte.

Leena schoss ein Foto von uns. Als es ein paar Tage später entwickelt wurde, wirkte Arjuns Gesicht strahlend und optimistisch. Ich dagegen sah blass und abgespannt aus. Als ahnte ich all das Schwere, das mir bevorstand. Ich war sicher, dass wir uns nie wiedersehen würden, auch wenn ich es nicht aussprach. Leena brachte uns ein paar getoastete Sandwiches und frischen Limonensaft und ließ uns dann auf dem blauen Sofa ihrer Mutter allein. Wir redeten weiter über Belanglosigkeiten, um nicht spüren zu müssen, dass dieser Abschied vielleicht endgültig war. Selbst Leenas jüngere Schwester, normalerweise ein unerträgliches kleines Biest, blieb in ihrem Zimmer und rührte sich nicht, entweder, weil ihre dominante Schwester ihr für jegliche Störung die Todesstrafe angedroht hatte, oder weil es ihr Angst machte, erkennen zu müssen, wie zwei junge Liebende kläglich daran scheiterten, sich zum Abschied ihre wahren Gefühle einzugestehen.

Als der Moment kam und ich wieder nach Hause musste, winkte Arjun mir auf der Straße vor dem Haus eine Auto-Rikscha heran. Bevor ich hineinstieg, küsste er mich zärtlich. »Ich verspreche, dass ich zurückkomme«, sagte er. Dass ich ihm nicht glaubte, verschwieg ich ihm. Mein Mund war noch immer warm und feucht von seinen Küssen, als ich zuschaute, wie er auf sein Motorrad stieg, während der Rikscha-Wallah sein Fahrzeug wendete. Wie hypnotisiert hob ich die hintere Klappe der Rikscha und beobachtete, wie Arjun davonfuhr. In die entgegengesetzte Richtung. Es war vorbei.

4

Ein paar Tage, bevor wir nach Kerala fuhren, teilte man mir mit, dass eine gewisse Familie Maraar sich für mich interessiere, als mögliche Ehefrau für ihren jüngeren Sohn. Er habe seinen Abschluss in Betriebswirtschaft gemacht und solle in Kürze die Leitung der erfolgreichen, von der Familie geleiteten Motelkette übernehmen. Selbstverständlich war geplant, das Geschäft in Zukunft weiter auszubauen. Das Verhalten meiner Eltern ließ keinen Zweifel daran, dass Briefe und Anrufe aus Kerala wunderbare Nachrichten enthielten. Der ältere Sohn war ein Collegeprofessor, der keinerlei Interesse an dem Unternehmen zeigte, deshalb würde mit fast *absoluter* Sicherheit alles an den Heiratsinteressenten übergehen, so hatte die eifrige Vermittlerin Ammumma geschwärmt. Die Kette von Maraar Motels, die sich im Durchschnitt alle zwei Jahre um ein Objekt erweiterte, erstreckte sich jetzt von Kovalam bis nach Calicut. Sie waren eine hoch angesehene Familie, hatten zwei Söhne und zwei Töchter, besaßen ein wunderschönes Haus und einen Wagenpark von Luxuslimousinen. Und all diese Motels, natürlich, und es sollten noch *mehr* werden … sogar in Bombay soll noch eines gebaut werden, meine Liebe, mehr kann man doch nun wirklich nicht verlangen. Die Horoskope waren überprüft und verglichen worden, mit dem Ergebnis, dass dies eine gute, eine sehr gute Verbindung sei. Bis jetzt hatten die Maraars bei ihrer Suche nach einem hübschen Mädchen, vorzugsweise aus einer Familie mit nicht *allzu* viel Geld, bei jeder anderen Familie mit einer Tochter im heiratsfähigen Alter irgendein Haar in der Suppe gefunden. Dies verwirrte Ammumma, die sich dann jedoch erklären ließ, Mrs. Maraar mache sich Sorgen, ein Mädchen aus einem schrecklich reichen Elternhaus könnte sich als hochnäsig und ›nicht anpassungsfähig‹ erweisen. Bis jetzt war die Suche, die bereits zwei ganze Jahre andauerte, erfolglos gewesen, was die Maraars dazu bewegte, sich Malayali-Familien außerhalb von Kerala anzuschauen. Natürlich schreckten sie auch ein wenig vor dem Risiko zurück, eine junge Frau des Typs Bombay-Delhi-Stadtbewohnerin in ihre Familie aufzunehmen, aber sie hatten gehört, meine Familie sei konservativ und traditionsbewusst, und die Maraar-Verwandte in Alleppey, die die Heirat zu vermitteln suchte, hatte sich persönlich dafür verbürgt, dass ich eine passende Kandidatin sei. Für ihre Bemühungen erhielt sie einen Sari aus Kanjeevaram, allgemeinen Respekt und die ewige Dankbarkeit zweier Familien. Und ich? Ich hatte unglaublich viel Glück, von einer so wunderbaren Familie für würdig erachtet zu werden, in ihrem Kreis leben zu dürfen.

»Was ist mit meinem Studium?« Ich wusste, dass es sinnlos war, Arjun zu erwähnen, aber mein Studium war gewiss ein ausreichender Grund, die Ehe eine Weile aufzuschieben.

»Das ist alles bereits mit den Maraars besprochen worden. Sie sagten, du könntest dein Studium in Kerala fortsetzen, wenn dir wirklich sehr viel daran liege. Englische Literatur ist etwas, was du sogar zu Hause als Fernstudium absolvieren kannst.«

»Ich fühle mich nicht reif für die Ehe … Ich habe mich so sehr darauf gefreut, *hier* aufs College zu gehen.«

»Und warum? Damit du noch mehr von dem mühsam verdienten Geld deines Vaters vergeuden kannst, indem du vorgibst, deine Vorlesungen zu besuchen, während du dich überall in der Stadt mit irgendwelchen Jungen herumtreibst.«

»Ich habe mich nie, niemals, wie du behauptest, überall in der Stadt mit Jungen herumgetrieben, Ma. Das ist nicht fair! Arjun war mein Freund, genauso wie Leena und …«

»Erwähne in meiner Gegenwart bitte nicht seinen Namen. Du weißt, wie sehr du uns mit deinem Verhalten enttäuscht hast. Jetzt denk bitte ernsthaft über dieses wunderbare Angebot nach – solche Heiratsanträge bekommt man nicht jeden Tag. Sie haben ein so großes Interesse, dich zu sehen, dass sie sogar bereit sind, an dem Tag, an dem wir dort eintreffen, nach Cochin hinunterzufahren!«

Ich machte mir eine mentale Notiz, mich nicht in weitere Streitereien verwickeln zu lassen. Alles, was ich tun musste, war, mich seiner Familie zu präsentieren und dann zu erklären, dass der junge Mann nicht zu mir passte. Zu klein, zu groß, es gab Hunderte von Ausreden, die ich erfinden konnte. Es würde gewiss niemand die Frechheit haben, mir die Pistole auf die Brust zu setzen, damit ich ihn heiratete.

Als wir Delhi zwei Tage später verließen, hatte ich nicht das Gefühl eines endgültigen Abschieds. Ein endgültiger Abschied nicht nur von meinem Zuhause und der Stadt, in der ich aufgewachsen war, sondern auch, für eine sehr, sehr lange Zeit, von einem Grundgefühl der Lebensfreude. Ich hatte meinen üblichen blauen Koffer mit all den Kleidern und Büchern gepackt, die man für einen zweimonatigen Aufenthalt braucht. Als ich aus dem Fenster schaute, verabschiedete ich mich beiläufig von der Stadt, die sich unter unserem an Höhe gewinnenden Flugzeug ausbreitete, und erinnerte mich daran, wie schrecklich ich mich im gleichen Augenblick letztes Jahr gefühlt hatte, weil ich damals Arjun unter mir zurückließ. Dass er jetzt in England war, mochte vielleicht doch einige Vorteile haben. In den zwei Monaten, seit er Indien verlassen hatte, hatte ich ein paar Briefe über Leenas Adresse erhalten, die ich sorgfältig auf dem Boden eines Schuhkartons aufbewahrte, verborgen unter einem Gewirr gläserner Armbänder und Haarreifen. Sie steckten in dicken Umschlägen aus wertvollem Papier, anders als die einfachen, billigen, an die ich gewöhnt war, und rochen wunderbar. Als kämen sie aus einer weit entfernten Welt, wo alles duftete und alles bestens organisiert war.

Der erste Brief lautete:

Janu, meine Liebste,

ich schreibe dies an Bord des Flugzeugs, auf Papier, das mir die Stewardess (übrigens sehr hübsch, möchte ich beiläufig bemerken), freundlicherweise zur Verfügung gestellt hat. Ich glaube, sie mag mich, sie bot mir nämlich eine Dose Bier an. Sogar Heineken! Ich habe die Marke einmal zusammen mit Dad bei Mr. Mittkopf probiert und fand den Geschmack ziemlich scheußlich, deshalb halte ich mich im Augenblick an Orangensaft. Sollte sie mich das nächste Mal fragen, könnte ich allerdings, falls sie mich wieder so süß anlächelt, schwach werden. Sei nicht böse, du fehlst mir schon jetzt so sehr. Sogar noch mehr als Jai und unser gemeinsames Krickettraining!

Ruf bitte meinen Vater und meinen Bruder an, sooft es dir möglich ist. Ich bin sicher, dass ich vor allem Dad fehlen werde, deshalb wird er begeistert sein, von dir zu hören. Ich freue mich natürlich darauf, Mum wieder zu sehen, diese letzten beiden Jahre allein in England waren bestimmt nicht leicht für sie. Es wird natürlich wundervoll für sie sein, mich (ihren Sonnenschein!) bei sich zu haben. Aber jetzt mal im Ernst, im Augenblick sehe ich noch immer dein tränenüberströmtes Gesicht vor mir, als wir uns bei Leena verabschiedeten. Mach dir keine Sorgen, Janu, es wird nicht lange dauern, nur drei Jahre, bis meine Ausbildung zu Ende ist, Sorg dafür, dass du ständig beschäftigt bist, ich meinerseits hab mir das jedenfalls vorgenommen. Dann wird die Zeit für uns wie im Flug vergehen. Ich verspreche dir, dass wir eines Tages wieder zusammen sein werden. Ich werde diesen Brief am Flughafen Frankfurt einstecken, damit du ihn bald bekommst. Tausend Küsse, in Liebe, Dein Arjun.

›Nur drei Jahre‹, hatte er geschrieben. Das war aus meiner Sicht eine schrecklich lange Zeit. Drei Jahre, das bedeutete, dass etwa dreißig Heiratsanträge zurückgewiesen werden müssten. Sorg dafür, dass du immer beschäftigt bist. Beschäftigt womit? Damit, Heiratsanträge abzulehnen, mich mit dem Kummer und dem Zorn meiner Eltern auseinander zu setzen? Ob das die Zeit tatsächlich schneller vergehen ließe?

Sein nächster Brief war kürzer. Ich fand, er klang glücklicher, ausgeglichener ...

Meine liebste kleine Janu,

Ich bin jetzt seit zwei Wochen hier, und das Wetter ist großartig. Kricket überall, im Fernsehen, auf dem Dorfrasen, praktisch überall, wohin man schaut. Es ist ein Gefühl wie im Himmel! Hier spielen sie es jedoch richtig, alle in weißen Anzügen, mit richtigen Punktetafeln. Es war großartig, Mum auf dem Flughafen wieder zu sehen, und die ersten paar Tage habe ich bei ihr in ihrem winzigen Krankenhausapartment gewohnt. Am Montag fuhr sie mich nach Hull, wo ich einige der Professoren kennen lernte. Ich habe jetzt mein eigenes Zimmer, C 3 Nicholson Block. Es ist alles darin, was ich brauche, sogar ein Waschbecken, aber die Toiletten sind am anderen Ende des Flurs. Das Essen ist ekelhaft. Hier sagt man »tea« für »dinner«, und die Mahlzeiten werden von einer energisch aussehenden Frau mit einem Schnauzbart serviert. Sollte man dir jemals anbieten, »Shepherd's Pie« zu probieren, dann vergiss nicht, höflich abzulehnen. Ich habe meinen ersten Freund gefunden, Kevin, einen jungen Burschen aus Liverpool. Er scheint ziemlich nett zu sein, wenn ich auch nicht immer alles, was er sagt, verstehen kann.

Ich werde dir in ein paar Wochen wieder schreiben. Es

hat vierzehn Tage gedauert, bis dein Brief hier ankam, ist es umgekehrt ebenso?

Ich liebe dich! Bleib fröhlich!

Arjun

O Arjun, dachte ich, du hast keine Ahnung, was sich hier abspielt. Ich werde *morgen* nach Kerala fahren, wo mich irgendeine Familie begutachten wird, ob ich die passende Frau für ihren Sohn bin. Ich muss mir eine sehr überzeugende Ausrede ausdenken, um mich dem zu entziehen. Und danach kommt dann noch irgendein weiterer Sohn und noch einer und noch einer. Und jedes Mal werde ich mir eine bessere Ausrede ausdenken müssen. Und alles, worüber du dir den Kopf zerbrichst, ist die Frage, ob du zum ›tea‹ ›Shepherd's Pie‹ vorgesetzt bekommst!?

Als wir aus dem Flugzeug stiegen, schlug uns die heiße, feuchte Luft Keralas entgegen. Der salzige, fischige Geruch des Meeres wehte wie gewöhnlich über die asphaltierte Rollbahn und bewirkte, dass sich mir in der Hitze der Magen umdrehte. In der Menge sah ich Raman mama, der gekommen war, um uns abzuholen. Ich rannte auf ihn, meinen *allerliebsten* Onkel, zu und umarmte ihn. Er nahm mir meinen Koffer ab: »Also, bist du bereit, deinem Prinzen in der glänzenden Rüstung entgegenzutreten? Oder vielmehr, dem Prinzen in der glänzenden Luxuslimousine?«

Alle lachten. Also hatte auch Ramama seine Hand im Spiel gehabt. Aber er war doch wohl hoffentlich auf meiner Seite? Er und Vijimami waren meine Verbündeten, wie könnten sie mit etwas einverstanden sein, das mich unglücklich machte?

Wir wurden zum Haus eines Freundes von Ramama gebracht. Seine Familie war mit den Maraars bekannt, und dies war, so hatte man beschlossen, der neutralste Ort, um sich kennen zu lernen. Meine Mutter half mir in meinen einzigen Sari und sagte mir, ich solle im Kinderzimmer bleiben, bis die Maraars einträfen und man mich rufen würde. Ich saß, zitternd vor Aufregung, auf einem winzigen Bett. Es würde *überhaupt keine Schwierigkeiten machen,* ich brauchte nichts anderes zu tun, als *nein* zu sagen. Die beiden kleinen Mädchen, in deren Zimmer ich eingedrungen war, schauten mich mitfühlend an.

»Möchtest du meine Comics lesen?«

»Danke, ja, vielleicht, welchen magst du am liebsten?«

»Richie Rich.«

»Den mochte ich auch immer gern.«

»Ja, er ist reich, er hat eine Menge Geld, aber er hat keine Freunde. Deshalb nennt man ihn einen armen kleinen reichen Jungen.«

Aber auch eine noch so anregende Unterhaltung vermochte mich nicht von dem bevorstehenden Treffen abzulenken. Von dem ›Pennukaanal‹, das Millionen von Mädchen im Laufe der Jahrhunderte über sich hatten ergehen lassen müssen, einige beschwingt von wunderbaren Zukunftsträumen und einige bedrückt, weil sie wussten, dass dies mehr oder weniger das Ende all ihrer Träume bedeutete. Ich hörte das Geräusch zuschlagender Autotüren und wurde mir voller Schrecken bewusst, dass die Maraars eingetroffen waren. Zusammen mit meinen beiden kleinen neuen Freundinnen beobachtete ich durch eine Ritze in der Tür, wie sie das Wohnzimmer betraten. Es schienen sechs Personen anwesend zu sein; man hörte Schrittgeräusche und Menschen, die sich hinsetzten, verlegen lachten und Konversation machten. Hatten sie das Haus leicht finden können? Wann war das Flugzeug gelandet? Haben Sie schon gehört, es gibt Pläne, den Flughafen auszubauen, wegen des Andrangs aus Dubai. Wussten Sie, dass ein Mädchen im Nebenzimmer wartet, für das dieser Tag das Ende aller Träume bedeutet? Nach einer Ewigkeit wurde ich gerufen.

»Dies ist unsere Janu, die ihr ganzes Leben lang auf diesen wunderbaren Augenblick gewartet hat, nicht wahr, Janu, mein Schatz?« Der geschwätzige Hausherr, der engstirnige Vater der beiden hübschen Kinder im Nebenzimmer, stellte mich mit einer schwungvollen Gebärde vor … Noch mehr verlegenes Lachen … »Komm, Moley, dies sind Sureshs Eltern, und dies ist seine ältere Schwester Sathi, ihr Mann, Dr. Sasi, der *berühmte* Urologe, und dies hier ist – der junge Mann!«

Ich ließ meinen Blick durch den Raum schweifen und sah nur verschwommene Gestalten ohne Gesichter. Ramama klopfte mit der flachen Hand auf den Sessel neben sich, und ich sank dankbar hinein. Die Dame des Hauses brachte Tee und Gebäck herein; sie schien erfreut über die unerwartete Chance, ihr neues Arcopal-Service (das kürzlich von einem Cousin aus Kuwait mitgebracht worden war) vorführen zu können. Ma folgte ihr, ein Tablett in der Hand, das überhäuft war mit Süßigkeiten, die sie auf dem Weg vom Flughafen hierher rasch in der Cochin Bakery gekauft hatte. Raketenförmige Mutais, Kuchenstücke in bleichen Farben, eine spezielle Backmischung mit leuchtend grünen Splittern darin und Rava Ladoos, die nach Festlichkeiten rochen.

Noch mehr Konversation, an der ich glücklicherweise nicht teilzunehmen brauchte. Ich bemerkte, dass die Runde meinem Vater voller Bewunderung zuhörte. Es wurde allgemein als sehr gut befunden, wenn einer von Keralas Söhnen in einer großen Stadt wie Delhi so viel Erfolg hatte und ein ›so hoch gestellter Beamter‹ geworden war. Ich wusste, wie hart mein Vater gearbeitet hatte, um in der Hierarchie der Air Force immer weiter befördert zu werden, und spürte plötzlich, wie stolz ich auf ihn war. Es schien sehr lange her zu sein, dass sein Gesicht so gestrahlt hatte. Wie unglücklich ich ihn durch meinen Verrat gemacht haben musste ...

Die Maraars sahen genauso aus wie die wohlhabende, heile Familie, als die man sie mir beschrieben hatte. Gestärkte Hemden und elegante seidene Saris. Die ältere Schwester fragte mich, ob ich Malayalam sprechen könne. In meinem nicht-so-guten Malayalam antwortete ich ihr, ja, das könne ich. Ihr Mann, Dr. Sasi-der-berühmte-Urologe, fragte mich, ob ich irgendwelche Hobbys hätte. Ich antwortete, Lesen und Musik, vergaß aber zu erwähnen, dass auch Theaterspielen zu meinen Leidenschaften gehörte. Ma sagte später, dies sei ein Glück gewesen, da die Maraars mein Interesse am Theater wahrscheinlich nicht gebilligt hätten.

Ich bemerkte, dass Ramama und Dr. Sasi-der-berühmte-Urologe miteinander flüsterten und hörte Ramama sagen: »Warum nicht, die Zeiten haben sich schließlich geändert, nicht wahr? Moley Janu, Suresh möchte sich einmal privat mit dir unterhalten. Ich würde vorschlagen, dass ihr beide euch für eine Weile in jenes Zimmer dort zurückzieht.«

Angesichts der Aussicht auf eine so unglaublich romantische Begegnung breitete sich ein verschämtes Kichern im Raum aus, und wir wurden in ein angrenzendes Arbeitszimmer geleitet. Ich setzte mich hinter den Schreibtisch und Suresh nahm auf dem Stuhl mir gegenüber Platz. Es kam mir so vor, als hätte er das schon einmal getan. Er sprach mit mir in nicht sehr gutem Englisch, und ich antwortete ihm in nicht sehr gutem Malayam. Es hätte ein Vorstellungsgespräch für einen Job sein können, was es in gewisser Hinsicht auch war. Er fragte mich, welche Fächer ich in der Highschool gewählt hatte und worauf ich mich im College spezialisieren wolle. Er fragte mich, ob ich kochen könne und welche Speisen ich besonders mochte. Er fragte mich, ob ich irgendwelche Fragen an ihn hätte, worauf ich »nein, danke« antwortete. Ma sagte später, dies sei ebenfalls positiv gewesen, weil es allzu forsch gewirkt hätte, ihn mit Fragen zu bedrängen. Ohne es im Geringsten beabsichtigt zu haben, bestand ich mein *Pennukaanal* mit Bravour.

Bevor sie wieder gingen, berieten sich die Maraars rasch auf der Veranda und kehrten dann ins Wohnzimmer zurück, um zu verkünden, dass sie der Verbindung zustimmten, was bei meinen Eltern eine Mischung aus Verwirrung und Euphorie auslöste. Ja, das Mädchen gefalle ihnen, und welchen Eindruck habe der junge Mann auf uns gemacht? Auf der Seite des Zimmers, auf der meine Angehörigen saßen, wurden beunruhigte Blicke gewechselt. Eine so rasche und eindeutige Antwort hatte man nicht erwartet. Ich fragte mich, ob irgendjemand wohl auch auf die Idee kommen würde, mich nach meiner Meinung zu fragen, und konnte fühlen, wie mein Herz in meiner Brust hämmerte und mein Mund trocken wurde. Als ich dann Ramama sagen hörte, wir hätten gerade einen langen Flug hinter uns und jetzt müssten wir, bevor es dunkel wurde, noch nach Alleppey weiterfahren, stieß ich einen tiefen Seufzer der Erleichterung aus. Ob Sie uns bis morgen früh Zeit geben könnten, damit wir noch einige Einzelheiten wie Janus Ausbildung besprachen? Wir werden Sie morgen früh als Erstes anrufen, ganz bestimmt.

Die Maraars schienen ein wenig brüskiert zu sein, dass wir nicht so spontan und überglücklich reagierten, wie sie es erwartet hatten. Sie fuhren ein wenig verdutzt davon, mit höflichem Lächeln, in weißen Saris, in ihren beiden weißen Luxuslimousinen. Ich saß verwirrt und hilflos da, während einzelne Sätze und Kommentare an mein Ohr drangen.

»Fandet ihr sie nicht furchtbar nett?«

»Eine *sehr* feine Familie.«

»Diese Schwester und ihr Mann sahen wirklich blendend aus; was für ein vornehmes Paar.«

»Ich habe den *Schmuck* gesehen, den sie zu ihrer eigenen Hochzeit getragen hat; sie sind wirklich unglaublich reich, diese Maraars. Moley Janu, du hast wirklich Glück, dass sie dich so sehr mochten.« Dies äußerte die Dame des Hauses, die jetzt ihr Arcopal-Teegeschirr abräumte, das bei einem so vornehmen Anlass eingeweiht worden war.

Ich dachte wütend, was für eine blöde Kuh sie war, die keine Ahnung hatte, wie meine wirklichen Wünsche und Sehnsüchte aussahen, und dass ich nicht im Geringsten das Gefühl hätte, vom Glück gesegnet zu sein, weil die Maraars mich mochten.

Da Ma meine Gedanken vermutlich erraten hatte und eine Auseinandersetzung vor dem Paar, das uns freundlicherweise sein Wohnzimmer zur Verfügung gestellt hatte, vermeiden wollte, drängte sie uns, in Ramamas Auto zu steigen, um nach Alleppey zu fahren. Im Wagen wurde ich von allen in Ruhe gelassen. Das Gespräch drehte sich noch immer vor allem darum, wie nett die Maraars zu sein schienen und wie viel Glück wir doch hatten. Ich konnte spüren, dass alles, was gesagt wurde, an mich gerichtet war. Aber ich war mittlerweile so erschöpft, dass ich kaum noch etwas aufzunehmen vermochte. Der Wagen fuhr hupend durch menschenüberfüllte Städte und Dörfer und musste fast ständig irgendwelchen Radfahrern und Kindern ausweichen. Ich wusste, dass ich meine Augen schließen und alle äußeren Eindrücke ausschalten musste, selbst den Anblick der sich verdunkelnden Reisfelder und des Sonnenuntergangs im Ozean, auf den ich mich immer so sehr gefreut hatte.

Ammumma wartete schon an der Tür. »Wie ist es gelaufen? Was haben sie gesagt? *Tatsächlich*? Ihr habt *was*? Ihr habt gesagt, ihr würdet ihnen eine Entscheidung bis *morgen* mitteilen? Seid ihr denn alle verrückt? Nachher kommen sie noch auf die Idee, ihr Angebot bis morgen zurückzuziehen!«

Ramama geleitete mich zu einem Stuhl. »Was ist los mit dir? Suresh sah doch nett aus, oder? Ich glaube, er ist ein sehr feiner Kerl.«

»Ich bin sicher, dass er das ist, Ramama. Ich habe wirklich nichts gegen die Maraars. Ich glaube nur, dass es zu früh ist.«

»Warum?«

»Nun, wegen meines Studiums.«

»Aber sie sind doch bereit, dich deinen Abschluss machen zu lassen. Der einzige Unterschied wird sein, dass du in ihrem Hause wohnst und nicht in Delhi.«

»Bist du denn nicht auch der Meinung, dass man mit achtzehn zu jung ist, um zu heiraten?«

»Vijimami war auch erst achtzehn, als wir geheiratet haben, nicht wahr? In mancher Hinsicht ist es, denke ich, leichter, sich an eine neue Situation zu gewöhnen, wenn man jünger ist.«

Plötzlich redeten wieder alle durcheinander. Du kannst doch wirklich dankbar sein ... Wir sind nur eine normale Beamtenfamilie ... *Jede* Familie in Kerala wäre glücklich, wenn die Maraars eines ihrer Mädchen als Braut für ihren

Sohn auswählen würden ... Sie wollen noch nicht einmal eine Mitgift ... Es ist der reinste Hochmut, Leuten wie ihnen einen solchen Antrag abzuschlagen ... Ich möchte Zeugin sein, wie eines meiner Enkelkinder heiratet, bevor ich sterbe, dein armer Appuppa musste gehen ohne dieses Glück, tu du mir bitte nicht dasselbe an ... Welchen *Grund* haben wir denn überhaupt, sie zurückzuweisen, vor allem, da *sie* doch einverstanden waren! Ich sah um mich; dies waren die Gesichter, die ich seit dem Augenblick, als ich geboren wurde, innig geliebt hatte. Es wäre *so* leicht, sie alle glücklich zu machen, ihnen ihre Wünsche zu erfüllen. Was soll ich nur tun, dachte ich verzweifelt. Ramama, der angesichts meiner Erschöpfung Mitleid mit mir zu haben schien, sagte: »Nimm erst mal ein Bad und denk vor dem Einschlafen noch mal darüber nach. Du kannst mir morgen früh deine Antwort mitteilen.«

Zu behaupten, dass ich die ganze Nacht über wach lag und grübelte, wäre gelogen. Ich war noch immer in einem Alter, in dem ich großen Entscheidungen nur wenig Nachdenken widmete. Ich war erschöpft, überfordert, sowohl von der langen Reise am Tag zuvor als auch von den Schuldgefühlen, mit denen ich mich wegen meiner Beziehung zu Arjun so lange gequält hatte. Erst jetzt begann ich zu begreifen, dass Arjun wahrhaftig und für eine lange Zeit nicht in meiner Nähe wäre. Er war fort, nicht für einen Monat oder ein Jahr, sondern wahrscheinlich für immer. Ma hatte Recht, es war verrückt zu erwarten, wir hätten jemals eine gemeinsame Zukunft. Wir hatten immer in verschiedenen Welten gelebt, die sich jetzt noch weiter voneinander entfernt hatten. In denen alles, sogar Briefumschläge, anders aussah und einen anderen Geruch hatte. Arjuns Briefe hatten bei mir immer den Eindruck erweckt, dass er glücklich sei … Ich war müde und wollte nicht länger nachdenken. Gab es auf dieser Welt irgendwelche Achtzehnjährigen, die mit Kummer auf vernünftige, umsichtige Weise umgingen? Was mich betraf, so war es einfacher, alle Probleme einfach zu verdrängen und das Beste zu hoffen. Später, als ich Arjun wieder sah, fand ich keine Entschuldigungen, die ich ihm gegenüber hätte vorbringen können.

Am nächsten Morgen lag ich eine Weile wach und betrachtete die Papageien, die auf den Zweigen des Mangobaumes vor dem Fenster schaukelten. Wo bist du, Arjun? Es ist jetzt neun-minus-viereinhalb … früher Morgen in England. Schläfst du noch … Es ist Sonntag … Heute finden keine Vorlesungen statt … Was es wohl heute zum ›tea‹ geben wird? In England sagt man ›tea‹ statt ›dinner‹! Ich hoffe, es ist nicht gerade Shepherd's Pie. Glaubst du, du wirst es nächsten Sommer schaffen, ins Kricketteam aufgenommen zu werden?

Vijimami schob ihren Kopf durch den Türspalt. »Kaffee, Molu?« Ich nickte und lächelte sie an. Sie trat herein und setzte sich neben mein Bett. »Hast du noch mal über die Sache nachgedacht? Wir reden hier über eine *Ehe*, nicht über etwas, worüber man sich Sorgen machen müsste. Es werden einfach nur noch mehr Menschen um dich sein, die dich gern haben und dich glücklich machen. Mullakkal Devi wird immer für dich sorgen, so wie sie in diesem Haus für mich gesorgt hat, du wirst …«

»Es ist in Ordnung, Vijimami, ich habe mir die Sache noch einmal durch den Kopf gehen lassen. Du kannst ihnen mitteilen, dass ich ›ja‹ sage.«

Sie riss ungläubig die Augen auf, und ich konnte sehen, wie sich in ihren fröhlichen Pausbäckchen kleine Grübchen bildeten. Sie stürmte aus dem Raum, um die gute Nachricht an alle weiterzugeben. Ich lehnte mich in meinem Kissen zurück und fühlte, wie Wellen der Erleichterung mich durchfluteten. Die Papageien tanzten noch immer ihren lärmenden Tanz, wobei ihr Grün und Gelb jetzt mit den Umrissen der Mangos und Blätter verschmolz.

Cheyyat House
Mullakkal
Alleppey

Lieber Arjun,

Ich bin sicher, wir beide wussten, dass dies kommen würde, und jetzt ist es wirklich passiert. Ich werde in zwei Wochen heiraten. Einen Geschäftsmann, der in Kerala lebt. Ich habe ihn einmal getroffen, er scheint ziemlich nett zu sein. Du hast wahrscheinlich keine Lust, noch mehr über ihn zu erfahren, und ich selbst kann kaum mehr über ihn sagen, als dass er eben Geschäftsmann ist.

Aber, um die Frage zu beantworten, die Dich jetzt wahrscheinlich vor allem beschäftigt ... Weil, weil, weil ... weil ich es leid bin, mich meiner Familie zu widersetzen. Sie haben in den achtzehn Jahren, in denen sie mich großgezogen haben, bewiesen, wie sehr sie mich lieben. Und ich kann einfach nicht glauben, dass sie mich zu etwas drängen würden, das nicht gut für mich ist. Ich weiß, dass Du mich für ziemlich naiv hältst, ihnen so rückhaltlos zu vertrauen, aber ich tue das nun einmal.

Auf jeden Fall scheinst Du so weit fort zu sein, dass ich nicht mehr das Gefühl habe, noch in Deine Welt zu gehören. Ich fühlte, wie ich Dich an dem Tag, an dem Dein Visum bewilligt wurde, zu verlieren begann, und seitdem waren Deine Begeisterung über Kricketmatches und Studentenwohnheime und neue Möglichkeiten etwas, was ich nicht mit Dir teilen konnte und was Dich mir entfremdete.

Deine Welt und meine haben sich so weit voneinander entfernt, dass ich dich vermutlich ohnehin verloren habe. Und vielleicht wird es mir in Zukunft zumindest ein Trost sein, wenn ich meine Familie wenigstens dieses eine Mal glücklich machen kann! Eine Zeit lang muss ihnen meine Art zu leben als zunehmend ausschweifend und egoistisch vorgekommen sein, also kann ich sie hiermit auf einen Schlag für alles entschädigen, was ich ihnen angetan habe. Mir scheint, sie waren noch nie so glücklich wie jetzt. Es fällt mir schwer, mich von diesem Glück nicht anstecken zu lassen. Aber ich würde lügen, wenn ich sagte, dass ich Dich nicht vermisse und nicht jeden Tag an Dich denke.

Sei mir bitte nicht böse. Wenn ich die Wahl hätte, dann würden die Dinge anders laufen. Es mag zwar banal klingen, aber ich möchte auch für Dich das Beste, möchte, dass auch Du glücklich bist. Da Du fünftausend Meilen entfernt bist, nehme ich nicht an, dass *ich* dieses »Beste« bin. Arbeite fleißig für Dein neues Studium und halte Dich tapfer. Etwas sagt mir, dass ich Deinen Namen irgendwann einmal in leuchtenden Lettern lesen werde. Und das wird mir bestätigen, wie richtig meine Entscheidung war.

Bitte behalte mich in guter Erinnerung …

Janu

P. S. Bitte schreib mir nicht noch einmal, ich komme dadurch in Schwierigkeiten.
P. P. S. Ich hoffe, Du schaffst es, im nächsten Sommer ins Kricketteam aufgenommen zu werden.

»Moley Janu, komm und probier die hier mal an.«

Ich schob den Brief hastig in einen Luftpostumschlag und versteckte ihn zwischen den Seiten meines Buches.

»Ich komme, Ma ...«

Ihr Gesicht strahlte. Sie saß, umgeben von seidenen Saris, auf dem Fußboden; auf ihrem Schoß lag ein Stapel Blusen. Sie sah aus wie eine mollige, fröhliche Insel, die in einem bunten Meer trieb.

»Der Schneider hat sie gerade vorbeibringen lassen. Ich habe ihm allerdings gesagt, er solle zunächst nur eine zur Probe nähen, bevor er den Rest zuschneidet. Aber es sieht so aus, als hätte er seine Sache gut gemacht, deshalb werden wir sie hoffentlich nicht zurückzuschicken brauchen. Schau, Ammimi, Abnäher um die Taille und an den Armen, so können sie je nach Mode enger oder weiter gemacht werden. Probier die hier mal an, Moley ...«

Ich machte mich auf den Weg ins Badezimmer; meine Mutter und ihre Schwester blieben, die restlichen Blusen bewundernd, zurück. Dies war anscheinend das Ende der Phase, in der ich Jeans getragen hatte. Wir waren bei den wenigen steifen Treffen mit den Maraars, die bisher stattgefunden hatten, zu dem Schluss gekommen, dass meine zukünftigen angeheirateten Verwandten einen konservativen Kleidergeschmack pflegten. Und für den Augenblick war es am wichtigsten, mich so weitgehend wie möglich anzupassen. Ohne unangenehm aufzufallen, ohne zwischen ihren hübschen, in Kerala großgezogenen, in Saris gekleideten Töchtern wie eine Vagabundin zu wirken. Die Bluse passte überhaupt nicht – war dies ein Omen?

»Maa! Komm und schau sie dir mal an, sie ist schrecklich eng um die Arme und um die Taille ...!«

Ma stürzte herein, ihr Lächeln war jetzt einem düsteren Stirnrunzeln gewichen.

»Ich hatte diesem Dummkopf Venu doch gesagt, er soll zunächst nur *eine* nähen! Jetzt müssen wir sie alle wieder zurückschicken, damit er sie weiter macht. Und wir haben nur noch zwei Wochen Zeit! Wieso meinst du denn, dass sie dir nicht passt, sie sieht doch gut aus?!«

»Tja, sie ist jedenfalls ziemlich eng und unbequem ...«

»Das kommt dir nur so vor, weil du es nicht gewöhnt bist, Blusen zu tragen. In Delhi läufst du ja ständig in diesen schmierigen Jeans und T-Shirts rum. Ich hätte dafür sorgen sollen, dass du häufiger Saris trägst, damit es dir nicht so ungewohnt vorkommt. Na, egal, du wirst dich schon dran gewöhnen.«

»Du meinst, so, wie ich mich daran gewöhnen werde, mein Studium, meine Freunde und meine Freiheit aufzugeben?«, sagte ich halblaut.

Ma schoss mir einen Blick zu, halb besorgt und halb wütend. »Also, fang jetzt bitte nicht wieder damit an. Wir haben das doch schon hundertmal durchdiskutiert. Jetzt ist alles arrangiert, sogar die Einladungskarten sind schon verschickt. Unsere ganze Familie ist hier, sie sind von überallher angereist. Jetzt sei mal ein bisschen fröhlich und freu dich auf ein neues Leben, Moley. Du hast riesiges Glück. Die Maraars sind eine alte und angesehene Familie, die Hälfte aller Familien in Kerala würde sich für eine solche Verbindung ein Bein ausreißen ...«

Ehen in Kerala waren niemals nur Ehen, es waren ›Verbindungen‹. Schwer zu sagen, zwischen wem. Den Eltern? Den Familien? Ganzen Clans und vielen Generationen vor ihnen? Ma drehte mich herum, um sich den Rücken der Bluse anzuschauen. »Denk doch nur, wie viel Glück du hast. Sie haben keine Einwände dagegen, dass du in Delhi aufgewachsen bist. Dem Himmel sei Dank, dass du hübsch bist. Ich glaube, das war es, was am Ende den Ausschlag gab. Jetzt heb mal deine Arme.«

Man hörte Laufgeräusche, und die Badezimmertür wurde abrupt aufgestoßen. Selbst die Toiletten gewährten in diesen Tagen, in denen das Haus so voll war, keine Privatsphäre! Die kleine Mini stürmte mit rotem Kopf und völlig außer Atem herein. Sie zog ihr Höschen herunter und fixierte ihren Blick auf eine Entfernung von etwa fünf Zentimetern vor ihren Augen. Nachdem das zischende Geräusch sich in ein Tröpfeln verwandelt hatte, musterte sie die Szene, die sich ihr bot.

»In der Bluse siehst du aus wie 'ne Kuh«, erklärte sie. »Schau mal, sie hat vier Abnäher statt nur einem.«

»Sie hat Recht, Ma«, jammerte ich. »Die Abnäher sind alle an den faschen Stellen!«

Ich streckte für Ma und Mini die Brust heraus, damit sie den Schaden deutlicher sehen konnten. Mas Gesicht verfinsterte sich: Ja, es waren tatsächlich vier Abnäher. Venu würde einen qualvollen Tod sterben müssen. »Also gut, zieh sie wieder aus, dann müssen wir sie eben diesem Schneider, diesem Venu, zurückschicken. In Anbetracht dessen, was er an uns verdient, könnte er wenigstens dafür sorgen, dass die Kleider der Braut richtig sitzen. Kazhutha!« Sie rauschte davon, eine Wolke von Ärger hinter sich zurücklassend.

Ich betrachtete mich im Spiegel und fand die Sache überhaupt nicht lustig. Venu, der Schneider, hat offensichtlich eine sehr unrealistische Vorstellung von der Richtung, in die die Brüste einer Frau weisen, dachte ich, während ich die Träger meines Büstenhalters zurechtrückte. Mein Blick wanderte an dem Bild herunter, das ich vor mir sah ... das Gesicht und die Figur, die die Maraars mich akzeptieren ließen und die mich in diese neuen Verwirrungen gestürzt hatten. Ma sagte mir normalerweise nicht, dass ich hübsch sei, aus Angst, es könnte mir zu Kopf steigen. Ich betrachtete forschend das Mädchen, das in Büstenhalter und Unterhöschen vor mir stand ... Was die Zukunft dir wohl bringen mag?, fragte ich sie. In Ammummas altem belgischen Glasspiegel sah immer alles schöner aus, als es in Wirklichkeit war. Die matte silberne Fläche zeigte mir ein ovales Gesicht, eingerahmt von schwarzen, schulterlangen Locken. Klare braune Augen schauten mich traurig an. Ich lächelte sie an, damit sie zurücklächelten, aber sie weigerten sich und begannen sich auf beängstigende Weise mit Tränen zu füllen. Diese verdammten Tränen ... Immer, wenn ich allein war ... was Gott sei Dank dieser Tage nicht häufig vorkam. Irgendwo hinter mir hörte ich ein leises Summen. Ich hatte es vergessen! Mini war noch immer im Badezimmer. Es schien ihr zu gefallen, auf ihrem kleinen Thron hocken zu bleiben, und sie ließ ihr rosa Unterhöschen auf nach oben gebogenen Zehen auf und ab wippen. Von ihrem Platz aus betrachtete sie meine Figur mit ebenso viel Interesse wie ich selbst.

»Warum bist du eigentlich noch immer hier? Du bist doch längst fertig!«

»Bitte lass mich noch ein bisschen bleiben, Janu chechi, ich könnte dich ein bisschen beraten, wenn du die anderen Kleider anprobierst.«

»Nein, raus jetzt mit dir, ich glaube, ich habe für eine lange, lange Zeit genug Ratschläge bekommen, ohne dass auch noch ein sechsjähriges kleines Mädchen seinen Senf dazugeben müsste.«

Meine Art zu reden schien Mini zu gefallen, und ihr Gesichtsausdruck lud mich ein, ihr noch mehr Geheimnisse anzuvertrauen, die preiszugeben ich bereit sein könnte. Als ich, ohne ihr weitere Aufmerksamkeit zu schenken, meinen Kaftan anzog, wagte sie einen weiteren Versuch.

»Chechi, deine Mutter hat meiner Mutter erzählt, dass du einen *Freund* in Delhi hattest?!« Sie sprach das Wort aus, als gehörte es in die gleiche Kategorie wie das »Verdammt noch mal!«, für das sie vor ein paar Tagen eine mütterliche Ohrfeige bekommen hatte: Sie senkte ihre Stimme zu einem Flüstern und ihre Augen weiteten sich zu kleinen Untertassen.

»Mini, es gibt nichts, was unsere beiden Mütter einander nicht erzählen. Merk dir das für die Zeit, wenn du ein bisschen älter bist. Es ist nicht immer eine gute Idee, scheinbar freundlichen Tanten irgendwelche Geheimnisse anzuvertrauen.«

»Ja, Chechi, aber das kommt daher, dass sie Schwestern sind«, erwiderte Mini und fügte, da sie noch immer auf ein paar Vertraulichkeiten hoffte, hinzu: »Und das bedeutet, dass wir uns, weil wir Cousinen sind, auch alles sagen können.«

Ich reichte der Kleinen einen Becher mit Wasser. »Ja, Minimole, das können wir. Aber, so traurig es auch ist, erst wenn du ein paar Jahre älter bist und weißt, was Liebe und Ehre und Tradition und Heuchelei wirklich bedeuten. Augenblicklich muss ich mit meinen Problemen leider allein fertig werden, und das ist verdammt schwierig. Du solltest jetzt lieber gehen, weil deine Freundinnen sich fragen werden, wie lange kleine Mädchen aus Simla eigentlich brauchen, um Pipi zu machen.«

Unzufrieden mit der Wendung, die unser Gespräch genommen hatte, rutschte sie von der Toilettenbrille herunter, zog ihr Höschen hoch und rannte davon. Ich sah vom

Fenster aus zu, wie sie sich zu der kleinen Gruppe gesellte, die sich rätselhafterweise in Großmutters Garten einfand, sobald wir hier eintrafen, um Urlaub zu machen. Durch das Moskitonetz, das über das Badezimmerfenster gespannt war, wirkte die Szene verschwommen, unrealistisch. Vor zehn Jahren war ich es gewesen und nicht Mini, die freudekreischend mit ihren neuen Freundinnen auf Ammummas kiesbestreutem Hof herumtollte. Die Szene war dieselbe, derselbe Hof, dieselben kleinen Mädchen, dieselben fliegenden Zöpfe. Nur ich war herausgeschnitten worden. Um erwachsen zu sein. Um Arjun zu begegnen. Um Arjun zu verlassen. Und damit ich anfing, einen Teil der Schulden abzuzahlen, die sich auf irgendeinem Konto in meinem Namen angesammelt hatten. Meine Geschichte würde jetzt neu geschrieben werden.

5

Die Hochzeit sollte im Guruvayoortempel stattfinden, in einem der heiligsten Hindu-Heiligtümer Keralas. An meinem achtzehnten Geburtstag. Dies wäre ein doppelt segensreiches Ereignis, sagten alle, ein Geburtstag und eine Hochzeit am selben Tag. Ich war natürlich schon viele Male zuvor dort gewesen, immer zu glücklichen Anlässen. Bei Geeta Chechis Hochzeit, als ich sieben war, und dann, zwei Jahre später, bei der Reis-Zeremonie für ihr quengelndes Baby, bei der sogar ich ein wenig breiigen Reis in sein widerwilliges Mündchen schmieren durfte; bei Alleppey-Appuppas Thulabharam, und im Jahr danach, als sein Gewicht mit einem anscheinend ins Unendliche anwachsenden Berg Zucker aufgewogen wurde. Guruvayurappan fordere seinen Teil des Zuckers ein, so sagte man, weil es eines seiner Wunder bedurfte, um Appuppa von seinem Krebs zu heilen. Appuppa war wenig später dem riesigen Tumor erlegen, der seinen Magen auffraß, aber jetzt hatte man Guruvayurappan ein weiteres *Thulabharam* versprochen, weil er das Wunder meiner Ehe bewirkt hatte. Am Morgen der Hochzeit sollte ihm die Menge an Zucker, die meinem Gewicht entsprach, von meiner dankbaren Großmutter geopfert werden.

Es war vier Uhr morgens, aber auf den dunklen, nassen Straßen der Tempelstadt herrschte reges Leben. Tempelgänger und Pilger quollen in Massen aus Tamil-Nadu-Bussen. Ammumma hatte mir ein paar Blumen und eine in Bananenblätter eingewickelte Kokosnuss in die Hand gedrückt, damit ich sie den Göttern zum Dank für mein großes Glück opferte. Da ich nur eine Hand frei hatte, um meinen Sari hoch zu halten, konnte ich fühlen, wie die Säume feucht und schmutzig wurden, und jetzt verfingen sich meine Füße in seinen nassen Falten. Obwohl es zu nieseln begonnen hatte, war ich gezwungen, vorsichtig einen Schritt vor den anderen zu setzen.

Die riesigen Pforten des Tempels standen offen, ältere Damen hasteten in ihren weißen Mundus, nass vom Regen und ihren frisch gewaschenen Haaren, hinein. Guruvayurappan war wie jeden Morgen gebadet worden und thronte steinern und dunkel glänzend im finsteren Innenbereich des Heiligtums. Zu späterer Stunde würde man ihn, ebenso wie mich, in ein Seidengewand kleiden und mit Juwelen schmücken. Manchmal schafften es die Priester, denen diese Aufgabe oblag, dieser schlichten Steinfigur eine solche Schönheit zu verleihen, dass es einem den Atem verschlug. Es seien Guruvayurappans magische Fähigkeiten, die die

Hände der Priester führten, sagte man. Die Priester an der Tür jedoch waren ständig gereizt, erfüllt von der Wichtigkeit ihrer Aufgabe, so viel Geld wie möglich in so kurzer Zeit wie möglich zu sammeln. Und so setzten sie ihren ganzen Ehrgeiz darein, möglichst viele arme Pilger durch den Tempel zu schleusen. Aber trotz des schrecklichen Gedränges und des unablässigen Läutens der Tempelglocken waren die Menschen, die zunächst ein eisiges Bad im Kolam genommen und sich dann stundenlang wartend in eine Schlange gestellt hatten, zufrieden, wenn sie auch nur für ein paar Sekunden den lange ersehnten Blick auf Guruvayurappan werfen konnten. Manchmal weinten sie sogar. Tränen unbekannter Freuden und Kümmernisse, die in unzähligen Rinnsalen ihre Gesichter hinunterrannen.

»Hier entlang, du musst diese Trittleiter hinaufklettern.« An diesem Ort ging alles wohl geordnet und gut organisiert zu. Ich kletterte in eine riesige Waagschale und schaute zu, wie, begleitet von lauthals gebrüllten Befehlen, große Blechgefäße voller Zucker hereingetragen wurden. Eines nach dem anderen wurde auf die andere Waagschale gestellt. Eins, zwei, drei, mein Gewicht wurde in Zucker aufgewogen, dessen Süße Guruvayurappan genau berechnet hatte, um die letzten Reste von Bitternis in meinem Herzen aufzulösen.

»Was machen sie mit dem Zucker?«, fragte ich Ammumma, als wir zum Hotel zurückeilten, vorbei an dem Kolam, dessen Wasser sich allmählich von den Leibern der Pilger und der langsam steigenden Sonne erwärmte.

»Sie verwenden ihn wahrscheinlich für die Payasams, die dann als Prasadam an die Pilger verteilt werden.« Es war eine seltsame Vorstellung. Hunderte Pilger aus weit entfernten Orten würden heute zur Mittagszeit ihre Bananenblattpakete öffnen, um an meiner Bitterkeit, die sich in

Süße verwandelt hatte, teilzuhaben. »Kommen Sie, kommen Sie, hier, kaufen Sie ein Paket dieses speziellen Payasam, der allen Kummer aus Ihrem Leben vertreibt!«

Das Muhurtham sollte um elf Uhr stattfinden. Die günstigste Stunde des Tages und die praktischste, um anschließend den Lunch zu servieren. Man behauptete auch, dies sei die Zeit, in der heftige Regengüsse, die den geplanten Ablauf der Feierlichkeiten durcheinander bringen könnten, am wenigsten wahrscheinlich waren. Aber das war ein Irrtum. Um ungefähr neun Uhr öffneten sich alle Schleusen des Himmels, und es begann zu regnen, als könnte eine untröstliche Göttin ihre Tränen nun endgültig nicht mehr zurückhalten.

Besorgt aussehende Männer steckten die Köpfe zusammen und diskutierten, wie man den Ablauf der Feierlichkeiten rasch verändern könnte, damit die Gäste nicht bis auf die Haut nass wurden. Frauen zischelten Kindern, die in den Regen hinausrennen und ihre neuen seidenen Kleider verderben könnten, finstere Drohungen zu. Ich saß in meinem Zimmer, das jetzt so dunkel war, dass alle Lampen angeschaltet werden mussten. Draußen grollte drohend der Donner. Aber drinnen, im Haus, begann ein neuer Lebensabschnitt, während eine Braut angekleidet wurde und Kinder kreischend vor Freude die Flure hinauf- und hinunterrannten. Preethi Chechi war die Aufgabe übertragen worden, sich um mein Haar und mein Make-up zu kümmern. Sie war die stolze Besitzerin eines Schönheitssalons in Bangalore (›Wachsen-Bleichen-Augenbrauen-Oberlippen-und-komplettes-Braut-Make-up‹) und widmete sich ihrer Aufgabe mit Umsicht und Kompetenz, eine Säule der Zuversicht in einem Meer von Verwirrung.

»Preethi, Moley, seht doch nur, wie es regnet! Was sollen wir bloß machen, das Ganze wird in einem Chaos enden«, klagte Ammumma, die mit meinem kleinen Schmuckkästchen aus Sandelholz herbeigeeilt kam.

»Mach dir keine Sorgen, Peramma, es wird schon nichts schief gehen. Mein Make-up ist wasserfest, importiert aus den USA. Regen, Schwimmen, Tränen – *kein* Problem.«

Ich hoffte, dass Preethi Chechi Recht hatte. Ihre Zuversicht wirkte tröstlich. Regen, Schwimmen und, was am besten war, *Tränen* – alles *kein* Problem.

Der Regen trommelte weiterhin seinen gnadenlos spöttischen Rhythmus auf das Dach, während ich kunstvoll geschminkt wurde. Zuerst Grundierung, dann ein Hauch Puder. Danach flüssiger Lidstrich und Wimperntusche, Lippen-Konturenstift, Lippenstift, Rouge, Schattierung ...

... Bluse (jetzt nur noch mit zwei Abnähern statt vier, dank der Tatsache, dass Venu, dem Schneider, die Enthauptung angedroht worden war), Unterrock, Sari, Schmuck ... Eine Braut nahm nach und nach Gestalt an. Ich schaute in den Spiegel. Sie glühte in tief magentaroter Seide, die mit winzigen Goldfäden durchwirkt war. Sie sah strahlend und schön aus. Das Bild eines jungen Mädchens in sportlichen Jeans, das noch zur Schule, aber fast schon aufs College ging, verblasste sogar in meinem Kopf. Ich kniff die Augen fest zusammen, damit mein Spiegelbild verschwamm, um mir ins Gedächtnis zu rufen, wie sie einmal ausgesehen hatte, aber sie war fort. Preethi Chechi gab mir einen sanften Klaps auf die Schulter. »Was machst du, Janu, du wirst noch dein Augen-Make-up verwischen!«

Während der gesamten Feierlichkeiten regnete es wie aus Eimern. Die Maraars fuhren mit ihrer Flotte von Ambassador-Luxuslimousinen vor, gestärkten Hemden und seidenen Saris, die nach und nach vom Regen durchweicht wurden. Man wies ihnen die besten Plätze in der Halle zu, während alle anderen sich dort zusammendrängten, wo noch etwas frei war. Die Leute schüttelten das Wasser aus ihren besten Kleidern, lachten und taten, als machte ihnen ein bisschen Regen nicht das Geringste aus. Der Bräutigam nahm seinen Platz ein, setzte sich im Schneidersitz auf den blumenbedeckten Mandapam, während alte Frauen und Kinder die Hälse reckten, um besser sehen zu können, und dann verschwörerisch miteinander flüsterten.

Mittlerweile war ich zu einem weiteren stolzen Produkt von Preethis Schönheitssalon geworden. Alle meine Cousinen stellten sich, eifrig und lachend, in einer Reihe auf und warteten darauf, dass man ihnen die Blumen und Öllampen aushändigte, die sie, während sie mich in die Halle geleiteten, auf silbernen Platten vor sich her tragen würden. Die großen Mädchen am Anfang, die kleinen Mädchen am Ende. Vijimami, Kunyamma und Ma begannen, ihnen die Platten auszuhändigen. Sie waren alle drei in blaue Kanjeevaram-Saris derselben Machart gekleidet und sahen aus wie ein kleines Team besorgter und energischer Lehrerinnen. Mini drehte sich um, um mir einen bewundernden Blick zuzuwerfen, wobei ihr strahlendes Gesicht durch die Öllampe auf ihrer Messingplatte sogar noch heller leuchtete. Sie flüsterte deutlich hörbar: »Geh langsam, Chechi, du brauchst dich nicht zu beeilen. Pass nur auf, dass du nicht hinfällst.« Ich lächelte sie an, und in meinem Kopf begannen Trommeln einen sonoren Rhythmus zu hämmern: Renn-nicht-und-fall-nicht-und-gib-Acht-dass-du-nicht-al-les-verdirbst …

Ramama gab uns vom oberen Treppenabsatz ein Zeichen. Es war Zeit, dass der Zug sich in Bewegung setzte. Erst die Tanten, die die Lampen trugen, dann die unverheirateten Cousinen, die großen Mädchen an der Spitze, die kleinen am Ende. Dann die Braut und ihre Eltern, der Vater, der ihre Hand hielt, und die Mutter dicht hinter ihnen. Plötzlich tauchte wieder das Mädchen in Jeans auf, das heute Geburtstag hatte, diesmal mit Arjun. Die beiden lehnten an der Wand und lachten jetzt über das absurde Spektakel, das man ihr, der Schülerin, gemacht hatte. Fort mit euch, könnt ihr nicht sehen, dass ich keine Zeit für euch habe, weil ich damit beschäftigt bin zu heiraten? Sie verschwanden gehorsam wieder in der Dunkelheit, während die Braut in die Halle geleitet wurde. Blitzlichter flammten auf, die Menschen reckten die Hälse, der Nadaswaram kreischte schrill und der sonore Trommelrhytmus in meinem Kopf setzte wieder ein ... Renn-nicht-und-fall-nicht-und-gib-Acht-dass-du-nicht-al-les-verdirbst ...

Draußen prasselte unbarmherzig der Regen. Die Straßen leerten sich und verwandelten sich in kleine Flüsse, während Pilger sich in den Eingängen der Läden zusammendrängten, um Schutz zu finden. Die Priester im Tempel holten ihre riesigen Gefäße, in denen Payasams brodelten, und trugen sie hinein. Das Kolam verwandelte sich in einen kleinen See, dessen Wellen gegen die steinernen Stufen schwappten. Die Leute sagten, Guruvayurappan schicke häufig ein wenig Regen, um deutlich zu machen, wie viele Segnungen er den Menschen brachte. Aber dies war nicht einfach ein wenig Regen. Ein Priester, der zum hohen, goldenen Kodiparam schaute, der sich vor einem brodelnden schwarzen Himmel abzeichnete, bemerkte traurig, selbst Guruvayurappan scheine heute über irgendetwas untröstlich zu sein.

6

Es regnete den ganzen Nachmittag über in Strömen, und die Wassermassen verursachten ein Chaos nach dem anderen. Der Regen schien sogar entschlossen, dem Konvoi der Wagen zu folgen, der mich später, auf der langen Straße nach Valapadu, zu meinem neuen Zuhause brachte. Ungefähr um sechs, als die Zeremonien vorbei waren und es Zeit wurde, Guruvayar zu verlassen, fuhren die Wagen in einer langen Reihe vor. Ich umarmte hastig sämtliche Mitglieder meiner Familie, die sich in der Lobby des Hotels »Elite« eingefunden hatten, um sich von mir zu verabschieden. Dad wirkte plötzlich völlig verloren ... Ma, immer realistisch, flüsterte ein fröhliches: »Wir sehen dich dann bald beim Empfang, Moley ...« Meine beiden Ammummas weinten oder lachten, ich konnte es nicht genau erkennen ... Appuppa, in seinem Korbstuhl sitzend, lächelte zahnlos ... Aber ich durfte mich nicht lange mit Umarmungen aufhalten. Die Maraars standen herum, lächelten, taten, als machte es ihnen nichts aus zu warten. »Wir haben jetzt eine lange Reise vor uns ..., es dauert von hier aus fünf Stunden, es wird Mitternacht sein, wenn wir dort ankommen ..., man kann nur hoffen, dass es bald aufhört zu regnen ..., ob sie jetzt wohl bald fertig ist?« Jemand hatte schon meinen Koffer in einem der Wagen verstaut. Ma klopfte mir fest auf den Rücken, ein Klopfen, das mir (und ihr) unwiderruflich signalisierte, dass es jetzt *wirklich* Zeit zur Abfahrt war. Ich wandte mich abrupt ab und rannte, ohne jemandem in die Augen zu schauen, in Richtung der wartenden Limousine, wobei ich darauf achtete, den cremefarbenen und goldenen Mundu-Sari zu schonen, in den man mich jetzt gekleidet hatte. Der Wagen roch, als wäre er fabrikneu ... (›Sie wechseln sie jedes Jahr aus, meine Liebe ...‹, hatte Tante Maheswari überflüssigerweise der ohnehin schrecklich beeindruckten Ammumma zugeflüstert.) Von den tiefen Polstern in der Mitte des Rücksitzes beobachtete ich, wie die Mitglieder meiner Familie die Hälse reckten, um mich besser sehen zu können, und beruhigend lächelten. Ich lächelte beruhigend zurück. Sie und die Maraars nickten jetzt einander zu und tauschten Blicke aus, die andeuteten, dass die Situation mittlerweile für oberflächliches Geplauder zu ernst war. Plötzlich fühlte ich mich von zwei Seiten unangenehm bedrängt, als mein neuer Ehemann und meine neue Schwiegermutter rechts und links von mir auf dem Rücksitz Platz nahmen ...

Während der Fahrt wurde kaum geredet, Hochzeiten sind schrecklich anstrengend, und dieses waren ein paar kostbare Stunden, in denen man vielleicht ein wenig Schlaf nachholen konnte. Ab und zu sank der eine oder andere Kopf auf eine Brust und schnellte wenig später ruckartig wieder hoch. Der Wagen brauste in Richtung Valapadu, ständig sperrige Lastwagen und Autos, die nicht ganz so fabrikneu waren, überholend. Ich sah, wie im Nacken des Fahrers der Schweiß in kleinen Bächen herunterrann, den er alle Viertelstunde mit einem Handtuch, das über seine Schultern drapiert war, wegwischte. Während der gesamten Fahrt bemühte ich mich, wach zu bleiben, voller Angst, mein Kopf könnte sich gegen eine Schulter lehnen, die mir nicht vertraut war. Aber nach den Erinnerungen, die mir von dieser Reise geblieben sind, muss ich irgendwann ebenfalls eingeschlafen sein. Vielleicht um die Augen vor einer Welt und vor einer Zukunft zu verschließen, die allzu beängstigend schienen ...

Als ich sie wieder aufriss, war der Konvoi zum Stillstand gekommen. Hohe eiserne Torflügel wurden aufgestoßen und gaben den Blick auf einen Garten und ein Haus frei. Wir mussten den Regen an irgendeiner Stelle der Straße überholt haben. Es war jetzt dunkel und heiß. Der Wagen setzte sich wieder in Bewegung, rollte langsam eine betonierte Zufahrt hinauf und wurde so geparkt, dass auch für die anderen noch Platz blieb. Das Haus ragte schemenhaft in der dunklen, stillen Nacht auf. Ein riesiges, weißes Gebäude, dessen Balkon- und Fensterbrüstungen rosa gestrichen waren. Irgendein übereifriger Architekt hatte sich ausgedacht, die Frontseite direkt unter dem Dach mit einem großen Muster in Form einer Rose zu dekorieren, so dass das Haus aussah wie ein riesiger Geburtstagskuchen. Geburtstag! Heute war auch mein Geburtstag gewesen. Sogar meine Eltern hatten es über all den Aufregungen des Tages fast vergessen. Diese neue Familie wusste überhaupt nichts davon. Herzliche Glückwünsche, Janu, sagte ich aufmunternd zu mir selbst. Stell dir doch mal vor, eine Hochzeit als Geburtstagsgeschenk, eine große, teure Hochzeit als Geschenk zum Eintritt ins Erwachsenenalter und zum Verlassen des Elternhauses. Jetzt bist du achtzehn, jeder muss irgendwann einmal erwachsen werden …

Am Morgen nach der Hochzeit wurde ich von so vielen wachsamen Augen beobachtet wie am Abend vorher. Ich war bei Tagesanbruch mit einem Schrecken aufgewacht und schlüpfte so geräuschlos wie möglich aus dem Bett. Vor den Fenstern ragten schwere schmiedeeiserne Gitter auf, schwarz und rot gestrichen. Den Garten draußen hatte der Regen über Nacht durchweicht, und jedes kleine Blatt sah aus, als laste eine unerträglich schwere Bürde auf ihm.

Ich erinnerte mich an Mas Anweisungen vom Tag zuvor. Lauf *auf keinen Fall* im Nachthemd im Haus herum! Nimm ein *Bad*, sobald du aufgestanden bist! Vergiss nicht, dir das *Haar* zu waschen (in Kerala hatte man nicht richtig gebadet, wenn man sich nicht wenigstens einen Becher Wasser über den Kopf schüttete, selbst dann, wenn man sich gnadenlos geschrubbt hatte). Ich öffnete meinen Koffer, wobei ich die Schnappschlösser mit meinen Daumen herunterdrückte, um kein Geräusch zu machen. Ich nahm die Kleider heraus, die Minis Mutter so sorgfältig für mich ausgewählt und in eine Tüte ganz obenauf gelegt hatte, und schlich mich ins angrenzende Badezimmer. Man hatte mir gesagt, ich solle alles mitnehmen, was ich für die ersten paar Tage brauchte, und tatsächlich war in Ammini Kunyammas ordentlich zusammengestelltem Bündel alles vorhanden ... Seife, Seifenpulver, Talkumpuder, Zahnbürste ... o je, keine Zahnpasta! Ich wühlte hektisch in der kleinen Plastiktasche herum. Nein, Zahnpasta war nicht da. Ich schlich wieder zu meinem Koffer im Schlafzimmer und öffnete ihn vorsichtig ein zweites Mal. Ich bemühte mich, so leise wie möglich zu sein, weil ich schreckliche Angst davor hatte, meinen neuen ... das Wort widerstrebte mir ... *Ehemann* aufzuwecken. Im Geiste sprach ich es in demselben Tonfall aus, den Mini für ›Verdammt noch mal‹ und ›richtiger Freund‹ reserviert hatte.

Noch immer keine Zahnpasta. Ich hockte mich hin und erwog, einen Ausflug in die elegante, gut gekleidete Welt der Maraars zu machen, in meiner zerknitterten Kleidung vom Abend, mit meinem ungewaschenen Körper und, was noch schlimmer war, meinen ungewaschenen Haaren, eine abstoßende Vagabundin aus Delhi, die um Zahnpasta bettelte. (›Putzt man sich denn da, wo du herkommst, nicht die Zähne?‹) Ich konnte mir den Ausdruck des Entsetzens auf dem Gesicht meiner Mutter vorstellen und wusste, dass ich die Familienehre schützen musste. Zurück im Badezimmer schob ich den Riegel wieder geräuschlos zu. Ich nahm die zahnpastalose Zahnbürste und drückte ihre Borsten kräftig in mein luxuriöses kleines rosafarbenes Stück Lux-Seife. Tief einatmend rieb ich den rosafarbenen Brei gegen meine Zähne. Ich hatte noch nie einen so schrecklichen Geschmack im Mund gehabt, aber zwanzig Minuten später war ich vom Scheitel bis zur Sohle blitzsauber, und an den Spitzen meiner Haare glitzerten, wie zitternde kleine Trophäen, unzählige Wassertropfen. Ich zog den sorgfältig ausgewählten neuen Sari (gelber-Nylonstoff-sehr-hübsch-Madam-und-sehr-schmeichelhaft-für-die-Figur) an, über den zu Hause heiße Diskussionen entbrannt waren. Ma hätte für den ›ersten Tag bei den Maraars‹ ein weniger förmliches Seidengewand vorgezogen. Nachdem ich den Kajalstrich aufgetragen und einen kleinen roten Punkt auf meine Stirn gemalt hatte, war ich bereit, meiner neuen Familie entgegenzutreten.

Im Haus war es dunkel; bisher schien noch niemand auf den Beinen zu sein. Ich konnte, sogar in der Dämmerung, sehen, dass alles wohl geordnet und am richtigen Platz war und dass die Kissen auf dem Diwan aufrecht aneinander gereiht dastanden, wie Soldaten bei einer Parade. Ich durchquerte ein anscheinend unendlich weiträumiges Esszimmer mit einem polierten Tisch, der groß genug war, um darauf Walzer zu tanzen, und geriet auf eine kleine Veranda. Von dort aus konnte ich sehen, dass sich in der Küche etwas bewegte … ein Mitglied der Familie Maraar! Vorsichtig stieß ich die Tür auf und erschreckte eine gebeugte, zierliche Ammumma, die Öl aus einer großen Urne in zwei kleine Flaschen goss.

»Oh, du bist es, Janu, hast du mich aber erschreckt. Warum bist du so früh auf?«

Ich öffnete den Mund, um meinen ersten Satz zu einem Mitglied der angeheirateten Verwandtschaft zu sagen: »Ich wache normalerweise früh auf«– und schon kam eine Lüge dabei heraus. Ich war in meinem ganzen Leben nämlich nur dann früh aufgestanden, wenn ich rechtzeitig zur Schule kommen musste und die lauten Rufe meines Vaters nicht mehr mit warmen Wolldecken dämpfen konnte.

»Möchtest du eine Tasse Kaffee? Da drüben in der Kaffeemaschine ist noch ein Rest. Ich würde ihn dir gerne bringen, aber meine Hände sind von Öl verschmiert.«

Ich betrachtete nachdenklich den kleinen stählernen Apparat. Ja, ich hätte wirklich gern eine Tasse Kaffee, aber ich kannte nur das Zeug, das man aus Gläsern in eine Tasse löffelte. Meine zweite Lüge war unterwegs.

»Nein, ich trinke keinen Kaffee, danke.«

Meine neue Schwiegermutter betrat, geräuschvoll die Tür aufstoßend, die Küche. Sie war in den meisten Gesprächen, die wir zu Hause über die Maraars geführt hatten, Thema Nummer eins gewesen. Die beiden Familien hatten sich ein paarmal getroffen, um die geplante Verbindung zu diskutieren, und mein Onkel hatte, zusammen mit einigen anderen, eine starke, ja geradezu phobische Abneigung gegen sie entwickelt. Minis Vater, normalerweise ein lustiger Mensch mit Sinn für ein wenig boshaften Humor, hatte feststellen müssen, dass ihm sein Lachen in Gegenwart dieser Angst einflößenden Persönlichkeit uncharakteristischerweise im Hals stecken blieb. Bei einem seiner frühen Versuche, das Eis zu brechen, hatte er den Maraars erzählt, der offizielle Titel des ›Leiters der Signalüberwachung‹ in der Indian Air Force bedeute in Wirklichkeit nur, dass er auf der Rollbahn des Flughafens stand und mit Papplollys rollenden Flugzeugen zuwinkte. Diese Feststellung löste das übliche liebevolle Gelächter aus, das allerdings sehr rasch erstarb, als die Mitglieder meiner Familie, einer nach dem anderen, sich bewusst wurden, dass sie die Einzigen waren, die lachten. Sämtliche Maraars schienen ängstlich nach der Stammesmutter zu schielen, die ihre Delegation anführte. Sie hatte Kunyachen einen kalten Blick zugeworfen, unmissverständlich signalisierend, dass Witze, die ›die Verbindung‹ in irgendeiner Weise herabwürdigten, nicht erlaubt waren. Ihr Sohn heiratete die Tochter eines hohen Beamten, und *nichts*, schon gar nicht die Scherze irgendwelcher unwichtiger Onkel, sollten dieses großartige Ereignis schmälern.

Ich entspannte mich und versuchte, mich an der Wand entlang schrittweise und unauffällig von ihr zu entfernen, während sie sich der Kaffeemaschine näherte.

»Habt ihr schon Kaffee getrunken?«, fragte sie, scheinbar ohne eine bestimmte Person anzureden. Ich warf einen Blick auf die Ammumma, die noch immer mit dem Ausgießen ihres Öls beschäftigt war, und wurde mir bewusst, dass die Frage an mich gerichtet sein musste. Bevor ich jedoch antworten konnte, erwiderte die Ammumma: »Janu trinkt keinen Kaffee.«

Meine Chancen, mich ein wenig zu stärken, schienen zu schwinden. In meinem Mund hatte ich noch immer den grässlichen Geschmack von Luxusseife.

»Dann also Tee?« Noch immer kein Blickkontakt.

Ich beschloss, das Wagnis einzugehen. Mutig antwortete ich: »Ja, bitte.«

»Hör mal, du bist hier nicht mehr in Delhi. Ob es dir nun gefällt oder nicht, du lebst jetzt in Kerala, deshalb spar dir doch dieses ständige ›Bitte‹ und ›Danke‹. Wir halten solche

Floskeln hier für ziemlich überflüssig.« Sie sagte dies mit einem kurzen Lachen, vielleicht in der Absicht, die verletzende Wirkung ihrer Worte ein wenig zu mildern. Aber sie hinterließ irgendwo in meinem Inneren einen kleinen Kratzer, und plötzlich schien es mir, als wären die vielen Gelegenheiten, bei denen man mich gescholten hatte, weil ich eine kleine Geste der Freundlichkeit oder eine kleine Formel der Dankbarkeit unterlassen hatte, bloß schlimme Beispiele für die Falschheit und Arroganz *Delhis.*

Zutiefst beschämt drückte ich meinen Rücken so fest wie möglich gegen die Wand hinter mir und sah zu, wie meine Schwiegermutter mit energischen Bewegungen den Tee zubereitete. Nahm sie daran Anstoß, dass ich Englisch gesprochen hatte? Ich suchte fieberhaft nach den passenden Worten in Malayalam für den Moment, wenn sie mir den Tee geben würde, mich vage daran erinnernd, dass es ein beiläufiges ›Bitte‹ und ›Danke‹ in jener Sprache nicht gab. Ich konnte den einzigen Satz, der mir einfiel, nicht gut benutzen, denn ich wollte ihr nicht mit äußerst gewählten Worten, die vielleicht an einem Königshof passend gewesen wären, meine tiefste Dankbarkeit zum Ausdruck bringen. Familien wie meine, die nicht aus Kerala stammten, neigten dazu, Englisch und Malayalam zu einem städtischen Jargon zu vermischen, der sich in den Ferien, die ich hier verbracht hatte, einigermaßen bewährt hatte. Jetzt, da ich für immer hier lebte, sah es so aus, als sei er hier schrecklich unangemessen. Und, was noch schlimmer war, man betrachtete ihn sogar als *affektiert.* Gott sei Dank schien man nicht von mir zu erwarten, dass ich am restlichen Gespräch zwischen den beiden Frauen teilnahm. Es drehte sich um das Essen, das für die Großfamilie gekocht werden würde, die bis zum Empfang blieb, und es schien, als wäre die alte Ammumma daran gewöhnt, sämtliche Anweisungen ihrer Tochter widerspruchslos entgegenzunehmen. »Für das Thoran schneidest du am besten zwei Kilo Bohnen und sechs Möhren. Aber mach es diesmal selbst; wenn du es dieser Thanga überlässt, das Essen zuzubereiten, ist es völlig ungenießbar. Letzte Woche waren die Stücke so groß, dass ich sie noch nicht einmal kauen konnte. Du überwachst sie nicht genug, weil du anscheinend ständig träumst.« Kein einziges ›Bitte‹ oder ›Danke‹, stellte ich fest, und sie sagte das alles in einem Tonfall, den man in meiner Familie zutiefst missbilligen würde, aber es gab offensichtlich eine Menge Dinge, von denen man in Delhi nichts verstand. »Hier ist dein Tee.«

Ich ging zum Küchentresen hinüber, um ihn mir zu holen. »Dan…« Mir fiel gerade noch rechtzeitig ein, meine unerwünschte Dankbarkeit mit einen Schluck heißen Tee herunterzuspülen.

Während ich meinen gezuckerten Tee trank, fanden sich nach und nach die verschiedenen Mitglieder des Clans in der Küche ein. Zuerst Sathi (die ältere Schwägerin, die ich bereits kennen gelernt hatte, als ich zum erstenmal von den Maraars begutachtet wurde), gefolgt von ihrer Schar kreischender Kinder (Vinnu, Annu und Joji), dann Latha (die in Kerala aufgewachsene Schwiegertochter … *gewaschen, gebadet* und nicht im *Nachthemd*), gefolgt von verschiedenen anderen Tanten und Cousins. Die Männer versammelten sich wahrscheinlich andernorts, auf irgendeiner entfernten Veranda oder in einem Wohnzimmer, in das in regelmäßigen Abständen große Tabletts mit Tee geschickt wurden.

Vielleicht aus Freundlichkeit ließ man mich in Ruhe und ich wurde kaum angeredet. Ich hatte nicht den Eindruck, als ob irgendjemand in dieser Familie außerhalb von Kerala aufgewachsen war; das Malayalam, das um mich herum gesprochen wurde, klang flüssig und elegant. In den Jahren, in denen ich in Delhi lebte und mich in der Schule mit Hindi hatte abplagen müssen, hatte Malayalam kaum eine Rolle gespielt. Mir wurde jede Minute klarer, dass mein Ferien-Malayalam – es klang so komisch, dass manchmal sogar meine Großeltern darüber lachten – mir in dieser Familie wahrscheinlich keine besonderen Sympathien einbringen würde. Ich hoffte, *ohne* allzu viele Worte den Eindruck erwecken zu können, ich sei an allem, was in meiner Umgebung vor sich ging, ausreichend interessiert. Aber achte darauf, nicht *übereifrig* zu wirken, warnte ich mich selbst, das könnte ebenfalls falsch verstanden werden … als völlig idiotisch oder so …

Als der Morgen draußen heller wurde, bemerkte ich, wie in die Gruppe der Jüngeren Bewegung geriet und sie sich darauf vorbereiteten, ein paar Brettspiele im angrenzenden Esszimmer zu spielen. Die meisten der jungen Leute sahen aus, als seien sie etwa in meinem Alter, und als ich Gauri, meine neue jüngere Schwägerin, ein großes Carrom-Brett hinaustragen sah, hoffte ich, man würde mich auffordern, mich ihnen anzuschließen. Sie hatte nicht zu der Maraar-Gruppe gehört, die mich vorab begutachtet hatte, und schien bislang wenig interessiert, mich kennen zu lernen. Sie ginge noch zur Schule und sei der Liebling meiner Schwiegermutter, hatte man uns gesagt. Ich hatte mir vorgenommen, mich mit ihr anzufreunden. Sie war anscheinend den ganzen Morgen über beschäftigt gewesen, hatte mit den Cousinen, die uns besuchten, geplaudert und gekichert, und war jetzt dabei, sie für das Carromspiel in zwei Mannschaften einzuteilen. Das kam mir sehr viel lustiger vor als die Aktivitäten in der Küche und die Gespräche, die sich um Personen und Verwandte drehten, die ich noch nicht kannte. Ich fuhr fort, mit meiner Teetasse zu spielen und lauschte neidisch den Lachsalven aus dem Zimmer nebenan. Vermutlich wäre es unpassend gewesen, wenn ich mich ohne Aufforderung zu dieser fröhlichen kleinen Schar gesellt hätte. Sie waren die *Töchter* der Familie und *unverheiratet*. Für sie war es, im Gegensatz zu mir, in Ordnung, um zehn Uhr morgens noch ungewaschen und im Nachthemd herumzulaufen. Ich sehnte mich schrecklich danach, zu Hause, bei meinen Eltern zu sein, und hoffte, dass mein Gesichtsausdruck dies nicht verriet. Ein kleines, in Kittel gekleidetes Bataillon von neuen Nichten hatte sich vor mir aufgestellt und musterte mich mit Augen, die sich wie beim Militär ruckartig hin und her bewegten.

»Hallo«, brachte ich leise hervor. Annu, ungefähr vier Jahre alt, trat hastig hinter ihre Mutter. Die zweijährige Joji zeigte mir einen Teddy und versteckte ihn dann hinter ihrem Rücken. Vinnu, wahrscheinlich ungefähr im selben Alter wie Mini, wandte die Augen nicht von mir ab. Gelegentlich wanderten ihre Blicke an mir herauf und herunter, wobei sie prüfend an einem Ohrring oder einem Zeh hängen blieben. Sie betrachtete nachdenklich die Kette, die um meinen Hals lag. Plötzlich legte sie los: »Ist die aus Gold?«

Niemand sonst schien bemerkt zu haben, dass ich den Versuch unternahm, mein erstes vollständiges (in Malayalam geführtes) Gespräch mit einer Maraar zu führen. »Ja«, erwiderte ich.

»Und die – sind die *auch* aus Gold?« Sie schaute jetzt auf meine Ohrringe. Ich nickte.

Ihr Blick wanderte zu meinen Händen hinunter. Sie war

nicht bereit, so schnell aufzugeben. »Diamant?« Sie schaute drein wie ein misstrauischer Juwelier.

Ich schüttelte den Kopf. Es war nur ein gewöhnlicher weißer Rangoon-Stein, den Ammumma während meiner letzten Ferien in Kerala für mich in Gold hatte fassen lassen. Das kleine Mädchen nickte befriedigt; endlich hatte sie mich ertappt. Ich dachte, unser Gespräch hätte sich im Sande verlaufen, aber ein paar Minuten später erschreckte sie mich, indem sie einen kleinen Finger ausstreckte, um den gelben Nylonstoff meines Saris zu streicheln. »Importiert?«, fragte sie.

Ich sah meinen neuen Ehemann erst, als die Zeit zum Frühstück kam. Die verhutzelte alte Ammumma, die sich keinen Augenblick Ruhe gegönnt hatte, hatte zwei runde Bleche mit Dosas gebacken und nahm jetzt mit flinken Bewegungen das knusprige, goldene Gebäck heraus. Der Maraar-Clan war offenbar riesengroß, und das Ritual der Mahlzeiten schien so abzulaufen, dass zuerst die Männer aßen, und zwar im Esszimmer, und gleichzeitig die Kinder, allerdings am Küchentisch, danach die Frauen, die Fahrer und Diener und schließlich, nachdem sie alle anderen versorgt hatte, die alte Ammumma selbst. Ich stellte mir vor, wie meine Großmutter reagiert hätte, wenn irgendjemand je versucht hätte, sie in unserem Haus in diese Rolle zu drängen.

Suresh kam mit seinem Vater herein. Beide schenkten mir, als sie sich setzten, ein flüchtiges Lächeln. Man servierte ihnen ihre Dosas mit Sambar und Chutney.

»Esst ihr in Delhi auch Dosas zum Frühstück?«Dies war eine Frage meines Schwiegervaters, die hoffentlich freundlich, nicht sarkastisch gemeint war.

»Nicht so oft«, erwiderte ich, »meine Mutter hat alltags keine Zeit, aber manchmal essen wir sie am Wochenende.«

»Tja, was soll man auch anderes erwarten, wenn Frauen arbeiten.« Eine weitere Spitze von meiner Schwiegermutter. Es dauerte nicht lange, bis ich herausfand, dass meine Wahl als Braut in diesem Haushalt durchaus keine allgemeine Zustimmung gefunden hatte. Hatte Suresh sich den Wünschen seiner Eltern widersetzt, damit *ich* seine Frau wurde? Möglicherweise als die eine unter den Tausenden, die, wie man uns immer wieder versichert hatte, sich nichts sehnlicher wünschten, als in die Familie Maraar hineinzuheiraten.

Ich betrachtete seinen Hinterkopf. Er schien ebenfalls ein Bad genommen zu haben. Ich war froh, dass ich nicht vergessen hatte, nach dem Bad meine Unterwäsche auszuwaschen und sie sorgfältig zum Trocknen auf meinem Koffer unter dem Bett auszubreiten. Die Sachen waren mittlerweile wahrscheinlich fast trocken und lagen diskret und harmlos in ihrem sicheren Versteck. Ich war dankbar, dass Suresh sich mir in der letzten Nacht nicht aufgedrängt hatte, und fühlte mich plötzlich, bei dem Gedanken, dass er sich vielleicht den Wünschen seiner Mutter widersetzt hatte, um mich zu heiraten, seltsam gerührt. Mittlerweile wusste ich auch, dass ich einen Verbündeten brauchte, als Schutzschild gegen die vielen giftigen Pfeile, die zweifellos in meine Richtung geschossen werden würden. Zweifellos konnte er jener Verbündete sein, den ich suchte.

Bei unserer ersten Begegnung war ich zu befangen gewesen, um mir die Einzelheiten seines Gesichts einzuprägen, und gestern, während der Hochzeitsfeier, hatte ich es mir nicht anzuschauen brauchen. Als ich mit gesenktem Kopf das flackernde *Villakku* im Tempel umschritt, hatte ich, während er vor mir ging, sehr viel Zeit gehabt, seine Füße zu betrachten. Plötzlich war mir klar geworden, dass man mir mehr Zeit zugestand, mich mit den Füßen des Mannes, den ich heiratete, vertraut zu machen, als mit seinem Gesicht! Sie sahen aus, als hätte er etwa Schuhgröße vierzig, mit einer leicht fleckigen Haut, der große Zeh war kürzer als der daneben, die Nägel blass mit ausgezackten Rändern. Das war der Augenblick gewesen, als das Zittern begonnen hatte. Ich hatte mich bemüht, mir selbst gut zuzureden, einen inneren Dialog begonnen, um mich zu beruhigen, und es war mir tatsächlich für eine kurze Zeit gelungen. ›Aber du musst dich doch gewiss an ein paar andere Details des ersten Treffens erinnern können.‹ ›Nein, ich war die ganze Zeit wie benommen.‹ ›Du *versuchst* es eben nicht. Erinnerst du dich an eine ziemlich große Nase?‹ ›Hmm … vielleicht.‹ ›Ja, daran erinnere ich mich …‹ ›Gut! Und es gibt eine Menge anderer Dinge, die du weißt. Dass er Manager einer *sehr* erfolgreichen Motel-Kette ist, meine Liebe. Die sein Vater (ganz allein und aus eigener Kraft!) aufgebaut hat. Er ist auch der Sohn einer *sehr* guten Familie.‹ ›Ja! Und jetzt kennst du auch die Form seiner Füße!‹ Dann waren meine Gedanken vom Dröhnen der Tempeltrommeln und dem ohrenbetäubenden Rasseln von Muschelschalen übertönt worden. Der Rauch der Öllampen und das schwere Parfüm der Räucherstäbchen hätten mich beinahe ohnmächtig gemacht. Vielleicht war es sicherer, sagte ich mir hastig, nicht allzu viel zu denken.

Hier in der Küche durfte ich es natürlich nicht wagen, Suresh allzu lange anzustarren, aber ich konnte mit einem verstohlenen Blick erkennen, dass sich an seinem Hinterkopf eine kleine kahle Stelle bildete. Sein Rücken wirkte schmal, er war schlank und drahtig. Dunkelhäutig. Ich wusste, dass er gut sechsundzwanzig war. Achteinhalb Jahre älter als ich, aber Ma hatte gesagt, deshalb sei er wahrscheinlich ein wenig reifer, fürsorglicher und freundlicher als ein jüngerer Mann. Während ich ihm zusah, wie er, an die Küchenwand gelehnt, mit Tanten und Cousinen redete, kam mir der entmutigende Gedanke, wie viel es noch gab, das ich noch nicht über ihn wusste.

Zudem wurde mir immer klarer, dass ich hier eine Menge Überzeugungsarbeit würde leisten müssen. Der Gedanke, meine neue Familie könnte mir gegenüber Vorurteile haben, war mir vorher noch gar nicht gekommen! Irgendwie musste ich diese Fremden wissen lassen, dass ich ein Mensch mit einem warmen Herzen und bereit war, sie zu lieben. Dass Kinder und Tiere mich gewöhnlich mochten. Und dass ich, trotz Delhi, in Wahrheit nicht *allzu* affektiert und eigensinnig war. *Obwohl* ich mein Herz als Sechzehnjährige einmal verloren hatte, was ich natürlich sorgfältig vor ihnen verbergen musste. Wie in aller Welt würde ich ihnen all das, und in möglichst kurzer Zeit, vermitteln können? Und auch noch in gebrochenem Malayalam! Ich hatte das Gefühl, schrecklich viel nachholen zu müssen, da es offensichtlich bestimmte Aspekte meiner Persönlichkeit gab, die die Prüfung schon jetzt nicht bestanden hatten. Ein Schuldenkonto war gewiss nicht der beste Ausgangspunkt, um ein neues Leben zu beginnen. Plötzlich überfiel mich wieder schreckliches Heimweh, und die Tränen drohten erneut zu fließen.

Während der ersten paar Tage bei den Maraars blieben meine Antworten mehr oder weniger einsilbig. Dies war, so hoffte ich, ein Pluspunkt, da man von Bräuten eine gewisse Scheu erwartete. Und eine Braut aus *Delhi*, die scheu und bescheiden war (während sie sich doch als arrogant oder Gott-weiß-was hätte erweisen können), würden sie, so dachte ich, möglicherweise sogar lieben können. Allerdings fiel mir meine Zurückhaltung nicht leicht, da es Momente gab, in denen ich mich danach sehnte, an den Gesprächen teilzunehmen und meine Meinung kundzutun. Aber Englisch zu sprechen würde als ein Versuch missverstanden werden, sich über die anderen zu erheben, und ein paar Sätze in Malayalam waren, als ich es versuchte, mit sarkastischem Gelächter quittiert worden. Also tat ich besser daran, mich mit der Rolle der scheuen Braut zufrieden zu geben.

Ich wusste jetzt, wo der Reis aufbewahrt und wann das Mittagessen serviert wurde und kannte die Namen und Verwandtschaftsbeziehungen der anderen Familienmitglieder. Meine Schwiegermutter hatte mich in die Praxis von Dr. Gomathy gebracht, damit mir eine Kupferspirale eingesetzt wurde, die unwillkommene Babys daran hindern würde, sich in meinem Bauch einzunisten. Schließlich hatte ich meinen Eltern versprochen, zunächst meinen Abschluss, meinen BA, zu machen. Jetzt steckte das Ding irgerdwo tief in mir. Dr. Gomathy hatte es mit ihrer tüchtigen, gummibehandschuhten Hand hineingeschoben, bevor sie meinen nackten Po tätschelte und mit dem ganzen Gewicht ihrer Lebenserfahrung erklärte, ich sei jetzt ›bereit‹. Bereit für die ›Liebe‹, dachte ich ängstlich.

Der Aufschub, den Suresh mir in meiner Hochzeitsnacht gewährt hatte, war natürlich nicht von Dauer gewesen. Im Haushalt der Maraars schienen die Mitglieder sich erst ziemlich spät in der Nacht in ihre verschiedenen Schlafzimmer zurückzuziehen, und ich war am folgenden Abend so lange im Wohnzimmer sitzen geblieben, bis man mir unmissverständlich zu verstehen gab, dass es Zeit sei, zu Bett zu gehen. Suresh war bereits im Schlafzimmer; er hatte sich auf dem Bett ausgestreckt und las eine Zeitschrift. In der

Hoffnung, er würde mich übersehen, wenn ich jeden Blickkontakt weitgehend vermied, schlich ich, während ich mich zum Zubettgehen bereit machte, auf Zehenspitzen im Zimmer herum. Als ich es nicht länger hinauszögern konnte, hockte ich mich schließlich vorsichtig auf den Rand des Bettes, zog meine Beine sittsam zusammengepresst nach und verhüllte sie rasch mit der Bettdecke. Ich konnte das Rascheln einer Zeitschrift hören, die beiseite gelegt wurde, spürte einen Arm, den Suresh nach mir ausstreckte, und wusste, dass ich den Lauf der Dinge jetzt nicht mehr länger aufhalten konnte. Als es schließlich so weit war, beginnend mit einem ungeschickten Zerren an Kleidern und Betttüchern, wobei Knöpfe und Haken das Chaos nur noch verstärkten, unterwarf ich mich dem Akt mit dem Gleichmut eines Menschen, der die Dinge tat, die getan werden mussten. Wie beim Zahnarzt, wo Dinge in intimen Bereichen des Körpers geschehen, die man weder sehen noch kontrollieren kann. Liebe schien dabei keine große Rolle zu spielen. Und an Lachen, das unter diesen Umständen hätte tröstlich wirken können, war nicht zu denken. Es fühlte sich seltsam an, von einem Mund geküsst zu werden, der mir bis zu jenem Zeitpunkt nicht einmal viel zu *sagen* gehabt hatte. Ich versuchte, den Ekel, der in meiner Brust aufstieg, zurückzudrängen und entschied, dass ich dem Gefühl, geliebt zu werden oder lieben zu wollen, nicht näher gekommen war. Auch die wenigen, vorsichtigen Zärtlichkeiten Arjuns hatten mich auf diese plötzliche Invasion nicht vorbereitet. Später fragte ich mich, während ich zum Deckenventilator hinaufschaute und mich mental und körperlich wund und erschöpft fühlte, warum Leena mit einer solchen Begeisterung dafür plädiert hatte, diese Sache unbedingt auszuprobieren. Vielleicht gehörte sie zu den Dingen, für die ich mich allmählich würde *erwärmen* können, hoffte ich, während ich zuschaute, wie sich mein Zerrbild langsam in der stählernen Kappe des Ventilators über mir drehte. Neben mir erklang wieder der unheimliche Nachtruf ... rrrrh...püüüh...rrrh...püüüh...

Aber zumindest wusste ich jetzt, was ich in den Nächten zu erwarten hatte. Meine Tage im Haushalt der Maraars dagegen stürzten mich in immer größere Verwirrung. Es wurde immer deutlicher, dass es die Maraars waren, die ich geheiratet hatte, nicht Suresh. Er war nicht unfreundlich, hatte aber anscheinend nicht den Wunsch, allzu viel Zeit mit mir allein zu verbringen. Die Stunden vor dem Frühstück verbrachte er damit, mit seinem Vater auf der Veranda Geschäfte zu diskutieren. Nach dem Frühstück fuhren sie zu einem der Motels. Ich, bei den Frauen zurückgelassen, bemühte mich, den Eindruck zu erwecken, ich machte mich nützlich, was mir nicht gerade leicht fiel, weil ich in den Stunden zwischen dem Schulunterricht und Arjun niemals die Zeit gefunden hatte, kochen zu lernen. Abends, wenn Suresh nicht geschäftlich unterwegs war und früh genug nach Hause kam, machten wir manchmal eine Spazierfahrt oder fuhren ins Kino, wo Ratten so groß wie kleine Katzen die Gänge entlanghuschten. Wir wurden jedes Mal von Gauri, meiner jungen Schwägerin, begleitet, da das arme Kind, wie Sureshs Mutter sagte, niemand anderen als ihren Bruder hatte, der sie ausführte.

»Suresh Chettan hat mir versprochen, dass er nur eine Frau heiraten würde, die einverstanden ist, wenn er mich überallhin mitnimmt«, ließ Gauri mich eines Abends mit einem spitzbübischen Lächeln wissen, als wir darauf warteten, dass er uns für die Sechs-Uhr-Vorstellung von ›Padayottam‹ abholte.

»Das ist schon in Ordnung«, sagte ich rasch, nicht wirklich sicher, ob es tatsächlich in Ordnung war. Gauri war vierzehn, und wir standen uns altersmäßig näher als ich und Suresh. Vielleicht, so hoffte ich, war da ein Potenzial, Freundschaft zu schließen. Gauri hatte mir bereits gezeigt, wie ich im Kino alle drei Minuten mit den Füßen aufstampfen musste, um die Ratten daran zu hindern, über unsere Füße zu huschen, was uns jedes Mal zu einem hysterischen Lachen reizte. »Ich finde es wirklich schön, wenn du mitkommst«, sagte ich mit mehr Überzeugung.

»Du weißt natürlich, wie viel Glück du hast«, fuhr sie fort, »Schwiegereltern wie meine Eltern zu haben. Meine ältere Schwester, Sathi Chechi, hat es mit ihrer Schwiegermutter und ihrem Schwiegervater wirklich nicht leicht. Sie mischen sich in alles ein, diese grässlichen Menschen.«

Ich hatte Sathis Schwiegereltern bei der Hochzeit kennen gelernt. Sie waren mir als ein schüchternes altes Ehepaar erschienen, die die Maraars ebenso rückhaltlos bewunderten wie wir. »Aber sie wohnen doch ziemlich weit weg von hier, oder? War es nicht in Pathanamthitta?« Es interessierte mich wirklich.

»Ja, aber sie besuchen sie und uns mindestens alle sechs Monate, und sie geben zu allem ihren Senf dazu. Wenn ich mit ihnen rede, versuche ich, möglichst unhöflich zu sein.«

Ich fragte mich, wie es möglich war, dass man Gauri, einem Schulkind, ein solches Verhalten durchgehen ließ. Meine Eltern erwarteten von mir, zu jedermann höflich zu sein, sogar zu Kindern. Gauri geriet allmählich in Fahrt. »Weißt du, was? Wenn ich von deinem Vater rede, dann nenne ich ihn immer die ›Gestankskommode‹. Wie eine alte Kommode, aus der nichts als Gestank rauskommt. Das bringt immer alle zum Lachen.«

Mein Vater hatte hart gearbeitet, um den Dienstgrad eines ›Air Commodore‹ zu erwerben, und es verletzte mich tief, zu hören, dass man derart respektlos über ihn redete. Ich warf einen raschen Blick auf meine Schwiegermutter, die Blüten zu einer Blumenkette auffädelte. Sie lachte ebenfalls, stolz auf ihre Tochter, die so viel Sinn für Humor besaß. Ich schaute auf meine Füße und wünschte mir, nicht so dünnhäutig zu sein.

Meine Schwiegermutter, die ich mit »Amma« anreden sollte, ließ keinerlei Anzeichen erkennen, dass sie mir gegenüber auftaute, obwohl sie gewiss nicht in jeder Hinsicht gefühlskalt war. Sie liebte Gauri abgöttisch und strahlte über das ganze Gesicht, wenn Sathi, ihre ältere Tochter, auf einen Besuch vorbeikam, was häufig geschah, da sie und ihre Familie am anderen Ende der Straße wohnten. Amma war zudem eine treu sorgende Großmutter, die Sathis drei kleine Mädchen ständig verwöhnte. Die Ammumama war Ammas verwitwete Mutter, die bei den Maraars wohnte und ihren Lebensunterhalt dadurch zu verdienen schien, dass sie den ganzen Tag über die Küche auf Hochglanz brachte, obwohl gewaltige Mengen von Speisen darin zubereitet wurden. Ich hoffte, sie könnte sich ein wenig mehr Ruhe gönnen, wenn sie einmal im Jahr ihren Sohn in Calicut besuchte. Latha, die ältere Schwiegertochter, gehörte ganz offensichtlich nicht zum inneren Kreis, schien sich aber, tüchtig und munter, durch unermüdliche Freundlichkeit ein wenig Respekt erworben zu haben. Sie und Sureshs älterer Bruder, ein Lehrer am College, lebten nicht im Haus der Familie, sondern im entfernten Madras. Als sie am Tag nach dem Empfang zum Bahnhof gefahren wurden, bedauerte ich, dass ich sie erst im nächsten Jahr wieder sehen würde.

Der Empfang war anstrengend und für mich ein wenig

verwirrend gewesen. Ich war an jenem Morgen mit heftigem Herzklopfen erwacht: Endlich, nach vier langen Tagen, würde ich meine Famile wieder sehen! Ich sprang aus dem Bett und ging ins Bad, um mir die Zähne zu putzen und mich für den Tag herzurichten, wobei ich mit Suresh zusammen stieß, der gerade aus der Dusche trat. In meiner überschwänglichen Freude ließ ich mich dazu hinreißen, ihn stürmisch zu umarmen. Er trat einen Schritt zurück und musterte mich verblüfft. Unsicher, was seine Reaktion zu bedeuten hatte, schaute ich ihm prüfend ins Gesicht und fand, er sähe erfreut aus. Er fragte jedoch nicht nach dem Grund für meine Freude. Er schien nicht zu bemerken – so wie ich selbst es zu jenem Zeitpunkt nicht bemerkte – dass es Hunderte von Gelegenheiten wie diese gab, die wir achtlos vertaten, ohne an den Preis zu denken, den wir später dafür würden zahlen müssen. Es gab tausend kleine Anlässe, einander zu fragen, wie wir uns fühlten. Um miteinander zu reden und unsere Gedanken auszutauschen und allmählich zu lernen, Freunde zu werden. An jenem Morgen jedoch hatte ich keinen anderen Gedanken im Kopf als den, meine Eltern wieder zu sehen. Ich schlang vor Glück meine Arme um mich, ließ mich wieder auf den Rand des Bettes fallen, schaute aus dem Fenster und staunte, dass die Früchte des Jackbaumes wie traurige, dicke Babys ausahen, die sich hilflos an mütterliche Baumstämme klammerten. Suresh summte leise vor sich hin, bürstete sein Haar und wählte mit Bedacht ein Hemd aus.

»Am besten gehst du heute mit Amma zum Bankschließfach, um deinen Schmuck für den Empfang herauszunehmen«, sagte er gedankenverloren.

Ich nickte. »Soll ich die Halskette tragen, die du mir bei der Hochzeit umgelegt hast?«

»Ich weiß es nicht, frag lieber noch mal nach … vielleicht gibt es irgendein traditionelles Schmuckstück, das du tragen musst …«

»Fährst du heute auch zum Motel?«

»Natürlich. Im Geschäftsleben geht es nicht zu wie bei der Air Force, wo du dir einfach freinehmen kannst. Es gibt ständig Dinge, über die man sich Gedanken machen, um die man sich kümmern muss.« Er war auf dem Sprung, den Raum zu verlassen. Ich fiel ihm mittlerweile auf die Nerven, da er keine Lust hatte, sich weiter mit meinen Fragen auseinander zu setzen.

»Was? Was sind das für Dinge, über die man sich Gedanken machen muss?«

»Ach, das verstehst du nicht, Gewerkschaften, Bilanzen, Steuersachen …«

Ich könnte es verstehen, dachte ich. Diese Begriffe waren mir durchaus geläufig, und ich wollte verstehen. Aber Suresh war mittlerweile schon fast zur Tür hinaus und schaukelte ungeduldig seine Aktenmappe vor und zurück. Den Vorhang offen haltend, sagte er, ein wenig freundlicher: »Beeil dich ein bisschen, Amma und die anderen haben jetzt bestimmt schon alle ihr Bad genommen. Es macht keinen guten Eindruck, wenn verheiratete junge Frauen bis zum späten Vormittag in ihrem Zimmer herumlungern.«

Am Ende war es mir wichtiger, bei den Maraars einen guten Eindruck zu hinterlassen, als Suresh mit meinem Interesse an seinen Geschäften zu beeindrucken, deshalb beeilte ich mich mit den Vorbereitungen für mein Bad. Aber es genügte nicht, wenn ich noch vor der Morgendämmerung badete, darauf achtete, jedes Mal auch mein *Haar* zu waschen und als Erste den Posten in der Küche zu passieren. Mir wurde sehr bald klar, dass einige der Dinge, derer es bedurfte, um jenen guten Eindruck zu machen, sich völlig meiner Kontrolle entzogen. Später an diesem Morgen kehrte ich mit Amma vom Bankschließfach zurück, mein Schmuckkästchen aus Sandelholz in der Hand. Sie selbst stolperte, schwer beladen mit verschiedenen dunkelbraunen Kästen, die zweifellos bis zum Rand gefüllt waren mit dem wunderschönen Schmuck der Maraars, die Straße entlang. Ich wollte ihr lieber nicht anbieten, ihr beim Tragen zu helfen, da das als ein Versuch verstanden werden könnte, mich der Juwelen der Maraars zu bemächtigen. Zurück im Haus, wurde mein Kästchen geöffnet, und die Frauen stellten sich darum herum, um zu entscheiden, welche Schmuckstücke ich bei dem Empfang tragen sollte. Ich konnte spüren, wie jenes vertraute Gefühl des Unbehagens in mir aufstieg: »Schauen wir mal, was diese hoch gestellten Beamten in Delhi ihren Töchtern mitgeben.« Ich hatte gehört, dass Sathi, als sie vor ein paar Jahren heiratete, mit Gold aufgewogen worden war, und war ziemlich sicher, dass das mühsam ersparte Geld meiner Eltern nach den Maßstäben der Maraars nicht genügt hatte, um mich ausreichend mit Schmuck zu versorgen. Ich hatte Recht.

»Oh, sieh mal, Sathi, hast du schon jemals solche winzigen Ohrringe gesehen? Die sind ja wie deine Jumikis, nur zehnmal kleiner.«

»Tja, sie passen vielleicht zu dem Sari, den sie anziehen wird, aber solche kleinen Dinger kann man bei dem Empfang nun wirklich nicht tragen. Was sollen die Leute denken!«

O nein, was *sollten* die Leute denken? Dass mein Vater mich weniger liebte, weil er es sich nicht leisten konnte, mir riesige Jumikis zu kaufen?

»Ich ... Mir haben kleine Schmuckstücke immer am besten gefallen … Ich finde, sie stehen mir einfach besser …«, sagte ich stotternd, nicht ganz der Wahrheit entsprechend.

Amma hielt eine wunderschöne mehrreihige alte Goldkette hoch. Mein Vater hatte sie meiner Mutter zur Hochzeit geschenkt. »Also *die* ist wirklich hübsch, ist sie neu?«

Seltene Worte des Lobes! Ich rang flüchtig mit einem Bedürfnis, noch einmal zu lügen, um dadurch, hoffentlich, einen guten Eindruck zu erwecken. Aber hier musste ich ehrlich aufworten. »Nein, sie ist nicht neu, es war die Swarnamala, die meiner Mutter bei ihrer Hochzeit um den Hals gelegt wurde.«

Die Kette wurde beiseite geworfen. »Unmöglich, bei dem Empfang etwas *Altes* zutragen. Sathi, geh und hol ihr eines von deinen Schmuckstücken. Nimm etwas, das die Leute in Valapadu noch nicht gesehen haben.«

Das Glücksgefühl, mit dem ich aufgewacht war, schmolz rasch dahin und kehrte auch nicht wieder zurück, als ich mich, später am Nachmittag, für den Empfang ankleiden musste. Sathi und eine Tante, die nach einhelliger Meinung Großartiges leisteten, um mich anders aussehen zu lassen, als ich tatsächlich aussah, halfen mir. Man hatte für mich im lokalen ›Ladies Store‹ ein Haarteil gekauft, das mit unzähligen Nadeln an meinen schulterlangen Locken befestigt wurde. Ein dicker schwarzer Lidstrich wurde um meine Wimpern herum aufgetragen, ganz anders als der kleine Kajalstrich, den ich selbst am unteren Lidrand zog. Meine Lippen wurden mit einem tiefbraunen Stift umrahmt und dann mit Farbe ausgefüllt, wodurch mein Mund einen trotzig-schmollenden Ausdruck bekam, wie der einer tamilischen Freiheitskämpferin. Als ich schließlich Sathis Schmuck angelegt und den brandneuen Kanjeevaram-Sari angezogen hatte, *war* ich tatsächlich eine andere Frau!

Später, als meine Eltern eintrafen, brachte man mich zu ihnen, um ihnen zu zeigen, wie leicht es gewesen war, mir das Aussehen einer Maraar zu verleihen. Eine Maraar in einem Maraar-Sari und mit Maraar-Make-up und Maraar-Schmuck. Sogar mit einem hüftlangen Haarteil, passend zu der eleganten Lockenfülle der Maraars.

Ich stand vor ihnen, eine gefälschte Maraar, und bemühte mich, mein schweres Herz und den Eigensinn einer jungen Frau, die in Delhi aufgewachsen war, in den tiefsten Winkeln meines Herzens zu verstecken.

Sie sahen glücklich und erleichtert aus, vielleicht ein kleines bisschen ängstlich. Nur eine kleine Abordnung war gekommen: Ma, Dad, Ramama und Vijimami. Ma erklärte flüsternd, dass meine Großeltern, Minis Eltern und andere Onkel und Tanten entschieden hätten, nicht zu kommen, weil dies eigentlich das Fest der Maraars war. »Es hätte nicht nett ausgesehen, wenn zu viele von uns aufgetaucht wären.« Ich konnte nicht einsehen, warum, war aber mittlerweile so ängstlich darauf bedacht, jeden Konflikt zu vermeiden, dass ich ihr zustimmte: Gewiss, es sei besser, kein Risiko einzugehen. Ich zog es vor, Ma nicht zu sagen, was ich wirklich empfand. Sie sah so glücklich und stolz aus.

Bei dem Empfang gelang es sowohl Amma als auch mir, die Freunde und Bekannten der Maraars zu überzeugen, dass hier eine großartige Verbindung zustande gekommen war. Und dass zwischen mir und den Maraars eine wunderbare Harmonie herrschte. Amma tauchte immer wieder aufs Neue an meiner Seite auf, um mir ein weiteres Gesicht und einen Namen vorzustellen. Sie nannte stolz Namen und Rang meines Vaters (wobei sie natürlich darauf achtete, ›Commodore‹ und nicht ›Kommode‹ zu sagen) und lächelte mich wohlwollend und liebevoll an. Ich verstand die

Aufforderung, lächelte süß zurück und beantwortete alle Fragen, die mir leise in Malayalam gestellt wurden. Es war von beiden Seiten eine perfekte Darbietung.

Von meinem Platz auf dem Brokatsofa aus sah ich zwischen den mit bunten Lampen geschmückten Büschen und den sich hin und her schiebenden Menschenmengen gelegentlich meinen Vater oder meine Mutter. Sie schienen sich gut zu amüsieren. Vor allem meinem Vater wurde großes Interesse und große Aufmerksamkeit entgegen gebracht, weil ein Offizier der Air Force in der Geschäftswelt von Kerala etwas Ungewöhnliches war. Ich konnte sein draufgängerisches, selbstbewusstes Lachen hören und manchmal sogar Vijimamis amüsiertes Kreischen. Es war tröstlich zu sehen, wie wohl sich anscheinend alle fühlten, und für eine kurze Weile machte mich das vollkommen glücklich.

Aber das Gefühl hielt nicht lange an. Bald waren alle Speisen gegessen, die Gemüsepasteten der Tastee-Bäckerei und die Bananenhalva von Eliyammas Partyservice. Der normalerweise tadellos gepflegte Garten meiner Schwiegermutter sah jetzt aus, als hätte ein Restaurant seine Reste und sein schmutziges Geschirr dort abgeladen. Überall standen schmutzige Teller herum, und jeder Busch und jeder Strauch war mit zusammengeknüllten Papierservietten dekoriert. Die Gäste, die sich mittlerweile gesättigt und die Einzelheiten der jeweiligen Saris und Schmuckstücke in Augenschein genommen hatten, verloren das Interesse und begannen allmählich aufzubrechen. Ich wusste, dass es bald Zeit wäre, mich von meiner Familie zu verabschieden, dieser kleinen Gruppe von Unterstützern aus dem Land, in dem man mich noch immer liebte. Ich konnte den Gedanken fast nicht ertragen, zumal Delhi so viele tausend Meilen von Kerala entfernt war.

»Müsst ihr wirklich gehen, Ma? Könnt ihr nicht über Nacht bleiben und abreisen, wenn es morgen früh wieder hell ist? Dad sollte wirklich nicht im Dunkeln fahren. Ich werde Suresh fragen, ich bin sicher, dass er euch ein paar Zimmer in seinem Motel besorgen kann …«

Meine Mutter umarmte mich lange und liebevoll. Ich glaube nicht, dass sie sich allzu viele Sorgen machte. Alle Bräute in Indien weinen, das war nicht ungewöhnlich. Alle Bräute weinen, und dann bleiben sie und lieben und werden geliebt. Das war der Mythos, den Familien wie meine verbreiteten. Ich war noch nicht einmal halb so alt wie meine Mutter, aber ich hatte bereits begriffen, wie zweifelhaft diese »Wahrheit« war. Es gab Menschen, die einfach nicht zusammenpassten, die einander unmöglich lieben konnten, und ich war bereits damals ziemlich sicher, dass dies auf meine Schwiegermutter und mich zutraf. Was Suresh anging, hatte ich die Hoffnung noch nicht ganz aufgegeben. Aber ich würde in diesem Haus ohnehin mehr Zeit mit meiner Schwiegermutter und meinen Schwägerinnen verbringen als mit Suresh. Diese Perspektive hatte mich anfangs nicht allzu sehr erschreckt, da ich in meinen Ferien in Kerala den Eindruck gewonnen hatte, dass Familien warme, liebevolle Einheiten waren, in denen man sich geborgen fühlen konnte. Und da ich ohne Geschwister und Cousinen aufgewachsen war, hatte ich mir mit Vergnügen und Neid die Geschichten meiner Eltern über ihre eigene aufregende Kindheit angehört. Meine Eltern hatten voller Optimismus angenommen, meine neue Familie, die Maraars, würde diese Lücke in meinem Leben füllen und mich auf wundersame Weise mit Ersatzgeschwistern und Ersatzliebe versorgen. »Stell dir mal vor, Moley«, hatte Ma gesagt, »wie nett es sein wird, immer Gesellschaft zu haben. Du hast dir doch immer Schwestern gewünscht. Und jetzt hast du auf einmal *zwei! Und* du kannst dich voll und ganz auf dein Studium konzentrieren, weil du dich nicht um den Haushalt zu kümmern brauchst.« Ma hatte sich dieses Glück so lange ausgemalt, bis sie selbst davon überzeugt war. Ich lauschte ihren Worten und bemühte mich, ihr zu glauben, denn zu diesem Zeitpunkt kamen Zweifel zu spät. Aber dass meine neue Familie mich nicht so bereitwillig in ihren Kreis aufnehmen würde, wie meine Mutter es sich wünschte, war bereits deutlich geworden. Für den Augenblick jedoch hatte ich nicht den Mut, meine Eltern mit dem schrecklichen Fehler zu konfrontieren, den sie gemacht hatten.

Sie hatten aufrichtig gehofft, ich würde mühelos von den Maraars akzeptiert und in den Kreis ihrer Familie aufgenommen. Und es würde mir gelingen, einfach eine Liebe gegen eine andere einzutauschen. (›Sie ist jung, sie wird sich anpassen, das tun sie immer.‹) Vielleicht wäre das sogar möglich gewesen. Ich wünschte es mir jedenfalls, und zwar um *meiner selbst* mehr als um irgendeines anderen Menschen willen. Es war sinnlos, die Erinnerung an Arjun wachzuhalten. Er war mittlerweile nicht mehr als das: eine Erinnerung. Meine wärmste, zärtlichste Erinnerung ... aber aus einem Leben, das in der Vergangenheit lag. Und das sich mehr und mehr von mir entfernte, lächelnd und zwinkernd, bereit, sich in Luft aufzulösen, wenn ich versucht hätte, es wieder einzufangen. Allerdings tauchte die Erinnerung an Arjun noch immer in den unpassendsten Momenten auf, trotz all meiner guten Absichten. Immer, wenn ich mich Sureshs nächtlichen Umarmungen überließ, immer, wenn ein verbaler Giftpfeil quer durch die Küche auf mich abgeschossen wurde. Wie Fanny in meinem zerlesenen Jane-Austen-Buch, wollte ich glauben, ich hätte feste Grundsätze und verfügte über heldenhafte Charakterstärke und ich wusste, dass ich es mir selbst schuldig war, die Erinnerung an Arjun hinter mir zu lassen und all meine Energien in dieses neue Leben zu investieren, auf das ich mich eingelassen hatte. Ich musste versuchen, Wurzeln zu schlagen und mich bemühen zu überleben, um welchen Preis auch immer. Allerdings hatte ich nicht damit gerechnet, dass die Erde, in die ich verpflanzt worden war, dort hart und unfruchtbar sein würde. Ich wusste auch nichts von Sehnsüchten, die aus den tiefsten Schichten meiner Seele aufstiegen, allzu tief, als dass ich mir ihrer bewusst gewesen wäre. Aus einer Region, in der die Rechnungen noch offen standen und die Schulden noch nicht beglichen waren.

7

Nach den ersten Wochen meiner Ehe war mir eindeutig klar, dass ich auf Ammas Liste potenzieller Schwiegertöchter nicht an oberster Stelle gestanden hatte. Ihre persönliche Favoritin war die Tochter einer alten Schulfreundin gewesen, ein molliges, angenehm aussehendes Mädchen, das ich bei dem Empfang kennen gelernt hatte. Allerdings hatten Suresh und sein Vater gegen diese Verbindung Einspruch erhoben, vor allem deshalb, weil keiner von beiden die alte Schulfreundin besonders mochte. Die Vorstellung, dass irgendjemand sich Amma widersetzte, verblüffte mich, aber da Amma selbst mir diese Geschichte erzählt hatte, gab es wohl keinerlei Zweifel daran.

Suresh hatte, bevor er es seinen Eltern überließ, eine Frau für ihn auszuwählen, drei Dinge verlangt.

1. Sie musste hübsch sein.
2. Sie musste jung genug sein, um sich ›einfügen‹ zu können.
3. Sie musste gut Englisch sprechen, damit er sie in Anbetracht der erhofften Expansion seiner Motelkette mit nach Bombay nehmen konnte.
4. Alles andere war nicht allzu wichtig.

Alle vier Punkte trafen auf mich zu; ich war also so etwas wie ein Porzellanfigürchen, eine perfekte kleine Nippsache, dazu geschaffen, von Suresh auf dem Kaminsims seines Lebens abgestellt zu werden.

Leider machte keines der oben genannten Merkmale mich für den Rest der Maraars besonders nützlich oder attraktiv. Ich wurde zur Zielscheibe einer Menge scheinbar harmloser Neckereien – jedenfalls hielten sie sie selbst für harmlos. Ich dagegen hatte das unangenehme Gefühl, dass ihre Scherze darauf abzielten, mich zu treffen und zu verletzen. Es dauerte nicht lange, bis ich anfing, mich für die vielen Dinge zu hassen, die den Maraars Grund gaben, sich auf die Schenkel zu klatschen und zu lachen, bis ihnen die Tränen kamen. Ich hasste mich dafür, dass meine Mutter versäumt hatte, mir das Kochen beizubringen, und dafür, dass ich unfähig war, ein elegantes Malayalam zu sprechen. Ich hasste mich, weil ich in Delhi aufgewachsen war und weil ich eine Tante hatte, die in den 20er-Jahren eine Affäre hatte, von der jeder (außer mir) gehört zu haben schien. Es gab so vieles, dessen ich mich schämen musste; die Erinnerung an Arjun spielte dabei fast keine Rolle. Während ich naiverweise geglaubt hatte, meine Liebe zu ihm wäre die eigentliche Bürde, die ich in meinem neuen Leben zu tragen hätte, musste ich jetzt entdecken, dass es so viel mehr gab, was mich angreifbar machte.

Suresh und sein Vater spielten bei diesem Spiel der Sticheleien, das gewöhnlich um den Küchentisch herum stattfand, gewöhnlich nicht mit. Das erste Mal, als Suresh in der Nähe war, hoffte ich, er würde etwas zu meiner Verteidigung sagen. Stattdessen stand er vom Tisch auf, goss sich ein Glas Eiswasser ein und schlenderte zur Veranda hinüber, um sich wieder zu seinem Vater zu gesellen. Später stellte ich ihn zur Rede.

»Du hast doch gehört, wie Gauri so gemein zu mir war, und du hast kein Wort gesagt.«

Er sah mich überrascht an. »Wann? Wann war sie gemein? Ich hab nichts gehört.«

»Du hast es genau gehört. Sie sagte, meine Großeltern hätten nie geheiratet. Niemand wisse so genau, wer meine Vorfahren seien. Das kannst du doch nicht überhört haben.«

Suresh warf lachend den Kopf zurück. »*Das* war es also, was dich so geärgert hat! Damals wurde überhaupt nicht offiziell geheiratet, das weiß doch jeder! Gauri hat einfach Spaß daran, die Leute ein bisschen zu necken. Das ist alles.«

»Niemand sonst in der Familie scheint geneckt zu werden. Es geht mir allmählich auf die Nerven.«

»Sei nicht so empfindlich. Dein Problem ist, dass du ein Einzelkind warst; du weißt nicht, wie es in einer großen Familie zugeht.«

»Gauri war frech und unhöflich zu mir, und du behauptest, ich wäre zu empfindlich. Weil du nichts dagegen tun willst. Auch deiner Mutter fällt nichts Besseres ein, als sich köstlich zu amüsieren, wenn Sathi oder Gauri gemein zu mir sind.«

Suresh warf mir einen mürrischen Blick zu, der mir bedeutete, alle Probleme wären gelöst, wenn ich mich nur ein wenig besser anpassen würde. Ich spürte, wie mein Herz mir bis zum Hals hinauf schlug, und fragte mich, wie er auf diese neue Entwicklung, meinen ersten heftigen Protest, reagieren würde. Zorn wäre vielleicht gar nicht so schlecht, sagte ich mir, wenigstens würde er zu einer Art Dialog führen. Und dann könnte ich versuchen, ihm meine Gefühle zu erklären, ruhig und liebevoll. Er stand vom Bett auf und zog sein Hemd an.

»Wohin gehst du?«, fragte ich in Panik. Es war später Abend, die Maraars würden denken, ich hätte ihn aus dem Haus getrieben. Aber Suresh hatte nicht die Absicht, das Haus zu verlassen. Er schlenderte zur Veranda, schaltete die Lampen an und setzte sich schweigend in einen Sessel, um die Zeitung zu lesen. Ich überlegte, ob ich ihm folgen sollte, aber ich wusste, dass auf der Veranda jeder im Haus unser Gespräch mithören konnte. Er hatte sich diesen Platz geschickt ausgesucht, und er würde ihm für den Rest unseres gemeinsamen Lebens gute Dienste leisten. Ich lernte rasch, dass Suresh die Kunst beherrschte, sich allen Auseinandersetzungen zu entziehen. Es gab nie irgendwelchen Streit. Nur ein Sich-Entziehen in verschiedenen Varianten. Arbeit, Geschäftsreisen, Geschäftsfreunde ... es mangelte ihm auch nicht an plausiblen Entschuldigungen. Und ich wusste, wie albern es klänge, wenn ich behauptete, all diese wichtigen Unternehmungen seien für Suresh nur ein Vorwand, sich der Verantwortung der Ehe zu entziehen. Ich würde, das stellte sich immer deutlicher heraus, im Haushalt der Maraars keinen Verbündeten haben. Ich würde meine eigenen Wege finden müssen, mich mit meinem neuen Leben zu arrangieren.

Dies alles geschah zwei Jahre, bevor das Fernsehen nach Kerala kam und die Frauen aus guter Familie von der Tyrannei, einander besuchen und Gesellschaft leisten zu müssen, befreite. Bevor die Helden und Heldinnen aus Seifenopern mit ihrem nicht ganz makellosen Leben in makellose Wohnzimmer eindrangen, gab es nur die Häuser der Nachbarinnen, in denen einem möglicherweise ein wenig billige Unterhaltung geboten wurde. Und natürlich neue Schwiegertöchter, die einem eine ganze Welt entfernter Verwandter eröffneten, denen man keine besondere Loyalität schuldete. Von den Frauen der Familie Maraar wurde nicht erwartet, dass sie sich für die geschäftlichen Angelegenheiten der Männer engagierten, und also blieben ihnen, nachdem Suresh und sein Vater zur Arbeit gefahren waren, viele Stunden, in denen es nichts zu tun gab. Die Überwachung des Personals bei der Vorbereitung des Mittagessens oder dem Putzen der Fußböden erforderte weder Zeit noch Anstrengung und wurde gewöhnlich der erschöpften alten Ammumma überlassen. Obwohl alle Maraar-Frauen eine gute Schule besucht hatten, betrachtete man Berufstätigkeit von Frauen als ›würdelos‹, wie ich aus verschiedenen spitzen Bemerkungen schloss, die darauf hinausliefen, dass meine Mutter es offenbar ›nötig‹ habe, als bescheidene Lehrerin zu arbeiten. Arbeit war etwas für Leute, die das zusätzliche Geld brauchten, und infolgedessen für Frauen aus einer guten Familie völlig unpassend. Es war natürlich auch nicht wünschenswert, dass die Frauen sich ständig in Boutiquen und Juwelierläden aufhielten und das hart verdiente Geld der Männer aus dem Fenster warfen. Dadurch blieb ihnen in einer kleinen Stadt wie Valapadu, in der jeder jeden kannte und genau wusste, was er tat, nicht viel zu tun übrig.

Gelegentliche Besuche bei Familienmitgliedern, Freunden und Verwandten brachten ein wenig Abwechslung in den monotonen Alltag. Dafür zogen wir unsere besten Georgette-Saris an und saßen in den Wohnzimmern anderer Familien statt in unserem eigenen herum – obwohl sie sich alle mit ihren identischen Diwans und ihren ordentlich aufgereihten, bestickten Kissen auf schaurige Weise ähnelten. Selbst wenn es um Leute ging, die am anderen Ende der Stadt wohnten, wurde meist im Flüsterton gesprochen. Manchmal besuchten wir sogar in der folgenden Woche genau diejenigen, die wir vorher so heftig kritisiert hatten. Ich richtete mich nach den anderen und lernte zu sagen: »Nein, nein, ich muss leider gehen, mein Mann kommt um eins zum Mittagessen«, wenn man uns Tee und Gebäck anbot. Aber es war Teil des Rituals, dass die Gastgeberin so tat, als hätte sie uns nicht gehört, und in der Küche verschwand. Wenn das Gebäck allerdings nicht hausgemacht war, dann war das Wasser auf unsere Mühlen. Auf unserer Heimfahrt im Wagen hielt dann niemand mehr mit seiner Kritik hinter dem Berg: Die Pakaradas haben abscheulich geschmeckt (›bestimmt in *altem* Öl gebraten und in der billigsten Bäckerei gekauft‹), und … hast du den Staub unter dem Sofa gesehen? (›Wann da wohl zuletzt geputzt worden ist!‹)

Ich gab mir Mühe, mich so schnell wie möglich anzupassen. Wenn ich in irgendeiner Weise aus der Rolle fiel, so gab das den Maraars Grund, über mich zu lachen. Ma hatte gesagt, es wäre leichter, sich anzupassen, wenn man noch jung sei. Sie hatte zweifellos Recht, aber nach ein paar kurzen Monaten konnte ich die junge Frau, die mich aus dem

Spiegel anschaute, kaum wieder erkennen. Wer war sie? Mrs. Suresh, ziemlich-hübsch-und-sie-trägt-schöne-Saris-und … Alles andere war ohnehin nicht wichtig. Eine Schwiegertochter der Maraars? Nicht ganz, es hat zwar den *Anschein*, denn sie trägt einen seidenen Sari und hat einen großen roten Bindi auf der Stirn und Blumen im Haar, aber leider ist sie in Delhi aufgewachsen und hat einige sehr seltsame Angewohnheiten, die man ihr noch abgewöhnen muss. (›Sie ist ständig beleidigt‹ und: ›Sie weiß noch immer nicht, wie man in einem Sari richtig sitzt,‹… ›und zieht es noch immer vor, ein gutes Buch zu lesen, statt an einem Küchentisch herumzusitzen und über irgendeine arme Seele herzuziehen‹.) Es gab so vieles, was ich lernen musste, so viele Dinge, die ich an mir verändern musste, und ich stürzte mich mit einem Engagement auf diese Aufgabe, das sogar mich selbst erstaunte.

»Solltest du nicht zur Universität gehen, um dich für das Seminar in englischer Korrespondenz einzuschreiben? Das ist ein Punkt, den dein Vater in jedem seiner Briefe erwähnt.« Suresh sah mich ein wenig besorgt an.

»Ich bin im Augenblick ganz zufrieden, ich beschäftige mich damit, ein bisschen Kochen zu lernen …«

»Du brauchst nicht zu kochen, das machen in diesem Haus die Angestellten.«

»Ich weiß, aber eine Frau sollte doch kochen können, oder?« Es war erstaunlich, wie sehr meine Prioritäten sich in so kurzer Zeit verändert hatten. »Ich habe gestern von Amma gelernt, wie man Gemüse-Biriyani zubereitet! Soll ich dir mal eins kochen, wenn du heute Abend von der Arbeit zurückkommst?«

»Nein, spar dir die Mühe. Ich komme heute Abend wahrscheinlich ohnehin erst spät. Ich muss nach Cochin fahren, um mich dort um den Kauf eines neuen Grundstücks zu kümmern.«

»Cochin? Was meinst du – kann ich mitkommen?«

»Wozu? Ich werde dort ständig unterwegs sein. Das würde dir überhaupt keinen Spaß bringen.«

»Ich könnte zum Beispiel einen Schaufensterbummel machen ... Ich werd mich schon zu beschäftigen wissen, du brauchst dir meinetwegen keine Sorgen zu machen, wirklich.«

Suresh sah mich zweifelnd an. »Ich weiß es nicht ... Amma macht nie einen Schaufensterbummel ... So etwas ist hier in Kerala nicht üblich. Wir sind hier nicht in Delhi, vergiss das nicht.«

Delhi. Ich wurde auf Schritt und Tritt daran erinnert, dass ich in Delhi aufgewachsen war.

»Na gut«, sagte ich fröhlich, »dann besuche ich eben Sathi und bringe die Kinder abends in den Park.«

Suresh sah mich erleichtert an. »Ja, mach das, das ist eine sehr viel bessere Idee, als in Cochin allein durch die Straßen zu laufen. Kauf den Kindern ein Eis oder so.« Er zog ein paar Geldscheine aus seiner Brieftasche. Das war noch etwas, was ich gelernt hatte. Dass Frauen aus guter Familie sich niemals um Geld zu sorgen brauchten. Weder darüber, woher es kam, noch, wie man es sicher aufbewahrte und was man damit tun sollte. Es schien reichlich davon vorhanden zu sein, ich brauchte nur darum zu bitten. Aber wahrscheinlich würden die Maraars mich dann als habsüchtig betrachten, und es gab ohnehin nur wenig, wofür man an einem Ort wie Valapadu Geld ausgeben konnte. Ich nahm bescheiden und gleichmütig die kleinen Summen in Empfang, die Suresh mir gelegentlich aushändigte. Er schien nicht das Bedürfnis zu haben, Geld oder seine Geschäfte mit mir zu diskutieren – dafür hatte er seinen Vater. Wir brauchten nicht über den Haushalt zu reden – dafür hatte er seine Mutter. Seine Freizeit verbrachte er mit seinen Schwestern. Das Porzellanfigürchen auf seinem Kamin war zwar noch immer sehr dekorativ, setzte aber allmählich Staub an.

»Können wir bitte übers Wochenende nach Thoduporam fahren? Die Fahrt dauert von hier aus nur etwa zwei Stunden, glaube ich.«

Suresh schaute mich verblüfft an. »Was willst du denn da?«

»Appuppas Gesundheitszustand hat sich seit einiger Zeit ständig verschlechtert, und ich habe das Gefühl, ich sollte ihn besuchen.«

Ich konnte sehen, wie Suresh überlegte, ob es einen unerwünschten Präzedenzfall für die Zukunft schaffen würde, mir diese Bitte zu erfüllen. »Tja, weißt du, Thomas Cherian von der K. T. D. C. kommt vorbei, um sich die Pläne für das Motel anzuschauen. Ich habe versprochen, ihm Cochin zu zeigen.«

Ich hatte mittlerweile herausgefunden, dass Suresh übers Wochenende gerne Geschäftsfreunde einlud, da sie ihm einen Vorwand verschafften, sich den aufmerksamen Blicken seines Vaters und den endlosen Diskussionen über Geschäfte und Finanzen zu entziehen. »Ich könnte allein fahren, wenn du veranlassen würdest, dass einer der Fahrer mich hinbringt.«

Niemand schien besonders begeistert zu sein, als ich plötzlich meine eigenen Pläne und Vorstellungen hatte. Zeigt diese Frau, nachdem sie sechs Monate bei uns gelebt hat, plötzlich ihr wahres Gesicht? Diesmal blieb ich standhaft, wobei ich Appuppas schlechten Gesundheitszustand als Vorwand nutzte. Schließlich wurde beschlossen, dass ich per Schiff nach Thoduporam reisen dürfe. Dies schien für eine Schwiegertochter der Maraars, die allein reiste, am passendsten zu sein. Ich war überglücklich. Thoduporam, und per *Schiff*. Genau wie in alten Zeiten!

Die Reise wirkte wie Balsam auf meine verletzte, traurige Seele. Die Monsunregen des Novembers waren so schnell weitergezogen, wie sie gekommen waren, und an den Ufern spross das frische Grün. Farnwedel streiften mich, anscheinend mit weit geöffneten Armen eine heimkehrende Tochter begrüßend, während das Boot sich langsam voranbewegte. Es glitt zentimeterweise den schmaler gewordenen Kanal hinunter, und als ich in Thoduporam ankam, dämmerte es bereits. Die winzige Öllampe flackerte unter dem Tulsibusch, und das Kolam füllte sich mit verschwommenen, wässerigen Sternen.

Ich wusste, dass die Zeit, als Appuppa mich am oberen Treppenabsatz erwartet hatte und mich in seine nach Sandelholz duftenden Arme schloss, vorbei war. Er war jetzt seit zwei Jahren ein Gefangener seines Korbstuhls auf der Veranda, von wo aus er den Fluss des Lebens auf dem Kanal draußen beobachtete. Aber irgendwann kam der Augenblick, als er auch dazu nicht mehr in der Lage war. In der Rückschau kann ich mich nicht erinnern, wer zuerst starb, Appuppa oder sein Kanal, aber der Abstand kann nicht allzu groß gewesen sein. Schon bei diesem Besuch wurde mir sehr deutlich bewusst, dass beide fast nicht mehr Teil dieser Welt waren.

Ammumma begrüßte mich an der Tür; sie sah besorgt aus. »Ist alles in Ordnung mit dir, Moley? Warum bist du allein? Warum ist Suresh nicht mitgekommen? Kommst du, weil du gehört hast, dass Appuppas Zustand sich so sehr verschlechtert hat? Jeden Monat muss ich Omanakuttan aus dem Dorf holen, damit er mir hilft, ihn ins Krankenhaus in Alleppey zu bringen. Aber dein Vater ist ein so guter, großzügiger Mensch; er schickt mir immer das Geld für die Medizin und die Taxifahrten.«

Als ich Appuppa sah, erschrak ich; er war offensichtlich vom Tode gezeichnet. Um an meiner Hochzeit teilnehmen zu können, war er auf einen Lieferwagen gehoben und dann in seinem Korbstuhl, der jetzt fast wie ein Teil seines Körpers erschien, in den Tempel getragen worden. Er hatte das Fest genossen, lachte breit und zahnlos jeden an, der an seinen Stuhl trat, um mit ihm zu reden. Es war erstaunlich, wie rasch sich sein Zustand verschlechtert hatte. Heute Abend wirkte er wie eine leere Hülse, geschrumpft und mit müdem Blick, den er auf mich fixierte. Er erkannte mich nicht. Oder war er nur weiser als Ammumma? Vielleicht spürte er, dass die junge Frau, die mit tränennassen Augen vor ihm stand, nicht die Enkeltochter war, die er vor so vielen Monaten mit seinen Segenssprüchen auf die Reise ins Haus ihrer neuen Verwandten geschickt hatte.

»*De noku*, das ist Janu, Unnis Tochter!« Ammumma versuchte, ihrer Stimme einen munteren Klang zu geben, um ihn dazu zu bewegen, mich zur Begrüßung anzulächeln. Appuppa murmelte etwas, was weder ich noch Ammumma verstehen konnten, und schaute zur Seite.

»JANNU, UNNIS TOCHTER ...« Aber Appuppa richtete jetzt seine Aufmerksamkeit auf irgendeinen unsichtbaren Festzug, der auf dem Kanal draußen vorbeizuziehen schien.

»Es ist sinnlos, Moley, er erkennt schon seit Monaten niemanden mehr. Ich möchte deinen Vater nicht beunruhigen, er hat ohnehin schon so viel Geld für deine Hochzeit ausgegeben; ich möchte nicht, dass er sich jetzt erneut in Ausgaben stürzt, um uns zu besuchen. Versprich mir, dass du ihm nicht erzählen wirst, wie schlecht die Dinge stehen. Solange Omanakuttan mir hilft, werde ich mit allem ganz gut allein fertig.«

»Nein, Ammumma, ich werde ihm nichts sagen, ihm nicht erzählen, wie schlecht die Dinge stehen.«

»Hast du gegessen? Ich bringe dir einen Teller Reis ...«

Ammumma war einst eine sehr vitale Frau gewesen, die die Kinder der Arbeiter auf ihren Reisfeldern um sich scharte, um ihnen Lesen und Schreiben beizubringen. Dann saß sie unter einem großen schwarzen Schirm am Rande ihrer Felder und verschaffte sich mit Hilfe eines Stocks Respekt, mit dem sie manchmal drohend in die Luft stach. Die Dorfkinder hatten schreckliche Angst vor ihr, aber einige von ihnen, wie Omanakuttan, hatten nicht vergessen, was sie für sie getan hatte, und tauchten gelegentlich bei ihr auf, um ihr auf ihre jeweils eigene Art zu danken. Aber seit einigen Jahren schien sie ständig mit sich selbst beschäftigt zu sein, wobei sie abwechselnd über ihre eigene schlechte Gesundheit und die Appuppas klagte. Was hätte ich ihr erzählen sollen – in diesem Haus war gewiss kein Raum mehr für weitere Klagen. Ich entschied, dass Reisen, die ich allein nach Thoduporam unternahm, um sie und Appuppa zu besuchen, sie mit der Zeit nur misstrauisch und traurig machen würden. Es war sinnlos. Und mir fehlte der Trost, den ich in Appuppas nach Sandelholz duftenden Umarmungen gefunden hatte.

Thoduporam wirkte am nächsten Morgen so friedlich, wie ich es in Erinnerung hatte, aber es rang ohne Zweifel ebenso mit dem Tod wie seine Bewohner und der Kanal zu seinen Füßen. Sich grau verfärbendes Moos überwucherte die Außenmauern des Hauses und fraß sich allmählich in die inneren Bereiche hinein. Überall hingen Spinnweben, und Dads Zimmer sah nicht aus, als sei es in den letzten Monaten einmal geputzt worden. Hunderte von Büchern standen noch immer wie gespenstische Relikte einer großartigen Vergangenheit auf ihren Regalen an den Wänden. Den meisten von ihnen fehlten sämtliche Seiten; es gab nur zerfledderte Deckel, die den Staub zusammenhielten, in den die Termiten das Papier verwandelt hatten. Das Vorderzimmer, dessen Wände mit Fotos von Verwandten und Hochzeitsbildern bedeckt waren, war der Raum, in dem Appuppa sich in seinem Korbsessel aufzuhalten pflegte. Sein Rücken war steif, den lächelnden Gesichtern all seiner Kinder und Enkelkinder zugewandt, und er schien ständig den Kanal zu fixieren, auf dem sich wechselvolle, prächtige Bilder darboten, die nur er allein sehen konnte. Es schien, als erwartete er, dass irgendwann ein Boot vorbeikäme, mit einer sehr wichtigen Persönlichkeit, die ihn abholen wollte. Ich schlenderte zum Kolam hinunter. Gefährlich glitschiges Moos bedeckte die Zementstufen, weil der Wasserspiegel erheblich gesunken war. Vorsichtig stieg ich bis zur untersten Stufe hinab, mich daran erinnernd, wie ich dieses kleine Versteck in meinem letzten Urlaub genutzt hatte, um Briefe an Arjun zu schreiben. Und um mit Saroja, dem Dienstmädchen, zu plaudern. Sie war mir oft zum Kolam gefolgt, wobei ihr das Schrubben ihrer Töpfe als Vorwand diente, um sich ein wenig Unterhaltung zu verschaffen und mich über das Stadtleben auszufragen. Mit offenem Mund hörte sie mir zu, wenn ich ihr von Filmen erzählte, die ich im Kino gesehen hatte, und über die Kleidung, die in der Stadt gerade Mode war. Dafür unterhielt sie mich mit

Geschichten über ihr bewegtes Liebesleben. Manchmal verlangsamten Männer, die auf ihren Fahrrädern vorbeiradelten, ihre Fahrt und warfen lüsterne Blicke auf ihre Brüste, die, während sie Ammummas Töpfe schrubbte, in grellfarbigen, tief ausgeschnittenen Blusen rhythmisch wogten. Derartige Unterbrechungen wehrte sie mit einem groben Schimpfwort und einem Lächeln ab, um mich dann zu warnen, dass die Welt voll sei von solch ekelhaften Männern, die nur hinter dem einen her wären. Eine mir damals einigermaßen fremde Sichtweise, da die einzigen Männer, die ich wirklich gut kannte, ihre Frauen so treu und hingebungsvoll liebten, wie man es nur erwarten konnte. Dad, Ramama, Kunyachen, sogar meine beiden Appuppas ... glückliche Ehen, liebevolle Freundschaften ... ich unterdrückte einen plötzlichen Anfall von Neid. Warum musst *du* diejenige sein, die die Ausnahme von der Regel bildet, fragte ich anklagend mein Spiegelbild, das traurig im Wasser des Kolams schimmerte. Aber es antwortete nicht, blieb ebenso stumm wie die Luft um mich herum und der Kanal hinter mir, der langsam an seinen Wasserhyazinthen erstickte, und wie das Haus meiner Großeltern, von dem der Tod allmählich Besitz ergriff.

An diesem Ort fühlte ich mich geborgen und gestand mir zu, mich meiner Sehnsucht nach Arjun zu überlassen. Dies war der Platz, den ich schon früher aufgesucht hatte, um mich meinen Träumen und Erinnerungen hinzugeben. Dieses Kolam war ein stummer Zeuge der Urlaubsbriefe gewesen, die ich ihm geschrieben hatte, und jetzt schien es angemessen, dass es die Tränen in sich aufnahm, die plötzlich von meiner Nase und meinem Kinn rollten. Winzige kleine Tropfen, die mit dem graugrünen Wasser verschmolzen, das früher die Farbe eines geliebten Augenpaares gehabt hatte.

Plötzlich fiel mir Appuppas weiße Schildkröte ein. Ich hockte mich nieder und wartete darauf, dass meine Augen sich an die trüben Tiefen gewöhnten. Und dann sah ich sie – sie war genau dort, wo sie immer gewesen war. Ich fand einen langen Bambusstock und, zum erstenmal in all jenen Jahren, wahrscheinlich weil in dem Kolam nur noch so wenig Wasser war, gelang es mir endlich, sie ein wenig anzuheben. Ich erwartete, dass sie wegschwimmen würde, aber sie kippte auf den Rücken und sank wieder zu Boden; ihre Unterseite war mit ihrer Oberseite völlig identisch. Dies war überhaupt nie eine Schildkröte gewesen, Appuppa. Nur ein großer, runder Stein. Hast du das gewusst, Appuppa? Vielleicht hast du die Schildkröte nur erfunden, damit ich mich stundenlang mit ihr beschäftigt und mich nicht aus dem Garten entferne? Damit ich beschützt und in Sicherheit war.

Es war bedrückend, den Hauch des Todes zu spüren, der jetzt Thoduporam durchwehte, aber ich war dennoch froh, der leeren, lieblosen Welt meiner Schwiegermutter entronnen zu sein. Als ich Thoduporam an jenem Nachmittag verließ, hatte ich jedoch das unbestimmte Gefühl, dass ich niemals dorthin zurückkehren würde. Ich hatte rasch gelernt, dass nichts für die Ewigkeit war – nicht Menschen, nicht die Liebe, nicht einmal herrschaftliche alte Häuser … Appuppa und Ammumma reisten im folgenden Monat nach Bangalore. Sie wohnten bei meiner Tante, und Appuppa ließ sich im St. Martha's Hospital behandeln. Dort starb er sechs Monate später, und Thoduporam wurde zu einem hohen Preis verkauft, wegen der neu angelegten, leuchtend orangefarbenen Straße, auf der jetzt Autos und Lastwagen genau den Bereich durchquerten, wo ich immer so ungestört hatte spielen können. Sehr viel später fand ich heraus, dass dort auch ein riesiges Gebäude errichtet worden war, wahrscheinlich sehr viel imposanter als das Haus meiner Großeltern. Aber der grünlich graue Kanal, der Spiegel, in dem die kleine Stadt sich den ganzen Tag über bewundern konnte, war verschwunden.

Ich verließ Thoduporam, ohne mich wirklich von der Stadt meiner Großeltern zu verabschieden. Ich umarmte Appuppa unter Tränen, während er seinen starren Blick über meine Schulter hinweg auf die wichtige Persönlichkeit fixierte, die er seit langem zu erwarten schien. Ammumma begleitete mich die Treppe zum Kanal hinunter, trotz meines Protests, dass die Stufen für ihre arthritischen Knie zu hoch seien. »Komm das nächste Mal zusammen mit Suresh«, sagte sie. »Komm nicht allein wie diesmal.« Ich winkte ihr, auch dann noch, als sie zu einem winzigen Punkt zusammenschmolz, der schließlich meinem Blick entschwand.

Zweiter Teil

8

Ein Jahr war, langsam und unerbittlich, im Hause der Maraars vergangen, und ich wusste, ich würde, so sehr ich mich auch bemühte, niemals wirklich zu ihnen gehören. Aber das hielt mich noch immer nicht davon ab, mich dennoch zu bemühen.

»Hängt ihr bei euch Sari-Blusen *so* auf? *Wir* machen es so.« Und ich beeilte mich, meine nasse, frisch gewaschene Bluse zurechtzuzupfen, die unordentlich auf der Wäscheleine hing, neben den Blusen der Maraars, die genauso ordentlich aneinander gereiht waren wie die Kissen auf ihrem Diwan. Bereits eine nicht korrekt aufgehängte Bluse konnte jedem, der an der Wäscheleine vorbeiging, signalisieren, dass eine Fremde in ihre Familie eingedrungen war, eine Frau, die den anderen niemals das Wasser würde reichen können. Die dem Fischverkäufer und dem Gärtner und den Nachbarn Anlass gab, sie zu kritisieren und manchmal auch über sie zu lachen.

Bei meinem ersten Onam sagte Amma mit einem tiefen Seufzer: »Tja, ich vermute, dass wir jetzt der kleinen Miss Delhi erst einmal erklären müssen, wie man die Rituale richtig vollzieht. Wie rasch doch unsere uralten Traditionen in Vergessenheit gerieten, wenn es Familien wie uns nicht gäbe.« Wie gewöhnlich begleitete sie ihre Worte mit einem fröhlichen Lachen, um anzudeuten, dass ich wirklich übersensibel und nichts als eine Spielverderberin sei, wenn ich nicht einmal ein bisschen Spaß verstünde.

Natürlich hatten wir das Onam in Delhi nie so gefeiert, wie die Maraars es sich vorstellten, und Dad hatte immer den Wunsch gehabt, Diwali und Holi und sogar Weihnachten ebenso festlich zu begehen. Aber diesmal nahm ich all meinen Mut zusammen, um meine Familie in Schutz zu nehmen. »Tja, in Delhi bekommen die Schulkinder für das Onam nicht frei, deshalb war es schwierig, es richtig zu feiern.«

Amma stand draußen vor der hinteren Veranda und strich mit gespreizten Fingern durch Gauris Haar, um es zu entwirren. Dies war ein tägliches Ritual, nachdem alle ihr Bad genommen hatten. Das Licht der Morgensonne sickerte durch den Jambakkyabaum, und der erste Schwung Wäsche flatterte zufrieden in der leichten Brise. Die Frauen der Familie Maraar hatten alle wunderschöne lange Locken, die sie sorgfältig mit nach Kräutern duftendem Kokosnussöl pflegten. Die täglichen Rituale der Haarpflege nahmen allerdings nach meinem Gefühl viel zu viel Zeit in Anspruch. Der Arbeitsalltag in Delhi schien unendlich weit entfernt zu sein. Ich beobachtete, wie Ammas Hände sorgfältig und liebevoll durch Gauris kohlschwarzes Lockengewirr strichen, und versuchte mich daran zu erinnern, wann jemand zuletzt seine Finger durch mein Haar hatte gleiten lassen oder mir eine absichtslose Geste der Zuneigung geschenkt hatte. Sureshs nächtliche Zärtlichkeiten schienen für ihn eher eine Pflichtübung zu sein und wurden schon jetzt seltener. Gewiss konnte ich tagsüber keinerlei demonstrative Zärtlichkeit von ihm erwarten. In Kerala gingen Paare in der Öffentlichkeit eher distanziert miteinander um, daran war ich gewöhnt. Aber schon als Kind hatte ich beobachtet, wie verheiratete Paare eine Möglichkeit fanden, einander ihre Liebe zu zeigen, ohne dass jemand es bemerkte (außer aufmerksamen zehnjährigen kleinen Mädchen natürlich). Ich hatte gesehen, wie Ramama bei einer lauten, fröhlichen Mahlzeit am Esstisch der Familie Vijimami stumm zuzwinkerte, und war einmal zufällig ins Zimmer gekommen, als Minis Eltern sich heimlich umarmten. Mein Schweigen war mit zahlreichen Süßigkeiten erkauft worden, und eine Weile lang hütete ich dieses Geheimnis sorgfältig. Viele Jahre später erkannte ich, dass Paare in Kerala einander ihre Liebe durchaus zeigten, aber auf eine diskrete, verschwiegene Art.

Eigentlich fiel nie etwas wirklich Schlimmes vor, unter dem ich im Haushalt der Maraars zu leiden gehabt hätte. Aber ich war ständig kleinen Kränkungen ausgesetzt, die an meiner Selbstachtung nagten. Zu unwichtig, um sich darüber zu beschweren. Oder um sie in den Briefen zu erwähnen, die ich nach Hause schrieb. Tja, wenn man mich jeden Tag *geschlagen* hätte – *das* hätte natürlich Stirnrunzeln ausgelöst, dachte ich. Aber kleine Spitzen, winzige Kränkungen, so subtil, dass man sie fast nicht wahrnahm, konnten eigentlich keinen großen Schaden anrichten – ich schien bloß nach und nach das Gefühl zu verlieren, ein Mensch mit eigenen Bedürfnissen und eigenen Rechten zu sein. *Sei nicht albern, das bildest du dir alles nur ein, Janu.*

Liebe Ma, lieber Dad,

Ich hoffe, es geht Euch gut. Ich habe Euren Brief in der letzten Woche bekommen, und ich bedaure es natürlich sehr, dass Ihr in diesem Sommer nicht nach Kerala reisen könnt. Aber ich kann natürlich verstehen, dass eine solche Reise zu teuer würde, vor allem da Ihr erst vor kurzem im Bangalore wart, um Appuppa zu besuchen, bevor er starb. Und natürlich habt Ihr Euch auch von den Kosten für meine Hochzeit noch immer nicht ganz erholt!

Ich war begeistert von Dads Vorschlag, dass Suresh und ich statt dessen zu Euch nach Delhi kommen sollten. Ich hatte bisher noch nicht die Gelegenheit, das Projekt mit ihm zu besprechen. Er muss ziemlich viele Geschäftsreisen machen, vor allem nach Cochin und Bombay, da er plant, Grundstücke zu kaufen, um neue Motels zu bauen. Aber ich bin sicher, ihm wird der Vorschlag ebenfalls gefallen; er war noch nie in Delhi. Wenn wir kommen, dann werden wir versuchen, ungefähr zur Zeit der asiatischen Spiele dort zu sein. Das Wetter ist dann bestimmt perfekt, und irgendwo habe ich gelesen, dass Delhi für die Spiele geschmückt sein wird. Oh, wie sehr ich mich danach sehne, Euch beide und Delhi wieder zu sehen!

Ma, mach Dir bitte keine Sorgen; natürlich habe ich mein Studium nicht ganz vergessen. Ich bin zur Universität gefahren und habe mich nach den Seminaren in englischer Korrespondenz erkundigt. Das Semester beginnt im Oktober, und ich muss meine Zeugnisse bis zum nächsten Monat eingereicht haben. Könntest Du mir diese bitte per Einschreiben schicken? Vielleicht müsstest Du bei der Schule vorbeifahren, um dort das Zeugnis vom letzten Jahr abzuholen. Wenn Du Schwester Seraphia siehst, dann grüße sie bitte von mir!

Schreibt bald!

Liebe Grüße, Janu.

»Delhi? Wann willst du dort hinfahren?«

»Der Dezember wäre der beste Monat. Zu einer anderen

Zeit kann ich nicht, wegen meiner Kontaktkurse. Im Dezember sind Weinachtsferien. Was meinst du – vielleicht für drei Wochen?« Ich bemühte mich, Suresh nicht allzu sehr zu bedrängen.

Amma empfand meinen Plan als eine weitere Bedrohung. Sie wirkte bedrückt, aber ihr anfängliches Schweigen erfüllte mich mit Hoffnung, und ich fühlte mich plötzlich leicht und beschwingt. Dann hellte sich ihr Gesicht auf.

»Ah, aber du hast wohl vergessen – dein Schwiegervater hat im Dezember Geburtstag. Natürlich wird das bei uns immer ganz groß gefeiert, alle kommen hier zusammen, um uns zu besuchen. Du kannst in dieser Zeit nicht einfach nach Delhi reisen! Was sollen die Leute denken!«

Also würde ich für ein weiteres Jahr in Kerala bleiben müssen. Meine Chancen, meine Eltern besuchen und ihnen mein Herz ausschütten, ihnen sagen zu können, dass ich nicht glücklich war, schwanden. Aber was hätte ich mit einem solchen Eingeständnis eigentlich erreichen wollen? Die Tatsache, dass ich nicht nach Delhi reiste, war jedoch eine weitere jener kleinen, unbedeutenden Einzelheiten, die mich lähmten und mein Unglück verstärkten.

Der Geburtstag war eine Qual. Vielleicht weil Amma wusste, dass ich es gewagt hatte, meine eigenen Pläne zu schmieden, schienen die kleinen Spitzen und Gehässigkeiten diesmal kein Ende zu nehmen.

»Was in aller Welt hast du denn mit dem Vilakku vor! Dort gehört er hin. Hat man dir denn *gar nichts* beigebracht?« Und:

»Diesen alten Lappen, den die Leute in Valapadu schon hundertmal gesehen haben, wirst du jedenfalls nicht noch mal tragen. Sathi, bring ihr mal was Anständiges zum Anziehen.« Und:

»Ich möchte mal ein Foto von mir zusammen mit allen meinen Kindern. Kommt, stellt euch auf! Nein, du nicht, Janu, ich sagte, *meine* Kinder.«

Ich war eine junge Frau von neunzehn Jahren und hatte das Gefühl, meine Persönlichkeit würde nach und nach zerstört. Mir war, als hätte ich auf der ganzen Welt keinen einzigen Freund. Arjun und Leena hatten sich in meinem Kopf in romantische Phantasien verwandelt, die Erinnerung daran war süß, aber sehr schmerzlich und zehrte im Grunde an meinen Kräften. Leenas gelegentliche kurze Antworten auf meine langen, sentimentalen Briefe wurden immer seltener. Und Arjun? Arjun war *nicht* da. Er war in *England*. Er war weit fort, ein Teil meiner Vergangenheit, an die ich lieber nicht rührte. Wahrscheinlich hatte er mich ohnehin vergessen. In England wimmelte es von hübschen Mädchen, denen die Vorstellung einer Ehe, die die Eltern für sie arrangierten, völlig verrückt und lächerlich erschien. Sie würden ihn nicht fallen lassen, so wie ich es getan hatte. Und wenn er sich von mir abwenden und mir sagen würde, ich solle verschwinden – könnte ich das ertragen? Zurückweisung war etwas, was ich seit meiner Heirat ziemlich häufig hatte ertragen müssen, und ich scheute mich, das Risiko, erneut zurückgewiesen zu werden, noch einmal einzugehen. Dies war jetzt mein Leben, und ich würde irgendwie dafür sorgen, dass es funktionierte. Ich würde meinen Collegeabschluss machen und mir einen Job suchen, dann wäre ich jedenfalls beschäftigt.

Ich beobachtete, wie Vinnu, Annu und Joji atemlos durch den Flur stürzten und sich neben ihrer Großmutter auf das Sofa fallen ließen, drei schwitzende, lachende, zappelnde Kinder. Sie lächelte liebevoll auf sie hinab und zog Joji auf ihren Schoß. Vielleicht, aber nur vielleicht, würde es meine Probleme eher lösen, ein Kind zu bekommen, als meinen Collegeabschluss zu machen und mir einen Job zu suchen. Das war die Lösung, ich würde ein *Kind* bekommen! Meine Tochter würde als Ammas Enkelkind geliebt werden. Vor allem, wenn sie am Ende dann doch ihr lang ersehnter erster *Enkel* werden sollte. Und als seine Mutter würde ich sozusagen in doppelter Hinsicht befördert werden. Die Maraars wurden anerkennen, dass ich bereit war, sowohl die Rolle einer guten Mutter als auch die einer guten Schwiegertochter auszufüllen. Und ich könnte für den Rest meiner Tage stolz und glücklich sein, den Maraars ein Enkelkind geschenkt zu haben und Mutter zu sein.

Zufällig kam Latha, die ältere Schwiegertochter, mir zuvor. Im folgenden Sommer brachte sie einen prächtigen Jungen zur Welt. Ihr wurde dadurch die doppelte Beförderung zuteil, die ich für mich selbst erhofft hatte.

Wenig später wurde ich schwanger. Als ich Suresh davon erzählte, bebte ich vor Freunde am ganzen Körper. Er betrachtete mich verwirrt und, wie ich hoffte, ein wenig glücklich. Aber alles, was er hervorbrachte, war: »Amma und Sathi werden wissen, was man jetzt tun muss. Ich werde sie bitten, dich zu Dr. Gomathy zu bringen.« Es wurde beschlossen, dass ich nach Delhi reisen würde, um, wie es Sitte war, das Kind dort zu entbinden. Junge Frauen fuhren zwei Monate vor ihrer Niederkunft »nach Hause«, um sich auszuruhen, Ölbäder zu nehmen und sich von ihrer Mutter streicheln und trösten zu lassen, wenn sie Schmerzen hatten. Und so geschah es, dass ich schließlich doch nach Delhi zurückkehrte, zweieinhalb Jahre, nachdem ich es mit meinem kleinen blauen Urlaubskoffer verlassen hatte.

Ich fragte mich, warum Suresh sogar die Nachricht von meiner Schwangerschaft mit derselben Gleichgültigkeit aufnahm, die er gegenüber allem anderen zeigte, womit ich ihn konfrontierte: meinem Heimweh, meinen Klagen über seine Familie, meiner Einsamkeit in Anbetracht seiner immer ausgedehnteren Geschäftsreisen. Da er eine Frau geheiratet hatte, die viele Jahre jünger war als er, tat er sich möglicherweise schwer, sich mir wirklich zu öffnen. »Nähe« und »Verständnis« waren wahrscheinlich die letzten Worte, die einer von uns beiden gewählt hätte, um unsere Beziehung zu beschreiben. Würde die Tatsache, dass er Vater wurde, diese Beziehung verändern? Vielleicht sogar den Wunsch in ihm wachsen lassen, mehr Zeit mit mir zu verbringen?

Im Augenblick war vor allem wichtig, dass ich wieder nach Delhi zurückkehren und nach einer Ewigkeit meine Eltern wieder sehen würde. Suresh buchte für mich einen Flug mit der Indian Airlines von Cochin und versprach, rechtzeitig zur Geburt zu kommen. Ich verließ die Maraars ohne großes Bedauern. Wahrscheinlich hegten sie ähnliche Gefühle; Gauri erklärte begeistert: »Oh, fein, dann kann ich ja mal wieder allein mit Suresh ins Kino gehen.« Und Amma lachte wie üblich über die witzigen Bemerkungen ihrer Tochter.

Als das Flugzeug über Delhi zur Landung ansetzte, schaute ich aus dem Fenster auf die Gulmoharbäume, das besondere Merkmal der Stadt, die im Sommer zu feurig roten und orangefarbenen Flammen explodierten. Jetzt sah alles friedlich und grün aus, zu dieser Jahreszeit gab es in den Wäldern keine grell lodernden Flammen. Endlich war ich wieder ein wenig glücklich. Bald wäre ich Mutter und vielleicht könnten am Ende alle meine Dämonen zum Schweigen gebracht werden.

Delhi hatte sich, während ich fort war, verändert. Nach

den asiatischen Spielen gab es dort viele neue Straßenüberführungen und breite neue Boulevards. Die Stadt sah wunderschön aus. Die Stadt meiner Jugend, die Stadt wunderbarer, glücklicher Zeiten! Meine Eltern freuten sich, mich zu sehen, und Dad geleitete mich so vorsichtig zum Auto, als befürchtete er, ich könnte jeden Augenblick explodieren. Nie zuvor war er so vorsichtig gefahren.

»Schau, da drüben, Janu, das da ist Khel Gaon, wo die meisten Veranstaltungen stattfanden und wo die Sportler gewohnt haben; ich werde dir das alles einmal in Ruhe zeigen.«

Ma drehte sich auf dem Beifahrersitz nach hinten um. »Ich wünschte, du und Suresh, ihr hättet während der Spiele hier sein können. Das war eine wunderschöne Zeit in Delhi. Ihr wäret begeistert gewesen.«

»Red keinen Unsinn, Mani, sie mussten in Kerala bleiben, um an Maraar Ettans Geburtstag teilnehmen zu können. Das war viel wichtiger. Ich bin froh, dass du zu dem Anlass dort geblieben bist, Janu, es hätte bestimmt keinen guten Eindruck gemacht, wenn du nicht dabei gewesen wärest. Irgendwann finden wieder andere Spiele in Delhi statt.«

»Das neue Haus Khaz hast du auch noch nicht gesehen, Moley, oder? Tja, das ist auch erst entstanden, nachdem du fort warst. Man hat das ganze Dorf in eine Einkaufszone verwandelt und gleichzeitig die Dorfatmosphäre erhalten. Es gibt da einen hübschen Laden, in dem Dinge verkauft werden, die die Frauen des Dorfes hergestellt haben. Keine Zwischenhändler, das Geld geht direkt an die Dorfbewohner, das ist das Beste daran. Ich werd dich mal dorthin fahren, damit du ein paar von den Geschenken und den anderen Sachen kaufen kannst, die du brauchst, wenn du wieder nach Hause reist.«

Ma redete schon über meine Heimreise, aber ich schaute nachdenklich auf den Chor Minar, der jetzt am Seitenfenster des Wagens vorbeiglitt. Seine gelben Steine glühten golden in der Wintersonne. Hallo-wie-geht-es-dir-nimmst-du-dir-jemals-einen-Augenblick-Zeit-um-an-mich-zu-denken? Früher war ich in diesem lustigen Himmelsturm deine Ehefrau, und wir hatten eine ganze Schar von Kindern, und ich liebte dich sehr, denkst du noch manchmal daran? Arjun war zweifellos meine kostbarste Erinnerung. Die Erinnerung, die mir jedes Mal, wenn ich mich ungeliebt fühlte, ein wenig Kraft gab! Wenn ich an ihn dachte, wusste ich, dass ich fähig war, zu lieben und geliebt zu werden. Weil ich ich selbst war. Nicht, weil ich jemandes Tochter/Ehefrau/Schwiegertochter war. Die Erinnerung an Arjun hatte mich getröstet, wenn ich traurig war. Aber ich wusste auch, dass Arjun, wo immer er jetzt auch sein mochte, sein Glück in neuen Anfängen, neuen Chancen und Möglichkeiten gefunden hatte. Ich fühlte, wie mein Baby sich in mir bewegte, und drückte meine gewölbten Hände auf meinen Bauch.

Diese drei Monate mit meinen Eltern waren für mich die glücklichsten seit langer Zeit. Fast, als wäre ich wieder ihre Tochter und nicht die junge Frau, die eigentlich zu einer anderen Familie gehörte. *Paraya Dhan*, der Schatz, der zu einem anderen Haus gehört – so beschrieben nordindische Familien wehmütig ihre Töchter. Bei meinen Eltern hatte ich nicht wie bei den Maraars das Gefühl, mich ständig anpassen und dabei den Anschein erwecken zu müssen, mich auf unaufdringliche Weise nützlich zu machen. Hier brauchte ich auch nicht die ermüdenden Besuche zu absolvieren, die in Kerala zum Alltag der Frauen gehörten. In Delhi war es leichter, nur die Leute zu besuchen, die wir besuchen wollten, nicht die, die wir besuchen mussten, weil wir irgendwie entfernt mit ihnen verwandt waren.

Ich sonnte mich auf der hinteren Veranda, aß Orangen und las Bücher. Jeden Abend ging ich mit meinem Vater zum Markt von Hauz Khaz und trank reichlich von dem Saft der Gol Guppas, die ich so liebte und die es in Kerala nicht gab. »Ich weiß nicht, all diese schrecklichen Bakterien«, murmelte mein Vater missbilligend, wenn der Gol-Guppa-Mann seinen Unterarm in den riesigen Topf tauchte. Aber dann, wenn ich bittend Dads Arm drückte, zog er doch seine Brieftasche hervor. Ich verbrachte viele Stunden damit, mit meiner Mutter zu plaudern, aber das, was mein Leben in Kerala so sehr belastete, verschwieg ich ihr. Ich bin mir noch heute nicht sicher, warum ich das tat. Wahrscheinlich, weil sie mir so glücklich erschien und mein Glück davon abhing, dass sie glücklich war. Und Unglück war ohnehin nur ein vorübergehender Zustand. Es schien unmöglich, dass er ewig andauern könnte. Dafür würde mein Baby sorgen.

Riya kam eine Woche zu früh, um Mitternacht am Weihnachtsabend. Sie hatte sich nicht rechtzeitig angekündigt, so dass ihr Vater erst zwei Tage später in Delhi eintraf, aber sie wurde von ihren Großeltern und ihrer Mutter mit überschwänglicher Freude begrüßt. Ich ließ mir mein schreiendes Bündel von der Hebamme in die Arme legen und fühlte mich unendlich bewegt und gerührt. Hier war das Wesen, das heranwachsen würde, um wieder Glück in mein Leben zu bringen. Die Kleine sah aus wie eine rosafarbene und purpurrote Walnuss, aber ich war mir schon jetzt sicher, dass sich durch sie alles in meinem Leben zum Guten wenden würde.

Als Suresh in Delhi ankam, hatte er Goldschmuck für einen Jungen dabei, den seine Eltern ihm mitgegeben hatten. Er sei gekauft worden, bevor Riya geboren wurde, erklärte er. Die Maraars hatten offensichtlich gehofft, das Kind würde ein Junge werden, aber ich war sicher, dass sie Riya lieben würden, wenn sie sie sahen, so wie ich selbst sie liebte.

»Sie hängt so sehr an ihrer Mutter; man braucht ein Brecheisen, um die beiden voneinander zu trennen«, sagte mein Vater warnend, als er mir Riya abnahm, um sie ihrem Vater in die Arme zu legen. Sie brüllte heftig, und Suresh lachte verlegen. Sekunden später gab er sie mir zurück. »Ich glaube, sie hat Hunger.« Schon sehr früh gab es Anzeichen (die ich lieber übersah), dass Riya und ich ein Team bilden würden. Tatsächlich wurde jenes kleine Wesen der Mensch, von dem später meine geistige Gesundheit abhing. Für den Augenblick setzte ich alle meine Hoffnungen in sie.

Die Zeit der Muße und der träge dahinfließenden Stunden war plötzlich vorbei; ich war von morgens bis abends damit beschäftigt, mich um mein Kind zu kümmern. Babys sind in Wirklichkeit gar nicht so lustig, dachte ich. Riya schien ständig irgendwelche Flüssigkeiten aus dem einen oder anderen Ende ihres kleinen Körpers abzusondern. Ich bekam zu wenig Schlaf und wurde gereizt und nervös. Ma versicherte mir: »Die Jahre vergehen so schnell, und plötzlich ist sie erwachsen und hat das Haus verlassen, und dann sehnst du dich nach der Zeit zurück, als sie noch ein kleines Mädchen war!« Ich schaute auf mein winziges Baby hinab, das in dem Monat, seitdem es geboren worden war, keinen Zentimeter gewachsen zu sein schien. Oh, ich kann es nicht *erwarten*, dass du groß und stark wirst, dachte ich, ich wüsste gerne, was für ein Mensch du sein wirst ... Ich hoffe, du wirst ein glückliches Leben haben, mein Liebling ...

Mittlerweile war ich schon so lange in Delhi, dass ich mich dort wieder völlig heimisch fühlte. Ich hatte ein paar meiner alten Freundinnen getroffen, aber ich war für sie jetzt eine Fremde, verheiratet und Mutter. Arjun war noch nicht wieder nach Indien zurückgekehrt, und Leena fragte sich, ob er sich überhaupt die Mühe machen würde, wieder mit uns Kontakt aufzunehmen, wenn er sich wieder dort aufhielt. Sie ließ Riya ein wenig ungeschickt auf ihrem Knie rauf- und runterhopsen und weihte mich in die Einzelheiten ihrer letzten Liebesaffäre ein. Eine Stunde später sah ich ihr nach, wie sie unser Haus verließ, um, ihre Stofftasche über der Schulter, wieder ins College zu gehen. Unser beider Leben war so unterschiedlich verlaufen, wir waren einander fast fremd geworden. Ich beschloss, mich damit zufrieden zu geben, den Aufenthalt in meinem Elternhaus zu genießen, und war glücklich darüber, wie sehr meine Eltern sich freuten, Großeltern geworden zu sein. Aber das schmerzliche Wissen, dass ich irgendwann wieder zurück musste, ließ sich nicht verdrängen.

»Riya ist jetzt sechs Wochen alt, Janu, hast du schon darüber nachgedacht, wann du wieder nach Hause fährst?«

»Aber die Reise ist so schrecklich lang und anstrengend, Ma. Vielleicht in ein paar Wochen.«

Ich kehrte nach Kerala zurück, als Riya zwei Monate alt war. Zwei Monate waren ein ungewöhnlich langer Aufenthalt für eine junge Frau, die nach ihrer Schwangerschaft eine Weile lang bei ihren Eltern gelebt hatte, und Amma musste sich für mich verschiedene Erklärungen ausdenken. Für den Fischverkäufer und die Hausangestellten und die Nachbarn. Sie war gereizt und verärgert und ließ mich das deutlich spüren. Und, was noch schlimmer war: Jetzt wurde auch Riya zur Zielscheibe ihrer Aggressionen.

»Du und deine Tochter, ihr hättet ruhig noch sechs Monate bleiben sollen. Warum solltest du dir überhaupt darüber Gedanken machen, wie wir es unseren Leuten hier erklären? Wir hätten schon damals wissen sollen, dass ein Mädchen aus Delhi einfach nicht zu uns passt. Erst gestern habe ich zu Shaila gesagt, sie solle besser nicht in diese großen Städte, nach Delhi und Bombay, reisen, um dort für ihren Pramod eine Frau auszusuchen. Hier gibt es reichlich junge Mädchen, die nett, gut erzogen und nicht verwöhnt sind.«

Ich war noch immer zu unsicher und nervös, um mich wirklich mit meiner Schwiegermutter auseinander zu setzen, und mein Malayalam ließ mich in Augenblicken, die eine schlagfertige Antwort verlangten, noch immer im Stich. Gekränkt durch eine unfreundliche Bemerkung, pflegte ich mich in die Sicherheit meines Zimmers zurückzuziehen. Dann, wenn ich zitternd vor Empörung auf meinem Bett saß, dachte ich mir eine scharfe und treffende Erwiderung aus, übte sie ein paarmal, bis sie mir mühelos über die Lippen kam, nur um festzustellen, dass der Augenblick, in dem ich meine Waffe einsetzen konnte, bereits verstrichen war. Ich hatte das Gefühl, es lag an mir, dass die Maraars sich mir gegenüber immer unfreundlicher verhielten.

»Joji, komm schnell, der Reis, den Ammumma für dich gekocht hat, ist fertig.«

Joji tapste aus dem Garten herein, mit einem strahlenden Lächeln und über und über bedeckt mit Kletten. Ihre Großmutter zupfte sie ihr von ihrem Kleidchen. Jojis Mutter, Sathi, saß träge auf der Veranda und schaute ihr zu. Mit ihren Fingern fuhr sie sich sanft durch das lange Haar; sie schien ständig damit beschäftigt, es zu glätten.

»Amma, achte aber bitte darauf, dass sie heute ihren Reis aufisst«, sagte sie, »gestern hat sie nur das Hühnchen gegessen und den Reis überhaupt nicht angerührt.« Ihre Finger waren unablässig mit ihrem Haar beschäftigt. »Janu, was sitzt du denn da herum? Oder hast du heute nicht die Absicht, dein Kind zu füttern?«

Riya spielte zu meinen Füßen, ein friedliches kleines Bündel auf seiner Schilfgrasmatte. Ich hob sie hoch, setzte sie auf meine vorgeschobene Hüfte und ergriff mit meiner freien Hand einen Teller. Es gab so vieles, was ich in der letzten Zeit gelernt hatte. Beispielsweise einen Sari zu tragen, durch den Regen zu gehen, ohne dass der Saum meines Saris nass wurde, und Reis und Quark auf einen Teller zu häufen, Salz darüber zu streuen, das Ganze zu einem weißen Haufen zu vermischen und ein Baby, das auf einer vorgeschobenen Hüfte hockte, damit zu füttern. Ich hatte gelernt, nicht zu erwarten, dass irgendjemand mir dabei half, Riya großzuziehen. Die Illusion des heiß ersehnten und viel geliebten Enkelkinds, das mir helfen würde, in dieser Familie akzeptiert und in doppelter Hinsicht befördert zu werden, war nach meiner Rückkehr aus Delhi rasch zerronnen. Amma hatte bereits drei wunderschöne Enkeltöchter und jetzt auch noch einen Enkel in Madras, der, obwohl weit fort, allein deshalb als kostbar galt, weil er der lang ersehnte männliche Nachkomme war. Riya, die Enkeltochter Nummer vier, zeichnete sich in keiner Weise vor den anderen aus. *Und* sie ähnelte mir. Aber, und das wog am schwersten, durch sie war ich am stärksten verletzlich, und jeder wusste das.

Ich nahm den Teller mit Reis und Quark und trug ihn in den Garten hinaus. Der Garten war zu unserem, Riyas und meinem, großen Esszimmer geworden, zum Teil, weil es mir kaum gelang, Riya an einem Tisch zu füttern, ohne dass am Ende mein Haar und mein Gesicht völlig verschmiert waren. Der Garten bot uns außerdem die Möglichkeit, uns dem Leben im Hause zu entziehen, das sich weitgehend um die kleine Joji drehte. Sathis süße kleine Vierjährige, die so entzückend lispelte, dass sogar Ammas Gesichtszüge weicher wurden. Der Garten war erfüllt vom Summen der Insekten. Riya gluckste und gurgelte vor Vergnügen und hopste beim Anblick einer Libelle, die über unseren Köpfen kreiste, begeistert auf meiner Hüfte auf und ab. Ich brachte sie zu der Stelle, an der ich sie am leichtesten zu einer kleinen Mahlzeit verführen konnte, dem Jambakkyabaum, dessen Zweige zu dieser Jahreszeit schwer trugen an glänzenden, rosafarbenen Früchten. Entzückt schaute Riya nach oben und griff mit ihren plumpen kleinen Fingern nach einem der rosafarbenen Plastikspielzeuge, die nur zu ihrem Vergnügen dort baumelten, während ich rasch ein wenig Reis in ihren Mund schaufelte.

Das Licht der Nachmittagssonne tropfte durch die dichten Blätter. Trotz des Schattens war es heiß, und ich konnte fühlen, wie mein Sari feuchtkalt an meinem nackten Oberkörper klebte. In Kerala war es immer heiß, außer wenn der Himmel am ersten Schultag jeden Jahres Sturzbäche schickte. Den ganzen Mai über schienen die Monsunregen geduldig zu warten, an trägen, langen, heißen Nachmittagen den Rest der Sommerferien zu vertrödeln. Aber fast ohne Ausnahme begann der Himmel am ersten Juni jeden Jahres, wenn sich die Kinder mit ihren neuen Halbschuhen den neuen Büchern und frisch gewaschenem Haar auf den Weg zur Schule machten, drohend zu grollen. Innerhalb von Minuten wurde es dunkel, die Schleusen des Himmels öffneten sich, und der Regen prasselte hernieder.

So wie vieles andere in Kerala akzeptierte man diese Tatsache gleichmütig und fröhlich. Niemand kam jemals auf die Idee, den Tag des Schulbeginns vor- oder zurückzuverlegen, und seit Generationen hatten die Schulkinder in Kerala am ersten Tag des Schuljahres ihren Spaß daran, bis auf die Haut nass zu werden.

Ich hatte mittlerweile aufgehört, mich an die entsprechenden Jahreszeiten in Delhi zu erinnern ... Mai? Oh, jetzt ist es dort gewiss glühend heiß ... Dezember? Jetzt isst man dort wahrscheinlich Winteräpfel – Kunyachen schickt jedes Jahr eine Steige aus Simla ... Oktober? Jetzt liegt Delhi sicher im Dunst des Rauchs der Dussehra-Holzfeuer, der alles schöner aussehen lässt, als es wirklich ist ...

Ich hatte mittlerweile aufgehört, nachzurechnen, wie viel Uhr es jetzt in England war. Eins-minus-viereinhalb (oder eins-minus-*fünf*-einhalb von Oktober bis März) ... 8Uhr30 morgens, Arjun ist jetzt wahrscheinlich in einer Vorlesung. Fünf Uhr nachmittags, jetzt ist er bestimmt auf dem Kricketfeld. Sieben Uhr abends, dort, wo er wohnt, wird es jetzt dunkel. Ich war mir sicher, dass er nur sehr selten an mich dachte. Arjun war ein Traum, der in meiner Erinnerung mehr und mehr verblasste, aber gelegentlich ging mir der Gedanke durch den Kopf, Suresh und Kerala zu verlassen und vielleicht nach Delhi zurückzukehren. Meinen Abschluss am College hatte ich auf einen späteren Zeitpunkt verschoben, vor allem Riyas wegen. Wenn ich nach Delhi zurückkehrte, könnte ich mich vielleicht erneut meinem Studium widmen, und meine Eltern könnten mir helfen, indem sie sich um Riya kümmerten. Ich suchte nach Rechtfertigungen – ich hatte meiner Ehe eine faire Chance gegeben, niemand konnte abstreiten, dass ich mich nach Kräften bemühte, meine Persönlichkeit von Grund auf verändert hatte, damit ich zu den Maraars passte. Für mein Scheitern war ich deshalb gewiss nicht allein verantwortlich. Auch meine Eltern würden das einsehen. Ich hatte versucht, ihren Wünschen zu entsprechen, und jetzt würden sie mich unterstützen, dessen war ich mir sicher.

Ich sollte nie die Gelegenheit bekommen, es herauszufinden. Im Juli jenes Jahres war das Schrillen des Telefons mitten in der Nacht nur der Anfang einer Serie von Alpträumen. Dad war in seinem Büro einem plötzlichen Herzanfall erlegen, er starb einen Monat, bevor er in Pension gehen sollte. Meine Erinnerungen an diese schreckliche Zeit sind nur sehr vage. Riya, die aufgewacht war und schrie, ohne zu wissen, warum, Achen, der die Anrufe entgegennahm, Suresh, der versuchte, freundlich zu mir zu sein, während ich um meinen Vater weinte ... Die Anrufe kamen in unregelmäßigen Abständen. Irgendjemand entschied (wer es war, weiß ich nicht mehr), dass Ramana nach Delhi fliegen und die Vorkehrungen treffen sollte, um Dads Leiche mit Indian Airlines nach Kerala überführen zu lassen. Damit er in die Stadt zurückkehren konnte, die er so sehr geliebt hatte. Der liebe, freundliche, unerschütterliche Ramana würde Ma in den praktischen Dingen des Lebens besser unterstützen können als sonst irgendjemand.

Suresh und ich fuhren am nächsten Tag zum Flughafen, um sie abzuholen. Mas Gesicht sah aus wie das eines verwirrten kleinen Mädchens. Plötzlich wirkte sie schrecklich jung und verletzlich. Wir fielen einander in die Arme.

»Moley, du bist alles, was ich noch habe ...«, flüsterte sie schluchzend, als wir uns, Trost suchend, aneinander klammerten. Wer hätte wissen können, wie viel Schmerz, wie viel Kummer uns noch bevorstand?

Dad wurde am folgenden Tag eingeäschert. All seine Verwandten und die Menschen, die ihn liebten und mochten, kamen, um von ihm Abschied zu nehmen. Es gab so vieles, was den Menschen absurd erschien. Es erschien absurd und sinnlos, dass die arme kleine Ammumma aus Thoduporam noch immer lebte und ihren geliebten Sohn um zwei ganze Jahre überleben würde. Sie kam mit dem Flug aus Bangalore und wurde direkt zum Krematorium gefahren. Die Leute drängelten und hoben die Köpfe, um besser sehen zu können, als sie sich aus den Armen ihrer Tochter losriss und, ihre Arthritis vergessend, dorthin rannte, wo Dad aufgebahrt war. Sie warf sich auf ihn und rief klagend: »Endey mon! Wie kannst du gehen, ohne mich mitzunehmen!« Und dann, das Gesicht dem beschämt schweigenden Himmel zugewandt: »Guruvayurappa! Schau ihn dir an! So jung! Warum hast du *mich* nicht genommen?«

Dies war zu viel, sogar für die Unbeteiligten, die sich eingefunden hatte. Menschen, die uns noch nicht einmal kannten, begannen zu klagen und sich auf die Brust zu schlagen, sich wahrscheinlich an ihre eigenen schlimmsten Kümmernisse erinnernd ... »Ishwara!«, riefen sie, »was hat diese arme Frau getan, dass ihr Sohn vor ihr sterben musste! Welche schreckliche Sünde hat sie begangen, um dies zu verdienen!«

Ich wollte aufstehen und ihnen erklären, dass meine Ammumma ein tapferes, untadeliges Leben geführt hatte. *Und* dass sie Dutzende von Kindern Lesen und Schreiben gelehrt hatte. Dies war nur ein furchtbarer, schrecklicher, sinnloser Fehler. Aber sie hätten mich nur ungläubig angeschaut. Fehler? Sinnlos? *Nichts* ist jemals sinnlos, hätten sie gesagt – und Jahrhunderte indischer Tradition hätten ihnen Recht gegeben. Es gibt *immer* einen Grund für alles, und alles hat einen Sinn.

Später in jenem Monat begleitete ich Ma nach Delhi, um ihr zu helfen, ihre Sachen für den Umzug nach Alleppey zusammenzupacken. Jeder wusste, dass sie und Ammumma, die ebenfalls seit so vielen Jahren verwitwet war, einander unterstützen und Gesellschaft leisten würden. Vielleicht, so sagte man, wäre es für Ma tröstlich, in das Haus ihrer Kindheit gehen zu können. Wir brauchten eine Woche, um all die Dinge, die Ma und Dad in ihrem gemeinsamen Leben angesammelt hatten, in ein paar große Truhen zu packen. Dinge, die sie im Laufe der Jahre erworben hatten, um sich in der Zeit ihres Ruhestands daran zu erfreuen.

Als die erbarmungslose Hitze Delhis die Straßen in eine klebrige weiche Masse verwandelte, kamen Nachbarn und Freunde mit Chappatis und Lebensmitteln vorbei, um sich von Ma zu verabschieden. Aber trotz meiner tiefen Trauer über den Tod meines Vaters ging mir ein Gedanke durch den Kopf, dessen ich mich im Grunde meines Herzens schämte. Nicht nur verlor ich, einen nach dem anderen, die wenigen Menschen, die mich wirklich liebten. Mit dem Verlust meines Vaters war mir auch ein Fluchtweg abgeschnitten. Delhi war für mich kein Ort mehr, wohin ich mich flüchten konnte. In meinem Elternhaus würde jetzt eine andere Familie mit ihren eigenen Freuden und Sorgen leben. Wohin sollte ich mich jetzt wenden, wenn ich Kerala mit einem Baby und ohne eine Ausbildung verließ?

Aber trotz allem gab es in jenen dunklen, kummervollen Monaten auch einen Hauch von Hoffnung. Ma lebte jetzt nur zwei Stunden entfernt. Selbst wenn ich mich dem Leben bei den Maraars nicht auf Dauer entziehen konnte, konnte ich ihm wenigstens für ein paar Tage entfliehen, indem ich nach Alleppey reiste. Das tröstete mich für den Augenblick. Natürlich konnte ich Ma nicht mit meinen Problemen belasten. Ein Blick in ihr trauriges Gesicht genügte, um auch nur die geringste Klage, die über meine Lippen kommen könnte, zu ersticken. Ich würde ihr nicht noch mehr Kummer und Sorgen aufbürden. Ich würde jetzt einfach mein Leben weiter leben und mich darauf konzentrieren, meinen Abschluss zu machen.

9

»Aber ich sag's dir doch, irgendetwas stimmt nicht mit dem Kind.«

Im Laufe der Zeit hatte ich es gelernt, Ammas düstere Prognosen zu ignorieren. Ich war gewappnet gegen ihre Kränkungen, vor allem, was die Sticheleien gegen meine Tochter anging.

»Schau nur, wie ihr Mund ständig offen steht. Mittlerweile sollte sie gelernt haben, ihren Speichel herunterzuschlucken. Joji konnte sich schon auf den Bauch drehen, als sie drei Monate alt war. Und dieses Kind versucht es noch nicht einmal!«

Ich blieb gelassen, auch in Anbetracht all ihrer spitzen Bemerkungen. Immer waren Vinnu oder Annu oder Joji kräftiger oder hübscher oder lernten schneller. Riya würde niemals den Erwartungen der Maraars entsprechen – ebenso wenig wie ich selbst. Ich betrachtete Riya, die in einem dünnen Musselinkleidchen mit gelben, fröhlich hüpfenden Häschen auf ihrer Matte lag. Ihr Lätzchen war völlig durchnässt, aber sie gluckste zufrieden und schien sich über das, was man über sie sagte, zu amüsieren. Sie kickte mit den Beinchen in alle Richtungen, bis sie anscheinend etwas erschreckte, denn das Lächeln auf ihrem Gesicht schwand. Ich lachte, hob sie in meine Arme und drückte sie an meine Brust.

Amma stand auf und verließ das Zimmer. Ihr eigener Bruder, sieben Jahre jünger als sie, war mit einer schweren Behinderung geboren worden, mit einem Herzen, so schwach, dass er nur zwölf Jahre alt wurde. Offensichtlich war sie dadurch zu der Überzeugung gelangt, besonders qualifiziert zu sein, über bestimmte Kinder das Urteil zu fällen, es sei »irgendetwas mit ihnen nicht in Ordnung«. Meine mühsam erworbene Fähigkeit, mich gegen ihre Bemerkungen mit einem Lachen oder einem spontanen Ausflug nach Alleppey zu wehren, vermochte mir in solchen Situationen zu helfen und ärgerte sie enorm. Sie konnte sagen, was sie wollte, ich wusste, dass mein Baby wunderschön war und zu meiner besten Freundin heranwachsen würde.

Einen Monat später fand ich heraus, dass ich mich geirrt hatte. Dr. Sasi-der-berühmte-Urologe hatte Besuch von einer alten Freundin, einer Kinderärztin. Amma bestand darauf, Riya von ihr untersuchen zu lassen, und so fuhren wir eines Abends hin. Ihr riesiges, modernes Haus war ausgestattet mit sämtlichen technischen Spielereien, die Dr. Sasi während seines zweijährigen Aufenthalts als leitender Arzt in einem Krankenhaus in Newcastle kennen und schätzen gelernt hatte. Dies war, was mich betraf, ein Besuch wie alle anderen, außer dass Dr. Vijaya erklärte, wer und wessen Tochter ich sei. Aber wenig später, Riya als Vorwand benutzend, flüchtete ich in Sathis geometrisch angelegten Garten und zeigte meiner Tochter die Edelsittiche in ihrem Käfig und die Gartenzwerge, die so grausam aus ihrer Heimat England verschleppt worden waren. Schon jetzt waren sie sichtbar verblasst, derjenige mit der Angel brauchte dringend eine neue Hose, da die alte in der Hitze der Mittagssonne fast völlig abgeblättert war.

Als ich mich wieder auf Sathis Sofa niedergelassen hatte, schaute ich zu, wie die Kinderärztin Riya untersuchte. Ihr Gesichtsausdruck war ernst, und ich spürte, wie Angst in mir aufstieg. Ich konnte das langsame Ticken der Küchenuhr hören, die Sathi so sehr gefiel, dass sie nun im Wohnzimmer hing. Ich hoffte noch immer, der finstere Ausdruck auf Dr. Vijayas Gesicht würde sich von einem Moment zum anderen aufhellen. Gleich, im nächsten Moment, würde sie über das ganze Gesicht lächeln und erklären, dies sei nichts als ein schrecklicher Irrtum, Riya sei völlig gesund. Dann könnten wir alle befreit aufatmen, lachen und uns dafür entschuldigen, ihre Zeit gestohlen zu haben. Aber sie tat es nicht. Wortlos fuhr die-berühmte-Kinderärztin-Dr.-Vijaya fort, Riya, die mittlerweile unruhig zappelte und wimmerte, zu untersuchen. Da ich unbedingt wollte, dass Riya sich von ihrer besten Seite zeigte, versuchte ich sie zu beruhigen, indem ich sie auf meinem Knie schaukelte und ihr all die Süßigkeiten versprach, die sie liebte. Aber sie wehrte sich nach Kräften, und wenig später lief sie blau an und brüllte, weil die Finger der Ärztin, die ihre Schädeldecke und die Innenseite ihres Mundes abtasteten, sich allzu grob anfühlten. Und dann sah ich, wie die-berühmte-Kinderärztin-Dr.-Vijaya sich Amma zuwandte, die sie erwartungsvoll anschaute. Wie aus weiter Ferne hörte ich ihre Worte, nüchtern, flach und lieblos: »Dieses Kind ist *definitiv* geistig behindert. Es gibt *keinerlei* Zweifel, sehen Sie, sie hat alle Merkmale, ein stark gewölbter Gaumen, eine ständig vorstehende Zunge«, und sie beendete den Satz mit einer schwungvollen Handbewegung: »Tatsächlich befürchte ich, dass sie noch nicht einmal sprechen lernen wird.« Amma nickte zustimmend, und Dr. Sasi-der-berühmte-Urologe gratulierte seiner Freundin zu ihrer fachkundigen Diagnose. Sathi, meine Schwägerin, ließ weiterin die *Palaharams* und den Tee herumreichen.

Die Welt um mich herum begann sich zu drehen. Es gab kein anderes Wesen in meinem wirbelnden Universum außer diesem todunglücklichen, schreienden Baby, das sich auf einem Sofa an meinen Körper drängte. Diese Nachricht entsetzte und verängstigte uns beide gleichermaßen. Ich konnte hören, wie Riyas Herz durch die dünne, verschwitzte Baumwolle ihres Kleides hindurch ängstlich klopfte. Und in meinem Kopf hämmerten rhythmisch die Worte *geistig behindert*, aber das kann doch nicht sein, hol eine zweite Meinung ein, für wen *hält* diese Frau sich denn eigentlich, für eine *Kapazität* für Kinder mit geistigen Behinderungen, es *muss* doch einen guten Arzt in Cochin geben, oder in Trivandrum, es ist einfach nicht *wahr*, dies sind Lügen, *Lügen,* eine *Verschwörung* der Maraars, genau das ist es, eine Verschwörung, um mein Unglück endgültig zu besiegeln …

Ich stocherte, im Geiste noch immer in einer anderen Welt, in den Uppuma auf dem Teller herum, den man vor mich stellte. Mittlerweile gab Riya nur noch ein leises Wimmern von sich, vorübergehend abgelenkt durch die kleinen Brocken Uppuma, die ich in ihren Mund schob. Das Gespräch fand jetzt in einem anderen Bereich des Raumes, auf dem Sofa, statt … die Berufschancen für Kinderärzte in England, das Leben in der kalten Nässe der nördlichen Hemisphäre, Rassismus im staatlichen Gesundheitssystem Englands … Riya begann wieder zu weinen und ließ dabei kleine Bröckchen Uppuma auf meinen Arm herunterrieseln. Es war, als trüge sie plötzlich ein Armband mit der Aufschrift *definitiv* geistig behindert, das sie nun ein Leben lang nicht mehr los würde. Vor Kummer stieß sie tiefe Seufzer aus, die ihren ganzen kleinen Körper erschütterten. Selbst die glänzenden Erbsen in den Uppuma vermochten sie in dieser Situation nicht mehr von ihrem Kummer abzulenken. Ich nahm sie in die Arme und flüchtete.

Wir stolperten, im Sonnenschein blinzelnd, hinaus in den Garten. Wie seltsam, dass alles noch genauso aussah wie vorhin. Da waren die Vögel und die Bienen und die Blumen, und sie schienen nicht zu wissen, dass unsere Welt vor ein paar Minuten aus ihren Angeln gehoben worden war. Ich trug Riya zu den Edelsittichen, an denen sie immer so viel Freude hatte. Ihre plumpen Fingerchen umklammerten die Maschen des Drahtzauns, und sie begann unter Tränen zu lachen. Gemeinsam schauten wir uns an, wie die winzigen blaugelben Vögel matt von einem Ende ihres Käfigs zum anderen flatterten. Sie wirkten einigermaßen zufrieden, zwitscherten vor sich hin. Ihr armen, dummen Vögel, dachte ich, ihr wisst noch nicht einmal um eure Gefangenschaft. Die Gartenzwerge umstanden wie üblich ratlos den kleinen Zierteich und versuchten ohne Hoffnung, den Fisch zu angeln, den Sathi zu züchten versucht hatte, der aber seit langem gestorben war. Ihre glücklichen, rosigen Bäckchen verblassten im Laufe der Jahre merklich. Schließlich hatte man sie der Gesellschaft ihrer vielen Brüder auf einem englischen Marktstand beraubt, um sie in dieses heiße, stille Land zu verbannen, wo die Sonne so gnadenlos niederbrannte. Hilflose, stumme Zeugen des langsamen Mordes an Goldfischen, die einer nach dem anderen in der Hitze eines von Zement eingeschlossenen kleinen Teiches erstickten.

»Enda Riya moley? Enda karayannu?« Sathis Gärtner lächelte Riya an und sprach ein paar Worte mit ihr. Diese Art von Zuwendung liebte sie, sie ließ Riya augenblicklich dahinschmelzen. Vielleicht hätte die Ärztin mit den harten Fingern sich an ihm ein Beispiel nehmen sollen, dachte ich, als der alte Mann ihr das Ohr zuwandte, um Riyas gebrabbelte Worte besser zu verstehen. Er hüpfte auf streichholzdünnen Beinen ein paarmal in die Luft, lachte heiser und hoffte, mit ihrem üblichen Hundertwattlächeln belohnt zu werden. Aber Riyas Gesicht blieb heute ernst, und sie verzog traurig ihren Mund. An ihren Wimpern hingen noch immer dicke Tränen. Das ist überhaupt nicht lustig, schien sie zu sagen, stell dir vor, die berühmte Kinderärztin hat uns gesagt, ich würde niemals sprechen lernen! Der alte Mann legte den Kopf zur Seite und sagte ein paarmal »Aha? Aha?«, als hätte sie ihm etwas äußerst Wichtiges mitgeteilt. Dann entfernte er sich wieder, nicht ohne ihr zu versprechen, ihre Vorschläge für die Gestaltung des Gartens seiner Chefin, Sathi Kunyamma, zu unterbreiten.

Erst als wir wieder zu Hause ankamen, drangen Dr. Vijayas Worte in jenen Bereich meines Gehirns, den ich viele Jahre lang auszuschalten versucht hatte. Jener Bereich, in dem ich Schmerz und Selbstmitleid zuließ, nutzlose Gefühle, die mir niemals helfen würden, meinem persönlichen vergoldeten Käfig zu entrinnen. Ich stürzte in mein Zimmer, legte Riya auf das Bett, warf mich neben sie und weinte, als könnte ich niemals aufhören. Plötzlich öffneten sich die Schleusen für Tausende von Tränen, die ich so lange unterdrückt hatte, und meine Brust wurde von einem so heftigen Schluchzen erschüttert, dass es mich selbst erschreckte. Welchen neuen Kummer hältst du für mich bereit, Mullakkalamma? Hatte ich nicht versucht, ein untadeliges Leben zu führen? Hatte ich irgendetwas getan, was nach einer so schrecklichen, endlosen Bestrafung verlangte? Warum ich? Warum ich? Warum ich?

Ich musste etwa eine Stunde lang geweint haben und war mir nur undeutlich bewusst, dass auch Riya wieder zu weinen angefangen hatte. Ich konnte sie neben mir auf dem Bett wimmern hören. Nach einer Weile schien sie ihres Schmerzes, in dem niemand sie zu trösten versuchte, überdrüssig zu sein. Allmählich versiegten ihre Tränen, und sie begann, nur ab und zu schluchzend, ihre Zehen zu untersuchen. Auch ich wurde allmählich ruhiger. Plötzlich betrachtete ich sie, von der anderen Seite des Kissens aus, mit anderen Augen. Nicht mehr mit den Augen einer alles akzeptierenden Mutter. Sondern mit denen einer neugierigen und besorgten Fremden. Ja, es stimmte: Ihr Haar stand am Hinterkopf ab und unter jedem Auge war ein kleiner, fleischiger Wulst. Ihr Mund stand ständig offen, und sie wirkte nicht kindlich-mollig, sondern eher ein wenig aufgedunsen. Mit ihren sieben Monaten hatte sie noch nicht ein einziges Mal versucht, sich auf den Bauch zu drehen. Aber sie war trotzdem schön. Mit winzigen, perfekten Händchen und winzigen, perfekten Zehen, von denen auf jedem sein eigener, winziger, halbmondförmiger Nagel thronte. Sie hatte eine wunderschöne kleine Stupsnase, und wenn ich sie ansprach, reagierte sie mit einem Lächeln. Ein kleines Mädchen, perfekt und schön. Definitiv geistig behinderte Babys waren niemals schön, nicht wahr? Ich wusste es nicht, ich kannte keine. Ich hatte in Delhi einige Behinderte gesehen, die irgendwie seltsam aussahen und sich auf Märkten und in Bussen seltsam benahmen, und hatte rasch zur Seite geschaut, um die Verlegenheit ihrer Familien nicht noch zu verstärken. Und da war auch das Kind von einer von Sureshs Cousinen, die in Changanasseri lebte. Ich hatte es mir, traurig und fasziniert zugleich, bei einem Besuch in seinem Bettchen angeschaut; Fliegen summten um sein Köpfchen herum. Der Verstand eines Babys im Körper eines Zehnjährigen, verdammt zu einem Leben in einem Bettchen auf einer Veranda. Es gab nichts, keinen einzigen Punkt, den Riya mit dieser fremden, unbekannten Welt gemeinsam hatte. Ich würde alles daransetzen, sie davor zu schützen. Ich fühlte, wie eine plötzlich aufsteigende Angst mir den Hals zuschnürte – bedeutete ihre Behinderung, dass sie nicht mehr meine beste Freundin sein könnte? Sie würde es fast *definitiv* nicht sein können, wie Dr. Vijaya-die-berühmte-Kinderärztin so munter verkündet hatte, sie würde wahrscheinlich nicht einmal sprechen lernen. Das war jedoch eine der wesentlichen Voraussetzungen für eine Freundschaft, die Fähigkeit zu sprechen, nicht wahr?

Das Grübeln ermüdete mich. Ich erhob mich, erschöpft vom Denken und Weinen, vom Bett und nahm mir einen Lappen, um mein Gesicht zu waschen. Riya strampelte mit den Beinchen, signalisierte mir durch ihr Wimmern, ich sollte sie hochnehmen. Ich nahm sie auf die Arme und trug sie ins Badezimmer, um den Angstschweiß von ihrem kleinen Körper zu waschen. Sauber und tränenlos, aber mit verschwollenen Augen verließen wir das Zimmer. Aus der Küche konnte ich die fröhlich klappernden Geräusche hören, die das Abendessen aukündigten.

Die Fähigkeit, gemeinsam zu weinen, erzeugt eine der stärksten menschlichen Bindungen, und Riyas Probleme hätten das Mittel werden können, das mich für alle Zeiten mit meinem Mann und meinen angeheirateten Verwandten verband. Aber die Maraars gehörten nicht zu den Familien, in denen man gemeinsam weinte. Und wenn sie tatsächlich

Tränen über ihr jüngstes Enkelkind vergossen, so hielten sie sie vor mir verborgen. Seltsamerweise sah ich nicht einmal Suresh weinen. Seine Reaktion auf meinen Kummer bestand in der hartnäckigen Weigerung, zu glauben, dass ein Kind, das er gezeugt hatte, *irgendein* Problem haben könnte. Ich konnte ihn verstehen, denn mir selbst half meine eigene anfängliche Weigerung, Riyas Behinderung zu akzeptieren, die ersten Tage des Schocks und der dunklen, wirbelnden Panik zu überstehen. Aber Suresh entzog sich den Problemen, indem er für immer längere Zeiträume auf Reisen ging. Fast hätte ich ihn um diese Möglichkeit beneidet und mir gewünscht, ebenfalls mit dem munteren Schwingen einer Aktenmappe eine bevorstehende Geschäftsreise ankündigen zu können.

Ich konnte nie verstehen, wie die Maraars von Riyas offensichtlichen Problemen anscheinend völlig unberührt blieben. Dass sie mich nicht mochten, mich zurückwiesen, war zwar schmerzlich, aber wahrscheinlich hatten sie ihre Gründe dafür. Aber Riya? Sie war ihr Fleisch und Blut. Waren Ammas frühe Erfahrungen mit ihrem behinderten Bruder die Ursache für ihre Weigerung, sich mit einem weiteren behinderten Kind zu befassen? Ging es ihr um das *Image* der Familie? Konnte es tatsächlich sein, dass den Maraars der Luxus, ihre privilegierte Welt schwingender Zöpfe und seidener Saris, wichtiger war als Riya?

In dieser Phase fiel es mir selbst noch schwer, mich an die neue Situation zu gewöhnen. Ich begann, mir überall, wo ich hinkam, Babys anzuschauen, sie mit verstohlenen und neidvollen Blicken zu mustern. Ich konnte klar erkennen, dass Riya entweder Dinge tat, die andere Babys nicht taten, oder *nicht* die Dinge tat, die allen anderen so leicht zu fallen schienen. Sogar mit einem Jahr hatte sie noch immer nicht kapiert, dass Spucke im Mund bleiben und nicht *hinaus*befördert werden sollte. Um auf die Lätzchen verzichten zu können, die anderen schon aus hundert Metern Entfernung zu signalisieren schienen, dass etwas mit ihr ›nicht in Ordnung‹ war, hielt ich ständig ein Taschentuch bereit, damit ich automatisch ihr Gesichtchen oder ihr Kleid säubern konnte. Noch immer unfähig zu sprechen und anscheinend auch ohne jedes Bedürfnis, zu gehen oder zu krabbeln, hatte sie es sich angewöhnt, ein ohrenbetäubendes Kreischen von sich zu geben, das mich jedes Mal losrennen ließ, um ihr zu holen, was sie gerade haben wollte. Als ich die Hoffnung aufgegeben hatte, dass sie jemals gehen würde, zog sie sich eines Tages mit ihren Ärmchen hoch und beschloss, einen Versuch zu wagen. Sie versuchte ein paar unbeholfene Schritte, unelegant und plattfüßig – und strahlte über das ganze Gesicht angesichts ihrer neu gewonnenen Freiheit. Ich war überglücklich, aber im selben Augenblick fiel mir ein, dass andere Babys ihres Alters mittlerweile rannten und sprangen und niedliche kleine Sätze plapperten. Dass Riya anderen in ihrer Entwicklung ständig hinterherhinkte, erschwerte es mir, mich über ihre Leistungen zu freuen, auch wenn sie sich noch so viel Mühe gab. Zum Glück stellte Riya selbst sich jeder Herausforderung tapfer und freudestrahlend. Meine potenziell beste Freundin schien nicht nur die Absicht zu haben, mich ständig zu enttäuschen, sondern es schien sie auch noch zu amüsieren.

Ich war erschöpft, am Ende meiner Kräfte, erkannte aber zunächst nicht, dass es nicht Riya war, die an meinen Kräften zehrte, sondern mein Bedürfnis, sie von den Maraars akzeptiert und, wenn möglich, geliebt zu sehen. Irgendwann, ich kann den Zeitpunkt nicht mehr genau erinnern, befreite ich mich von dieser Bürde: Während der ersten Wochen und Monate nach Riyas Geburt wurde mir immer deutlicher bewusst, dass sie niemals ein Kind der Maraars sein würde. Wie sollte sie mir deren Liebe und Zuwendung sichern, da sie selbst von ihnen nicht geliebt wurde? Irgendwann gab ich den Kampf einfach auf und gewann dadurch ein fast überwältigendes Gefühl von Freiheit. Ich war mir nicht sicher, warum ich selbst nicht um mein Recht kämpfte, geliebt zu werden, und zuließ, es einfach in Vergessenheit geraten zu lassen. Ein Kind wie Riya jedoch würde, wenn es ungeliebt bliebe, langsam dahinsiechen und sterben. Konnten die Maraars nicht erkennen, wie unendlich viel Liebe Riyas kleine Seele brauchte, die nicht verstehen konnte, warum man sie zurückwies? Es war mir nicht wichtig, für meine eigenen Rechte zu kämpfen, aber Riya brauchte mich als ihre Fürsprecherin, und ich war bereit, mich mit ganzer Kraft für sie einzusetzen.

»Bist du noch immer nicht fertig, Janu? Was machst du denn eigentlich, beeil dich und gib das Kind den Dienerinnen, oder wir verpassen das Muhurtham.«

»Ich werde Riya auf keinen Fall bei Thanga lassen, Amma, sie hat überhaupt keine Geduld mit ihr. Ich glaube, manchmal ohrfeigt sie sie sogar.«

»Du meinst also, man könnte ein Kind großziehen, vor allem ein *geistig behindertes*, ohne ihm ein paar Ohrfeigen zu verpassen? Du musst den Verstand verloren haben.«

»Vielleicht habe ich das, aber ich werde nicht zu dieser Hochzeit gehen, wenn ich Riya in der Obhut dieser Thanga lassen muss.«

»Nun mach's nicht so kompliziert, was soll ich den Leuten sagen, wenn wir ohne dich dort auftauchen? Vor allem, weil du auch nicht zur Einweihungsparty von Eliyammas neuem Haus gekommen bist.«

»Ich gehe nur hin, wenn ich Riya mitnehmen kann. Es wird ihr sicher gut tun, Sathis Kinder sind bestimmt auch da.«

»Sathis Kinder sind anders. Sie sind eben gut erzogen und würden niemals auf die Idee kommen, während der Feierlichkeiten einfach loszubrüllen. Wir haben meinen Bruder auch immer zu Hause gelassen; da fühlte er sich ohnehin am wohlsten. Du solltest dich besser daran gewöhnen, Riya nicht überallhin mitzunehmen. Ich werde es nicht zulassen, dass die Leute mit den Fingern auf uns zeigen und uns bemitleiden. Unsere Familie wurde in dieser Stadt immer bewundert.«

Auch ohne Worte gelang es Riya, mir deutlich zu machen, dass Ausfahrten und Festlichkeiten ihr großen Spaß bereiteten. Die Fahrer der Familie beschrieben sie mittlerweile schmunzelnd als das neueste Autozubehör, da sie sich ständig an das eine oder andere Armaturenbrett klammerte. Ich entgegnete mit demonstrativer Entschlossenheit: »Ob es dir nun gefällt oder nicht, Riya ist nicht einer von Sathis Edelsittichen, die man ein Leben lang in einen Käfig sperren kann. Entweder kommt sie mit zu dieser Hochzeit, oder wir bleiben beide zu Hause.«

Amma wich einen Schritt zurück; ihre Augen hinter den dicken Brillengläsern blickten erschrocken und empört zugleich. Sie war es nicht gewöhnt, dass jemand ihre Pläne durchkreuzte, und die ungewohnte Schärfe in meiner Stimme überraschte sie. Danach durften Riya und ich immer häufiger zu Hause bleiben; das war immerhin besser, als den Leuten in der Stadt Grund zu geben, einander mitleidig in die Rippen zu stoßen und sich hinter vorgehaltener Hand über Riya zu unterhalten. Nach und nach begannen Riya und ich die Zeit, die wir so für uns hatten, zu genießen. Wir entzogen uns einfach der ermüdenden Routine von Hochzeiten und Verlobungen und Besuchen bei den Cousinen irgendwelcher Schwägerinnen. Nachdem alle anderen das Haus verlassen hatten, rollten wir eine Rattanmatte auseinander und schütteten reichlich Spielzeug und Bücher darauf. Und wenn wir dann nebeneinander auf der Matte lagen, während die Sonnenstrahlen durch die schmiedeeisernen Fenstergitter drangen und der Deckenventilator leise quietschend kühle Luft auf uns hinabfächelte, war es fast möglich, mir so etwas wie Glück vorzustellen.

Suresh zog sich in den ersten Jahren nach Riyas Geburt immer mehr von uns zurück. Bedrängt von einem Vater, der zugleich sein Chef war, einer scharfzüngigen Mutter, einer fordernden jüngeren Schwester, einer jungen Ehefrau, die sich ständig beklagte, und einem Baby, das nicht all die charmanten Dinge tat, die andere Babys taten, geriet er immer häufiger in Versuchung, sich sooft wie möglich außerhalb seines Zuhauses aufzuhalten. Er musste viele dringende Geschäftsreisen nach Trivandrum und Cochin und Bombay unternehmen. Ich sah ihm häufig zu, wie er seine Koffer in bester Stimmung und mit großer Vorfreude packte: bequeme Hotelzimmer, vorteilhafte Geschäftsabschlüsse, Geschäftspartner, mit denen er sich an die Bar setzen konnte, und die Aussicht auf eine Flasche Jack Daniels erschienen ihm zweifellos reizvoller als das, was er zu Hause erlebte.

Ich dagegen beobachtete die Vorbereitungen zu seinen Reisen mit zunehmendem Gleichmut. Anfangs hatte ich mich einsam gefühlt, wenn ich mit den übrigen Familienmitgliedern allein zurückblieb, und dieses Gefühl irrtümlich als Liebe zu Suresh interpretiert. Er war der einzige Mensch, dem ich mitzuteilen versucht hatte, wie einsam und traurig ich mich fühlte. Aber er schien weder etwas dagegen tun zu können noch besonders daran interessiert zu sein, eine Lösung zu finden; diese Tatsache musste ich akzeptieren. Ich suchte verzweifelt nach einem Verbündeten, musste aber immer wieder feststellen, dass der Mensch, der mir eigentlich am nächsten stehen sollte, völlig mit seinen eigenen Angelegenheiten beschäftigt war und sich meist nichts sehnlicher wünschte als einen steifen Whisky.

Als Riya drei wurde, hatte ich akzeptiert, dass es für sie in Sureshs Leben nur wenig Raum geben würde. Zumindest lehnte er sie nicht völlig ab, und bei den seltenen Gelegenheiten, wenn er sie in die Arme nahm oder in die Luft warf und sie vor Vergnügen gluckste, wurde mir warm ums Herz. Aber selbst ich musste erkennen, dass sie im Grunde für Suresh eine schreckliche Enttäuschung und eine Last darstellte. Es war lästig, sie zu Ärzten und Therapeuten zu bringen. Es war lästig, dass seine Mutter sie nicht liebte. Es war lästig, wie sehr mich der Alltag mit meinem behinderten Kind auslaugte. Er hatte deshalb eine Frau an seiner Seite, die sogar noch reizbarer war als ohnehin. Es war vor allem lästig, dass eine Zukunft mit einem Kind wie Riya anscheinend keine Perspektive bot. Die Töchter der meisten anderen Männer gingen irgendwann zur Schule, nahmen am Musikunterricht teil und heirateten in gute Familien hinein. Aber was Riya brauchte, war völlig unklar und darüber nachzudenken erschreckend. Es war leichter, so zu tun, als existierte das Problem einfach nicht.

»O Suresh, wie kannst du bloß so altmodisch sein, man schließt Kinder wie Riya nicht mehr irgendwo weg, auch wenn deine Mutter dieser Ansicht zu sein scheint. Es muss in Kerala doch auch Sonderschulen und spezielle Behandlungszentren geben.«

»Zu Hause ist sie in Sicherheit und versorgt. Wir können

sogar eine Frau anstellen, die sich ausschließlich um sie kümmert; dann hast du nicht mehr so viel Arbeit mit ihr.«

»Du weißt genauso gut wie ich, dass es mir nichts ausmacht, mich intensiv um sie zu kümmern. Riya zu betreuen ist unendlich viel befriedigender, als bei irgendwelchen langweiligen Hochzeiten meine Anwesenheit zu demonstrieren. Ich hasse diese ekelhaften *Sadyas*; ich habe im Laufe der letzten Jahre mindestens hundert davon gegessen. Riya muss eine Schule besuchen, so wie jedes andere Kind auch. Jemand hat mir neulich von einer speziellen Einrichtung in der Nähe von Palamukku erzählt, direkt hinter der Hauptpost. Ich werde mich mal erkundigen, was für eine Schule das ist.«

Die Schule war, wie sich zeigte, ein ziemlich trostloser Ort, mit zwanzig Kindern unterschiedlichen Alters und mit unterschiedlichen Behinderungen. Sheela Kuriakose, die Leiterin, schien allerdings das Herz auf dem rechten Fleck zu haben; sie hatte in England eine Ausbildung zur Sonderschullehrerin absolviert. Aber als ich sie nach ihren Lehrerinnen fragte, ließ sie ihren Blick müde durch den kleinen Raum schweifen.

»Wir müssen erst mal drei Jahre lang existiert haben, bevor wir irgendwelche Zuschüsse von der Regierung bekommen. Im Augenblick können wir es uns einfach nicht leisten, qualifizierte Lehrer zu bezahlen, deshalb müssen wir auf freiwillige Helfer und Leute zurückgreifen, die bereit sind, für einen Hungerlohn zu arbeiten. Wenn wir damit anfangen, den Eltern dafür Geld abzunehmen, dass sie ihre Kinder in unsere Schule schicken, dann schicken sie sie einfach nicht mehr. Warum sollten sie auch? Es ist einfacher für sie, das Kind zu Hause von einer Hausangestellten betreuen zu lassen.«

Ich machte einen kleinen Rundgang durch die Schule, die

aus zwei Klassenräumen bestand. Es war Mittag, und die Schüler und Schülerinnen saßen um zwei lange, mit Wachstuch bedeckte Tische herum. Alle, sogar die im Teenageralter, trugen Lätzchen. Obwohl das Geschirr laut klapperte und das Essen anscheinend überall landete außer dort, wo es hin sollte, waren die Kinder während des Essens ungewöhnlich still. Kein Wort wurde gesprochen. Man hörte nur die Stimmen der Lehrerinnen, die ermutigten oder tadelten – nicht das fröhliche Geschnatter von Kindern, die gemeinsam in der Schule ihr Mittagessen einnehmen. Keine langatmigen Erklärungen, um das monotone Gericht aus Reis und Quark nicht essen zu müssen, kein »Brrrumm-Brrrumm« eines auf dem Wachstuch entlangsausenden Löffels, der sich in einen Lastwagen verwandelt hatte, kein Versuch, einen heimlichen Tauschhandel zu machen (Hör mal ... ich geb dir mein Idli, wenn ich dein Sandwich haben kann).

Ein Kind schien die gleiche Menge an schleimigem Reis auszuspucken, wie in seinen Mund hineingelöffelt wurde. Ich beobachtete fasziniert und entsetzt zugleich, wie die Lehrerin die Wangen des Kindes mit den Fingern zusammendrückte, um den Löffel in die dadurch entstandene kleine Öffnung schieben zu können. In der Sekunde, die sie brauchte, um den Löffel erneut zu füllen, rutschte der Schleim am Mundwinkel des kleinen Mädchens wieder heraus und tropfte in seinen Schoß. Mit ein wenig Humor hätte man die kleine Szene vielleicht sogar lustig finden können. Aber als ich die völlige Hilflosigkeit in den Augen des Mädchens sah, legte sich eine eisige Hand um mein Herz. Wollte sie wirklich, dass der Schleim in ihren Mund hinein- und nicht hinausbefördert wurde? Hasste sie das Zeug? Wollte sie vielleicht lieber ein *Sandwich*?

Als ich die Schule, Riyas kleine Hand fest umklammernd, verließ, klopfte mir das Herz noch immer bis zum Halse. Sie schaute zu mir empor, brabbelte unverständliche Worte vor sich hin und lächelte strahlend, weil sie wusste, dass wir noch eine weitere Autofahrt vor uns hatten. Ich konnte mir nicht vorstellen, wie sie sich in dieser trostlosen Umgebung wohl fühlen sollte. Im Laufe der Zeit hatte sie sich immer mehr zu einem kecken kleinen Mädchen mit einer ausgeprägten Persönlichkeit entwickelt. Obwohl ihr Vokabular sich noch immer auf einige wenige Worte beschränkte, denen sie sehr häufig das gereizte ›Poda‹ hinzufügte, das sie von den Hausmädchen aufgeschnappt hatte, hatte sie mittlerweile gelernt, ihre Gefühle mit vielen klangvollen Lauten, begleitet von temperamentvollen Handbewegungen, zum Ausdruck zu bringen. Der Orthopäde hatte noch nie ein Kind mit so stark ausgeprägten Plattfüßen gesehen, und sie musste schwere schwarze Schuhe tragen, die ihrem Gang etwas Lautes, Schwerfälliges verliehen. Aber sie war neugierig und selbstbewusst, und ihr Lächeln wärmte mir das Herz. Ma und Ammumma hatten Ramama gebeten, sich nach Spezialisten für lernbehinderte Kinder zu erkundigen, und ich reiste nach Bangalore, um dort einen Arzt zu finden, der eine Diagnose stellen würde, die möglicherweise weniger schrecklich klang als ›geistig behindert‹. Aber es war sinnlos, und überall, wohin wir kamen, konnten wir die Diagnose an den neugierigen Blicken und den Rippenstößen ablesen: ›Aiyyo paavam, das Kind ist geistig behindert, das sieht doch jeder.‹

Ich wollte für Riya etwas Besseres als Sheela Kuriakoses Sonderschule. Ich hatte vor kurzem in einer Zeitschrift gelesen, dass man im Westen neuerdings behinderte Kinder in normale Schulen ›integrierte‹. In England und Amerika würden sie in normale Schulen aufgenommen, was auch auf die anderen, nicht behinderten Kinder eine positive Wirkung habe. In Kerala war ich gelegentlich der Leiterin der örtlichen Grundschule begegnet. Sie war um die fünfzig und strahlte nüchterne Kompetenz und Entschlossenheit aus. Vielleicht könnte ich sie überreden, Riya in ihre Vorschulklasse aufzunehmen.

Sie war einverstanden, dass Riya im Sommersemester, nach ihrem vierten Geburtstag, in die St.-Thomas- Kindertagesstätte ging. Sie hatte meinen Erklärungen aufmerksam zugehört und mir zugestimmt, diese Lösung könnte für alle Kinder des Kindergartens vorteilhaft sein. Riya würde die Schuluniform tragen und sich bemühen müssen, sich so gut wie möglich anzupassen. Aber wenn von den anderen Eltern Beschwerden kämen oder wenn die Lehrerinnen das Gefühl hätten, sie würden mit ihr nicht fertig, dann müsste sie die Vorschulklasse wieder verlassen und ich müsste eine andere Schule für sie suchen. Ich war überglücklich. Endlich ein Anschein von Normalität! Vor meinem geistigen Auge sah ich Riya, wie sie Freundschaften schloss und lernte, ein wenig unabhängiger von mir zu werden.

Und so stiefelte Riya jeden Morgen mit ihrer schokoladenbraunen Uniform und einer nagelneuen Schulmappe, dekoriert mit einem Bild von Mickymaus, in die Vorschule. Stolz und glücklich stand ich zusammen mit den anderen Müttern um ein Uhr vor dem Schultor, um auf den Augenblick zu warten, wenn die Glocke läutete und die Kinder lärmend auf uns zu rannten. Ich liebte den Anblick, wenn Riya, ihre eigene Schulmappe und eine Wasserflasche in der Hand, mir am Ende des Unterrichtstages entgegenstapfte. Mein Kind ging zur Schule! Dies war ein erster kleiner Schritt; ich war nicht bereit, mir schon jetzt Sorgen über die Zukunft zu machen. An dem Tag, an dem Riyas Klassenkameraden das Alphabet lernten, das sie nie begreifen würde, oder an dem Tag, an dem sie sich alle zusammenrotteten und sie hänselten, weil sie anders war und nicht so sprechen konnte wie sie. Selbst wenn das in einem Jahr oder in sechs Monaten tatsächlich geschehen würde, wollte ich jetzt noch nicht daran denken. Ich war einfach glücklich, dass mein kleines Mädchen jetzt ein Schulkind war.

Aber am Ende blieb Riya noch nicht einmal ein Semester lang in der St.-Thomas-Vorschule. Irgendwann wurde beschlossen, Tests zu machen. Ich hörte zuerst vor den Schultoren davon.

»*Tests?* Aber die Kinder sind doch erst vier!«

»Ich weiß, aber die Lehrer müssen entscheiden, ob sie schon jetzt in die erste Klasse gehen können oder noch nicht«, erwiderte die junge Mutter, mit der ich mich am Tor angefreundet hatte.

»Was für Tests? Was muss man dafür wissen?«

»Oh, sie müssen das Alphabet aufsagen, bis zehn zählen, vor und rückwärts, Humpty Dumpty und die Nationalhymne singen ...«

»Die Nationalhymne! Von zehn *rückwärts* zählen! Riya weiß noch nicht einmal, was eine Zahl ist, geschweige denn, dass sie zählen könnte. Kennt Ihre Vrinda denn schon die Zahlen?«

»Nun ja, sie weiß nicht genau, was Zahlen sind, aber ich habe jeden Abend mit ihr geübt, also kann sie sie zumindest aufsagen ...« Als sie meinen Gesichtsausdruck sah, fügte sie hinzu: »Aber das können Sie Ihrer Tochter doch auch beibringen. Sie sagen einfach immer wieder die Buchstaben und die Zahlen auf. Dann wird sie sie schon lernen.«

Nein, wird sie nicht, du blöde Gans, dachte ich, ihr Gehirn arbeitet anders als das deiner Tochter. Selbst die einfachsten Informationen, selbst ein paar Zahlen und Buchstaben wirbeln in ihrem Kopf herum, ohne an ihrem Ziel anzugelangen. Wie in einem Postamt, in dem alles drunter und drüber geht. Es ist hoffnungslos, von ihr zu verlangen, vorwärts, geschweige denn *rückwärts* zu zählen.

Als ich in das Büro der Schulleiterin gebeten wurde, wusste ich, dass das nichts Gutes zu bedeuten hatte. Ihre Augen blickten streng, nicht mehr so freundlich wie zu Anfang, und neben ihr saß Lisa, Riyas hübsche kleine Klassenlehrerin. Lisas Stimme hatte den mir bereits vertrauten ›Ich-tue-ja-nur-mein-Bestes‹-Tonfall.

»Wir bemühen uns alle, Riya zu helfen, aber sie weigert sich, sich selbst helfen. Ich glaube wirklich, wir haben alles versucht, aber leider gibt es nichts mehr, was wir für sie tun können.«

Zu erschüttert, um irgendetwas zu erwidern, saß ich wie gelähmt auf meinem Stuhl und bemühte mich, gefasst zu bleiben. Durch mein Schweigen ermutigt, redete Lisa weiter, wobei ihre Stimme allmählich zorniger wurde.

»Hier, sehen Sie sich doch bitte mal an, was bei ihren Tests herausgekommen ist.«

Ich sah auf ein paar große Bögen hinab. An irgendeiner Ecke bemerkte ich eine winzige Bleistiftkritzelei.

»Und nun sehen Sie sich an, was die anderen Kinder gemacht haben.«

Ein Blatt nach dem anderen war gefüllt mit Häusern, Bäumen, Bergen, Flüssen und einige waren sogar mit bunt ausgemalten Figürchen beklebt.

»Ich könnte Riya noch nicht einmal erklären, was ein Berg ist, geschweige denn, dass sie fähig wäre, einen auf ein Blatt zu malen ...«, sagte ich flehend.

»Vielleicht hätten Sie zu Hause ein bisschen mehr mit ihr üben sollen, bevor Sie daran dachten, sie in die Schule zu schicken.« Lisas hübsches Gesicht strahlte jetzt Härte und Unnachgiebigkeit aus. Sie gab mir die Schuld an Riyas Unvermögen! Ich wandte mich an die Leiterin und bat sie mit flehender Stimme, ihr noch eine Chance zu geben, es wenigstens noch ein Semester lang mit ihr zu versuchen. Aber ihr Gesicht war ebenso hart und verschlossen wie Lisas.

»Bitte geben Sie sie nicht auf; ich werde alles versuchen, ich werde jeden Tag zu Hause mit ihr üben.« Aber Riya schaffte es noch nicht einmal, zwei Minuten lang stillzusitzen, deshalb klang das Versprechen sogar in meinen Ohren hohl. »Ich weiß, dass es für Sie eine Art Experiment ist, aber Sie hatten mir doch versprochen ... Wir waren uns doch beide einig ... Es ist doch wahrscheinlich auch für die anderen Kinder eine wertvolle Erfahrung, Riya in ihrer Klasse zu haben ...«

»Wir waren uns bisher über überhaupt nichts einig, und versprochen haben wir Ihnen schon gar nichts. Bitte zitieren Sie mich nicht falsch. Ich hatte gehofft, Ihnen helfen zu können, aber ich glaube nicht mehr daran.«

»Bitte ... Es gibt keine andere Schule, in die ich sie bringen könnte ...«

Es war, als redete ich gegen eine Wand aus dicken Backsteinen. Zwei Wände, die ebenso unfähig waren, irgendetwas zu begreifen, wie meine Riya mit ihrem schlecht funktionierenden kleinen Gehirn. Ich stand von meinem Stuhl auf und floh in Tränen aus dem Schulbüro.

Die Kinder schauten verblüfft und schweigend zu, als ich in ihre Klasse stürzte und Riyas Mickymaus-Schulsachen zusammenraffte, die in einem fröhlichen Haufen neben Tom-und-Jerry-Ranzen und Barbie-Wasserflaschen lagen.

»Wo ist sie?«, fuhr ich eine erschrockene Unterrichtshelferin an. Sie zeigte auf eine kleine Gruppe Kinder, die plötzlich aufgehört hatten, einander mit Farbe zu bespritzen, um dem Drama zuzuschauen, das sich ihnen plötzlich darbot. Riya, das Gesicht purpurrot gefärbt, schenkte mir ein verblüffend weißes Lächeln. Ich bahnte mir den Weg durch das überfüllte Klassenzimmer und packte sie an der Schulter.

»Warum ist deine neue Schuluniform von oben bis unten mit Farbe beschmiert?«

Ihr weiß-purpurrotes Lächeln verschwand, und sie begann zu wimmern.

»Warum heulst du, du dummes, dummes Ding ... Nichts als Probleme hat man mit dir, und dann fängst du auch noch an zu heulen!«

Ich fürchtete, meine Stimme könnte überschnappen, deshalb packte ich sie mit beiden Händen und schüttelte sie. Als sie zu brüllen begann, hob ich die Hand und ließ kleine, harte Schläge auf ihre Schulter und ihren Rücken niederprasseln.

»Was gibt es denn da zu heulen?! Warum *heulst* du, verdammt noch mal?«

Plötzlich war ich mein Vater und verprügelte den Menschen, den ich am meisten liebte, weil genau dieser Mensch, den ich am meisten liebte, nicht tun wollte, was ich von ihm verlangte. Sie wollte keine Berge zeichnen, und sie wollte keine Menschen zeichnen, und sie wollte keine Bäume zeichnen. Sie wollte nichts anderes tun als *kritzeln*! Ich hatte mein Bestes getan ... ich hatte mich in meinem neuen Leben so weitgehend wie möglich angepasst ... ich hatte alles getan, was man von mir verlangt hatte ... Warum konnte sie nicht ... Warum konnte sie nicht ... Warum konnte sie nicht?

Ich nahm vage wahr, dass die anderen Kinder ebenfalls anfingen zu weinen und zu brüllen, und stolperte mit leerem Blick aus der Klasse, eine mit purpurroten Streifen beschmierte Riya hinter mir her zerrend. Ich drängte mich an entsetzt aussehenden Eltern vorbei, die gehorsam hinter dem Schultor warteten, nahm Riya auf den Arm und bahnte mir, so schnell ich konnte, meinen Weg durch die vielen Menschen auf der Straße. Riyas Schultasche und Wasserflasche schleiften im Staub hinter uns her. Ich hatte nur einen einzigen Wunsch: mich so weit wie möglich von der Schule zu entfernen. Ich musste die größtmögliche Distanz zwischen uns und dieser schrecklich normalen Welt herstellen, in der Kinder purpurrote Berge malen und die Nationalhymne singen und von Zehn rückwärts zählen konnten. Wir würden niemals dazugehören.

Im nächsten Monat brachte ich Riya in Sheela Kuriakoses Sonderschule. Mit einer Mischung aus Dankbarkeit und Sorge um Riyas Wohlergehen fragte ich Sheela, ob ich ein paar Stunden Freiwilligenarbeit leisten könne. Sie nahm mein Angebot dankbar an. Man bat mich, Pradeep, einem Sechzehnjährigen mit einer Gehirnlähmung, dabei zu helfen, sich auf die staatlichen Prüfungen vorzubereiten. Wenn ich neben seinem Rollstuhl in dem stillen Raum (dem zweiten Raum der Schule) saß, konnte ich gelegentlich einen Blick auf Riya werfen und wusste, dass sie in Sicherheit war. Für den Augenblick schien das das Wichtigste zu sein – das und einen Platz zu haben, wohin wir gehen konnten.

Die Maraars waren von dieser Lösung nicht sonderlich begeistert, aber zu diesem Zeitpunkt gab es wenig, was sie dagegen tun konnten. Mittlerweile wehrte ich mich heftig, sobald ich mich angegriffen fühlte. Vermutlich beschwerten sie sich darüber bei Suresh, aber seine Feigheit würde ihn daran hindern, sich mit mir auseinander zu setzen. Stattdessen häuften sich seine spontanen (und meist völlig überflüssigen) »Geschäftsreisen« nach Bombay. Gelegentlich, wenn die Schule in den Ferien schloss, besuchte ich meine Mutter in Alleppey.

Dort schien die Zeit stehen geblieben zu sein; es hatte sich im Laufe der Jahre kaum verändert. Die Akustik in seinen Kinos war noch immer erbärmlich; die Lieder und Dialoge drangen durch die Wände des Kinosaals auf die von Menschen wimmelnde Straße und ließen die Realität und die Traumwelt der Filme auf seltsame Weise miteinander verschmelzen. Der Mullakkal Tempel, das imposanteste Gebäude der Hauptstraße, stand nach wie vor in all seiner Pracht da, ein stummer Zeuge der Freuden und Sorgen der Stadtbewohner. Mum und Ammumma wohnten noch immer in dem alten Haus, von dem aus mein Hochzeitsgefolge sich vor so vielen Jahren hoffnungsvoll in Bewegung gesetzt hatte. Jetzt waren sie beide verwitwet, und ihr Leben war leer, an einem toten Punkt angelangt. Hier, in dieser alten ehemaligen Handelsstadt, die in Prospekten für Touristen noch immer optimistisch dafür warb, das Venedig des Ostens zu sein, hatten sich meine Großmutter ebenso wie meine Mutter demütig in die Rolle gefügt, als ältere Frauen und Witwen am Rande der Gesellschaft zu leben.

»Ich weiß nicht, warum du weiße Saris tragen mußt, nur weil Ammumma es auch tut«, sagte ich vorwurfsvoll zu Ma.

»Weil es eben Sitte ist, Moley, warum sollte ich mich dagegen sträuben? Und jedenfalls vermisse ich meine seidenen Saris ohnehin nicht, ich mag sie noch nicht einmal anschauen, weil sie mich zu sehr an deinen Vater und unser gemeinsames Leben erinnern.«

»Umso mehr Grund, sich gelegentlich daran zu erfreuen und dich selbst und andere Leute daran zu erinnern, wie schön du einmal ausgesehen hast.«

»Nein, nein, das siehst du ganz falsch. Dies ist jetzt mein Schicksal, und ich muss es mit so viel Gleichmut wie möglich ertragen. Man muss die Vergangenheit hinter sich lassen; sie ist nichts als eine süße Erinnerung.«

Ich konnte sie nicht davon abbringen, alles, was ihr Mullakkalamma vorschrieb, in blinder Unterwerfung zu akzeptieren. Ich selbst hatte meinen Glauben an die Güte und das Wohlwollen der Götter verloren, und ich war insgeheim wütend über die blinde Ergebenheit, mit der die Poojas des Tages zelebriert wurden. In meinen Augen musste es eine ziemlich armselige Göttin sein, die sich anscheinend noch nicht einmal darüber im Klaren war, wer eine Strafe verdiente und wer nicht, aber ich bemühte mich, meinen Zorn vor Ma und Ammumma zu verbergen. Ich wollte es vermeiden, sie zu verletzen, nur damit ich mich selbst besser fühlte. Gehorsam begleitete ich sie an den Abenden zu Mullakkalammas Tür und verbeugte mich ergeben vor der Göttin, deren Gesicht im Schein hunderter Öllampen glänzte. Dort im Tempel flüsterte ich tausendmal gesprochene Gebete in Riyas Ohr, weil meine Mutter damals, als ich klein war, es ebenso gemacht hatte. Dann gingen wir ins Büro des Tempels, um unser Geld in *Vazhupadus* einzutauschen. Zwei Rupien, damit unsere Namen vom Priester im innersten Heiligtum verlesen wurden, zehn Rupien, um das Sandelholz zu kaufen, das man benutzte, um die Göttin zu schmücken, zwanzig für ein Payasam, süß genug, um alle bitteren Pillen des Lebens aufzulösen. Ich empfand unsere Tempelbesuche als eine Farce, aber ich spielte sie mit, um meine Mutter zufrieden zu stellen.

Aber mittlerweile waren meine Mutter und meine Großmutter dahinter gekommen, wie es um meine Ehe stand. Meine Mutter hatte mich einmal bei den Maraars besucht, nur um feststellen zu müssen, dass niemand sie beachtete; das Bananenhalwa, das sie mitgebracht hatte, wurde in ihrer Gegenwart an das Hausmädchen verschenkt. Daraus zog sie realistischerweise den Schluss, nur in der Zeit, als sie noch die Ehefrau eines hohen Beamten gewesen war, im Haus der Maraars willkommen gewesen zu sein. Sie verzichtete darauf, ihnen einen zweiten Besuch abzustatten, ermahnte mich aber dennoch, alles zu akzeptieren und zu verzeihen. Zumindest war meine Situation nicht unerträglich, das wusste sie; sie hatte auch von Ehen gehört, die schlechter waren. Die arme Suma Chechi wurde sogar manchmal von ihrem Mann, einem Offizier der IAS, *geschlagen*, so flüsterte man sich in der Familie hinter vorgehaltener Hand zu. Da ich ein Mitglied der Familie Maraar war, wurde ich jedenfalls mit dem Respekt behandelt, den Frauen genossen, die in gute Familien geheiratet hatten. Durch den Tod meines Vaters dieses Respekts beraubt, wusste meine Mutter, wie grausam die Welt sein konnte, und wollte mir diese Grausamkeit ersparen. Für viele Frauen war das Alleinsein ein Schicksal, schlimmer als der Tod.

Man sah sie überall, Frauen ohne Männer, traurige kleine Schatten, die ihren Körper verloren hatten. Witwen, geschiedene Frauen und solche, die niemals klug genug gewesen waren, sich zum Anhängsel eines Mannes zu machen. Sie standen irgendwo am Rande des Lebens, und sie wurden nur respektiert, wenn sie ihr Schicksal dankbar und ergeben annahmen und ihre Zeit mit Beten und mit alten Erinnerungen oder reuevollen Gedanken verbrachten, abhängig von den Umständen ihrer besonderen Situation als allein stehende Frau. Es war einer Witwe nicht erlaubt, einen Ehepartner für ihre Tochter oder ihren Sohn zu suchen, sie durfte keinen neuen Schwiegersohn und keine neue Schwiegertochter in ihrem Haus empfangen und nicht einmal die Erste sein, die ein neu geborenes Enkelkind an ihr Herz drückte. All dies waren die Privilegien der *Sumangalis*, jener Frauen, die das Glück hatten, verheiratet zu sein.

Das Haus meiner Großmutter war bereits ein trauriger Ort der Gebete und verstaubten Erinnerungen, ohne Männer, auf deren nahende Schritte man sich jeden Abend freute und für die man ein besonderes Mahl kochen konnte. Wenn die Abendlampe leuchtete, dann gehörte es zu den Häusern, die ihre Türen verschlossen. Es gab auch keinen Ort, wohin Ma oder Ammumma hätten gehen können, nachdem sie ihren Rundgang durch den Tempel beendet hatten. Nur verheiratete Frauen verließen nach Einbruch der Dunkelheit ihr Heim, um ins Kino oder ins Restaurant oder in die Häuser von Freunden und Verwandten zu gehen. Solche Freuden mussten meine Mutter und meine Großmutter sich versagen, und eine wortlose Traurigkeit senkte sich über das Haus, in dem sich einst, wenn die Schulen schlossen, so viele fröhliche Kinder getummelt hatten. Jetzt waren die Rollläden immer zur Hälfte heruntergelassen, und das Haus, von 40-Watt-Birnen nur matt erhellt, versteckte sich hinter zwei riesigen Mangobäumen. Auch wenn ich noch so sehr in Versuchung war, Ma und Ammumma mein Herz auszuschütten – ich durfte ihnen nicht noch mehr Kummer aufbürden.

Ich hatte mir jedoch eine Möglichkeit geschaffen, all dieser Traurigkeit zu entfliehen. Meine Pflichten als Betreuerin in der Schule Sheela Kuriakoses waren auf die »Frühfördergruppe« ausgedehnt worden, ein grandioser Name für eine kleine Gruppe Zweijähriger mit verschiedenartigen Behinderungen. Ajay, die ständig lächelte, aber auf den Rücken fiel, wenn man sie auch nur eine Minute lang nicht festhielt, Reenie, die, sobald man sie berührte, an allen Gliedmaßen steif wurde, und das Kind, das ich besonders liebte: der winzige zweijährige blinde Fardeem.

Wenn ich mich mit diesen Kindern beschäftigte, dann fand ich einen Teil meiner selbst wieder, den ich scheinbar verloren hatte, als ich in Tränen aus der St.-Thomas-Tagesstätte geflohen war. Ich saß mit meiner Frühfördergruppe auf einer Schilfmatte und ahnte anfänglich nicht, dass diese Kinder mich weitaus wertvollere Dinge lehrten, als ich selbst sie jemals hätte lehren können. Als Erstes lernten wir, dass es im Leben keine Wunder gab. Alles musste mit einer schmerzlichen Langsamkeit vermittelt und gelernt werden, mit Geduld und Liebe von Seiten sowohl des Lehrers als auch der Lernenden. Danach kam die Lektion, dass kleine Fortschritte manchmal große Erfolge bedeuten. Unser Lieblingsspiel war die Tasche, in der sich die ›taktilen Stimulantien‹ befanden. Meine kleinen Schüler kreischten vor Vergnügen, wenn sie die Bürste oder den Stein fanden, der zu dem passte, den ich in meiner Hand hielt. Sie waren auch unendlich stolz, wenn sie die Teile von Sheelas Bauernhof-Puzzle so lange hin und her geschoben hatten, bis die Tiere sich endlich, zu jedermanns Überraschung, am richtigen Platz befanden. Sie sprachen mit mir in einer seltsamen Geheimsprache, mein lautes, grammatisch unkorrektes Malayalam völlig ignorierend, und ich war fast ein wenig stolz, wenn sie um ein Uhr, wenn ihre Eltern sie abholten, in Tränen ausbrachen.

Ich schämte mich, da ich mich auch nur für einen Augenblick von einer ignoranten Lehrerin hatte überzeugen lassen, Riya sei weniger wert als ihre Klassenkameraden, weil sie keine purpurroten Berge malen konnte. Mittlerweile wusste ich, dass Riyas Bemühungen, mit den anderen zu kommunizieren und Freundschaften zu schließen, eine sehr viel größere Leistung darstellten, als Pinsel in Wasserfarben zu reiben. Und ich beobachtete mit klopfendem Herzen, wie Fardeem sich bemühte, seine dunkle Welt ohne Furcht oder Selbstmitleid zu erkunden, trotz der Blutergüsse, die er wie kleine Orden auf seinen Ellenbogen und Knien trug. Mehr und mehr wünschte ich mir, Teil dieser tapferen Welt zu sein und die andere den wahrhaft Blinden und Ignoranten zu überlassen.

»Sheela, was hast du tun müssen, um deinen Abschluss als Sonderschullehrerin zu machen?«, fragte ich eines Nachmittags, als wir, nachdem das letzte Kind gegangen war, die zwei Zimmer der Schule putzten.

»Es war nicht leicht«, erwiderte sie, »in Indien gibt es, soweit ich weiß, keine Ausbildung zur Sonderschullehrerin. Es war nur möglich, weil mein Mann nach London geschickt wurde, um seinen Doktor zu machen. Ich bekam die Erlaubnis, ebenfalls ein Studium zu absolvieren, und ich entschied mich für Sonderschulpädagogik. Obwohl ich mich manchmal wirklich frage, ob ich stattdessen nicht besser ein Diplom in Betriebswirtschaft erworben hätte!«

»Du willst doch wohl nicht sagen, es ist leichter, mit einem Haufen missmutiger Büroangestellter fertig zu werden, als mit Ajay und Hamid?«

Wir lachten über die Vorstellung, wie Ajay und Hamid, die beiden schwierigsten Schüler der Schule, sich mit Buchhaltern und Stenotypistinnen prügelten. Aber Sheela hatte mich auf eine Idee gebracht. Vielleicht könnte ich ins Ausland gehen, um Sonderschulpädagogik zu studieren. Und Riya mitnehmen. Sie könnte in eine Schule für Kinder mit besonderen Behinderungen gehen. Ich hatte in amerikanischen Zeitschriften Fotos von solchen Schulen gesehen, in denen es reichlich Spielzeug und spezielle Hilfsmittel gab. Ich würde einen sehr guten Abschluss machen, und am Ende würde man mir einen Job anbieten. Ich würde als Lehrerin in Riyas Sonderschule arbeiten. Wir würden uns eine kleine Wohnung nehmen (mit massenhaft zerknautschten Kissen). Im ›Ausland‹ wäre alles ganz anders als in Indien. Frauen konnten dort allein leben, ohne als Huren oder gescheiterte Außenseiterinnen betrachtet zu werden. Kinder mit einer Lernbehinderung wurden im Westen akzeptiert und in die Gesellschaft integriert. Die schrecklichen, mitleidigen Blicke, die auszudrücken schienen: Gott sei Dank, ich bin nicht so wie du, würden uns erspart bleiben.

Ich schrieb an den British Council und den United States Information Service in Delhi, und bald lagen dicke Broschüren, in denen Universitäten und Studiengänge beschrieben wurden, für mich im Briefkasten. Die Maraars merkten es kaum. Sie hatten mich bereits als mehr oder weniger unzurechnungsfähig abgeschrieben, ständig beschäftigt mit dieser Schule für geistig Minderbemittelte, auf die ich in meiner Dickköpfigkeit auch Riya schickte. Glücklicherweise betrachtete man mein Engagement als einen ziemlich harmlosen Zeitvertreib. In vielerlei Hinsicht besser, als wenn ich jeden Tag Saris und Schmuck einkaufen ginge, hatte ich meinen Schwiegervater einmal zu einem neugierigen Onkel sagen hören. Mittlerweile wusste jeder in Valapadu von Riyas Behinderung, ich wurde mit Mitleid und guten Ratschlägen überhäuft, und die Menschen behandelten mich mit einer Herablassung, als hätte ich offensichtlich *irgendetwas* getan, um eine Bestrafung eher zu verdienen als sie selbst. Gelegentlich lobte jemand meine Entschlossenheit, das Beste aus meinem ›Unglück‹ zu machen, indem ich an Riyas Schule unterrichtete. Amma und Sathi pflegten solches Lob aufzugreifen, um mich zu ermutigen, mich nicht ständig im Haus zu verkriechen. »Die Ärmste«, hörte ich Amma einmal einer Frau zuflüstern, die mich über Ammas Schulter hinweg mit schamlos neugierigen Augen anstarrte, »sie ist nirgendwo mehr hin gegangen, wissen Sie, nicht mehr zu Hochzeiten und auch sonst nirgendwohin, sie konnte es nicht ertragen, andere, gesunde Kinder zu sehen, bis wir sie dazu ermutigten, sich für diese Schule zu engagieren. Jetzt scheint es ihr allmählich ein wenig besser zu gehen.« Meine Tätigkeit kam den Maraars, zu ihrer eigenen Überraschung, sehr entgegen. Mein Starrsinn, ihnen zu beweisen, dass sie nicht Recht hatten, konnte jetzt leicht als eine Art Heroismus dargestellt werden, den sie unterstützten (*so* fürsorgliche Schwiegereltern, die alles für das arme Mädchen taten und es liebevoll dazu ermutigten, aus dem Haus zu gehen). Ich selbst wollte eigentlich nichts anderes, als eine Schule, die Riya akzeptierte, und ich war froh, Riyas Entwicklung überwachen und mich von den Maraars fern halten zu können. Auf diese Weise war beiden Seiten, den Maraars und mir, der Respekt der Bewohner Keralas sicher.

Aber zugleich wurde ständig Druck auf mich ausgeübt, ein zweites Kind, und zwar diesmal ein normales, zur Welt zu bringen. Das war das Entscheidende, etwas, worauf man keinesfalls verzichten konnte. Als könnte ich, indem ich ein Kind bekäme, das rechtzeitig ging und sprach, irgendwie die Enttäuschungen kompensieren, die das andere uns bereitete. Aber die Maraars schienen zu vergessen, dass Riya nach wie vor existieren würde. Ein gehendes, sprechendes Geschwisterkind wäre für sie nichts weiter als ein Bruder oder eine Schwester, es würde sie aber nicht *ersetzen*. Ich war mittlerweile ziemlich sicher, dass meine Ehe so oder so unglücklich bliebe, auch wenn ich ein normales Kind bekäme. Allenfalls hatte Riya mich von meiner Verzweiflung über mein Leben bei den Maraars ein wenig abgelenkt. War sie der Auslöser dafür, dass ich die Maraars verließ, oder war sie eher ein Faktor, der meine Flucht verzögerte? Sie war zweifellos untrennbar damit verbunden, denn mein Wunsch, sie aus dem Haus zu entfernen, war ebenso stark wie mein Bedürfnis, mich selbst deren Einfluss zu entziehen. Ich verbannte diese Gedanken sorgfältig in den dunkelsten Winkeln meines Bewusstseins, den ich mit der Beschriftung »streng geheim« versah. Ich *musste* einfach einen Weg finden, das Land zu verlassen.

Aber zunächst musste ich einen kleinen Rückschlag hinnehmen. Ein Brief war angekommen, auf wunderschön dickem, glattem Papier.

> Liebe Mrs. Maraar,
>
> vielen Dank für Ihre Bewerbung an der Arizona State University für den Master of Arts in Sonderschulpädagogik. Leider muss ich Ihnen mitteilen, dass Sie zunächst einen MA an einer indischen Universität erwerben müssen, bevor Sie sich bei uns für dieses Studium einschreiben können. Wir werden Ihre Bewerbung zu unseren Unterlagen legen, bis Sie uns mitteilen, ob Sie dazu bereit sind. Sollten Sie noch weitere Informationen wünschen, dann lassen Sie es uns bitte wissen.

Mit bestem Dank und freundlichen Grüßen

Janet Whitworth
(Registratorin, ASU, Phoenix)

Am selben Nachmittag schickte ich meine Unterlagen an die Universität von Kerala, um mich als externe Studentin für das Studium in englischer Sprache und Literatur einschreiben zu lassen, mit dem Ziel, dort meinen MA zu machen. Im Laufe eines Monats trafen dicke braune Pakete mit Informationsbroschüren und Unterlagen für mich ein. Der Lehrplan umfasste ein gewaltiges Spektrum, er erstreckte sich von Chaucer bis zur Literatur des Zwanzigsten Jahrhunderts, und zum erstenmal war ich froh, dass ich in meiner Ehe so unausgefüllt war und mir so wenig abverlangt wurde. Plötzlich war jede Minute kostbar.

Morgens machte ich Riya und mich für den Tag zurecht, und um neun Uhr brachen wir zur Schule auf. Ich verbrachte den Morgen dort mit meiner kleinen, aus drei Kindern bestehenden Gruppe, die jetzt nicht mehr die »Frühfördergruppe« genannt wurde. Mittlerweile waren noch einige kleinere und schwächere Kinder in die Schule aufgenommen worden. Manchmal kam es mir so vor, als hätte ein wütender Gott es darauf abgesehen, immer mehr Babys mit einem geschädigten Körper oder Verstand zu produzieren, damit Sheehas Schule genügend Schüler hätte.

Nachmittags unterrichtete ich Pradeep, meinen halbwüchsigen Schüler mit der Gehirnlähmung. Ich musste mich darauf vorbereiten, indem ich meine Kenntnisse in Algebra und Geometrie auffrischte. Um vier Uhr kehrten Riya und ich nach Hause zurück. Nachdem ich sie gebadet hatte, setzte ich mich über meine Bücher, die ich für mein Literaturstudium lesen musste, während sie vor dem ständig laufenden Fernsehgerät mit ihren Sachen spielte. Später, wenn sie schlief, ihren seltsam unschuldigen Schlaf, bei dem sie mit offenem Mund komische Geräusche von sich gab, kümmerte ich mich um meine Aufzeichnungen und schrieb Referate, die dann am nächsten Tag ins Examenszentrum geschickt werden konnten. Manchmal, spät in der Nacht, wenn die Geräusche im Hause verstummt waren und stattdessen das lärmende Zirpen der Grillen ertönte, schaute ich aus dem Fenster und grübelte über all das nach, was hätte anders laufen können. Plötzlich tauchten die Gesichter meines Vaters und Arjuns und meiner alten Freundinnen auf, um dann hinter einem Schleier von Tränen wieder zu verschwinden. Aber solche Momente der Schwäche waren selten, weil ich wusste, dass ich kein Recht hatte, mich selbst zu bemitleiden, wenn meine Schüler am nächsten Morgen mit Mut und Tapferkeit ihr schwieriges Leben zu meistern versuchten.

Gelegentlich zeigte auch Suresh Interesse an meinem neuen, erfüllten Leben. Mittlerweile war es mir völlig gleichgültig geworden, ob er anwesend war oder nicht. Meinetwegen konnten seine Motels in Bombay oder sonst irgendwo auf der Welt seine ganze Zeit in Anspruch nehmen. Und vermutlich empfand er dasselbe, was mein Studium betraf. Die Arbeit in der Schule, meine Bücher und meine Hausarbeiten nahmen mich völlig in Anspruch, weshalb ich an ihn kaum noch irgendwelche Forderungen stellte. Fast konnte ich hören, wie er vor Erleichterung aufatmete.

Die Maraars hielten sich zum Glück aus allem heraus. Es wurde mir mehr und mehr gleichgültig, ob sie hinter meinem Rücken über mich redeten. Erst nachdem ich im ersten Jahr meine Prüfungen abgelegt hatte, schien ihre Geduld plötzlich erschöpft.

Mittlerweile stand der Termin für Gauris Hochzeit fest. Sie war von einem Rechtsanwalt begutachtet und akzeptiert worden, und es verblieben noch zwei Monate, um sich auf die größte Hochzeit vorzubereiten, die Valapadu je gesehen hatte. Plötzlich war mein Universitätsabschluss nicht mehr ›eine sinnvolle Beschäftigung, womit sie sich von ihrem Kummer ablenkt‹, sondern ›irgendwelche Hirngespinste, die ihre ganze Zeit in Anspruch nehmen‹. Sathi erklärte, ich müsse meinen Master of Arts auf einen späteren Zeitpunkt verschieben, weil meine Hilfe gebraucht werde: Ich müsse an den Besuchen teilnehmen, bei denen die Einladungen ausgesprochen wurden, und ich müsse dabei helfen, die Erfrischungen und kleinen Mahlzeiten vorzubereiten. Als Gauri vorschlug, dass ich auch noch meine Arbeit in der Schule aufgeben solle, protestierte ich heftig: »Das kann ich nicht. Ich werde dort gebraucht.«

»Sei nicht albern! Wenn sie dich so dringend brauchten, dann würden sie dir für deine Arbeit ein ordentliches Gehalt zahlen.«

»Ich habe ihnen *angeboten*, dort ohne Bezahlung zu arbeiten, und schließlich profitiert Riya auch davon, nicht wahr?«

»Tja, wenn sie dich nicht bezahlen, dann können sie nicht von dir erwarten, dass du all deine Kraft in die Schule investierst. Sag ihnen, du hättest noch andere Verpflichtungen.«

Trotz all meiner guten Vorsätze mangelte es mir noch immer an dem Mut, einem Mitglied der Familie Maraar offen zu widersprechen. Sogar Gauri, die vier Jahre jünger war als ich, hatte mich mit ihrer scharfen Zunge und ihren flammenden Blicken immer in Angst und Schrecken versetzt. Diese Augen fixierte sie jetzt auf mich, sie bohrten zwei kleine Löcher in meinen Kopf und duldeten keinen Widerspruch. *Kämpfe*, sagte ich wütend zu mir selbst, du bist nicht ihr Eigentum, *kämpfe*!

Aber all die Jahre, in denen Ma mich so gewissenhaft zu einem anpassungsbereiten, liebenswürdigen jungen Mädchen erzogen hatte, hatten tiefe Spuren hinterlassen. Auf meine Füße schauend murmelte ich: »Ich warte erst mal ab, was Sheela morgen dazu sagen wird.« Und dann, plötzlich ein wenig Selbstbewusstsein demonstrierend: »Aber mein Studium werde ich keinesfalls aufgeben, dann lerne ich eben nachts.«

Sheela reagierte mit Wärme und Verständnis. »Du hättest wahrscheinlich ohnehin in diesem Jahr mehr Zeit für dein Studium gebraucht, also ist es wahrscheinlich keine schlechte Idee, den Unterricht aufzugeben. Denn dein Studium darf natürlich unter keinen Umständen darunter leiden. Du musst unbedingt darauf achten, all die Dinge zu tun, die *du* gerne tun möchtest, sonst wird Riya am Ende indirekt dafür büßen müssen. Und mach dir ihretwegen keine Sorgen. Sie hat sich mittlerweile an uns alle gewöhnt; sie wird sich hier auch ohne dich wohlfühlen. Aber deine kleine Gruppe wird dich bestimmt vermissen. Wir werden Judy beibringen müssen, deine Aufgaben zu übernehmen.«

Ich verabschiedete mich von meiner Ex-Frühfördergruppe. Die Kinder winkten mir zum Abschied begeistert zu und starrten dann mit ebensolcher Begeisterung auf ihre neue Lehrerin, die muntere kleine Judy. Unter ihrer tüchtigen und liebevollen Anleitung würden sie mich nicht allzu sehr vermissen. Es machte mich traurig, sie verlassen zu müssen, aber ich wusste, dass ich mich wenigstens über ihre Fortschritte auf dem Laufenden halten konnte, wenn ich Riya von der Schule abholte.

Das gesamte Leben der Maraars kreiste jetzt um die Hochzeit, und ich versuchte, mich so nützlich wie nur irgend möglich zu machen.

»Janu, also du machst die Nankatais für die Familie des Bräutigams, wenn sie am Tag vor der Hochzeit hier eintreffen. Das ist doch mal etwas anderes. Wir können sie zusammen mit Gemüsepasteten nachmittags zum Tee servieren.«

»Wenn sie es einigermaßen vernünftig organisieren, können Janu und Suresh die Einladungen für die Gäste aus Trivandrum in zwei Tagen hinter sich bringen.«

»Janu, komm und hilf mir mit diesen Blumengirlanden. Ich muss sie erst mal entwirren, bevor sie in die Hochzeitshalle geschickt werden.«

Halb Kerala war eingeladen, und es gab unglaublich viel zu tun. Ich hatte meine Bücher seit fast einem Monat nicht anrühren können, aber ich konnte mich nicht einmal für zehn Minuten in mein Zimmer zurückziehen, ohne dass jemand hereinplatzte, um mich zu holen: Ständig gab es etwas zu nähen, umzurühren oder zu sortieren. In Anbetracht dieses überaus wichtigen Ereignisses erschien ein nutzloser Universitätsabschluss völlig unbedeutend. Ich bemühte mich, Ruhe zu bewahren, denn ich hatte ein wunderbares Geheimnis, das ich vorsichtig in der untersten Schublade meines Schreibtischs versteckt hielt.

Der erste Brief, in dem man mir einen Studienplatz an einer Universität zusagte, war eingetroffen. Die Arizona University in Phoenix hatte noch einmal geschrieben, um mir, unter bestimmten Bedingungen, ein Angebot zu machen. Ich würde meinen Magister vorweisen müssen, bevor ich das Studium der Sonderschulpädagogik begann, aber ich müsste mein Studium in Phoenix in weniger als einem Jahr aufnehmen. Sie waren nicht in der Lage, mir eine finanzielle Unterstützung zu gewähren, jedenfalls nicht im ersten Semester. Aber sie hofften, ich würde die nötigen finanziellen Mittel für die ersten Monate selbst aufbringen können. Ich war meiner Flucht aus dem Hause der Maraars erneut einen Schritt näher gekommen!

Gauri war unterwegs, um Saris einzukaufen, als ich ›Collins Atlas of the World‹ aus ihrem Bücherbord zog. Seite 107... Arizona ... Da, zwischen Kalifornien und New Mexiko ... 35. Breitengrad. Es war bestimmt ziemlich heiß dort. Ich musste etwas darüber gelesen oder im Fernsehen gesehen haben, denn plötzlich standen mir Bilder von Kakteen und riesigen Eidechsen vor Augen. Und von riesigen Wüstenblumen, die trotz der Trockenheit üppig blühen. Riya stürmte mit ihren schweren Schritten in mein Zimmer, wobei sie in ihrem Eifer wie üblich die Ecke des Türrahmens streifte. Ich zog sie neben mich auf das Bett und zeigte ihr Phoenix. »Arizona«, flüsterte ich, »wir beide, du und ich, fahren bald dorthin – was hältst du davon?« Mein Geheimnis war in ihrer Welt, in der die Worte fehlten, sicher aufbewahrt. Sie schaute verwirrt zu mir auf, aber das Wort »hinfahren« deutete auf eine nahe bevorstehende Reise, eine Vorstellung, die ihr ganz außerordentlich gefiel. Sie strahlte mich an, als wollte sie sagen: Arizona, ja, das klingt lustig, rutschte aber in ihrer schwerfälligen Art gleich wieder vom Bett herunter ... Meine Mutter und ihre *Bücher*, konnte ich sie denken hören. Ich blätterte die glänzenden Seiten des Atlas um – weit entfernte Orte, ein Leben, das sich in einer anderen Welt abspielte ... Mich daran erinnernd, dass ich einmal in einem anderen Atlas nachgeschlagen hatte, um, irgendwann vor langer Zeit, eine andere Universität zu suchen, hielt ich auf Seite 20 inne ... England ... Ich schaute auf Hull hinunter, noch immer ein stummer, schwarzer

Fleck, der nichts darüber aussagte, wie man dort lebte. Arjun war mittlerweile kein junger Mann mehr, er war erwachsen. Seine Aussprache war perfekt, und er spielte in einer weißen Uniform Kricket … Möglicherweise war er inzwischen sogar verheiratet, mit einer Engländerin mit rosigen Wangen, die hinter einer Teekanne saß und ihn besorgt fragte: »Möchtest du noch eine Tasse, Liebster?«

Die Vorstellung ließ mich lächeln. Hoffentlich war Arjun glücklich, was auch immer er jetzt plante. Ich hörte draußen im Garten den Kies knirschen; der Wagen mit Amma und Gauri war zurückgekehrt. Während ich den Atlas rasch in seine Lücke im Bücherbord schob, beschloss ich, den Maraars die Freude an dieser Hochzeit nicht übel zu nehmen. Ich gesellte mich zu den Hausangestellten, die sich bereits um Gauri geschart hatten, um die Einkäufe des Tages zu begutachten und kleine Schreie der Bewunderung auszustoßen.

Ich wagte es nicht, irgendjemandem von meinen Plänen zu erzählen, noch nicht einmal meiner Mutter. Sie traf, zusammen mit meiner Großmutter, erst einen Tag vor der Hochzeit ein; beide wirkten in ihrer weißen Witwenkleidung zwischen den auffälligen Goldtönen und Seidenstoffen verloren und deplatziert. Es schockierte mich diesmal weniger als beim ersten Mal, dass die Maraars meine Familie wieder völlig ignorierten. Stattdessen richteten sie ihre ganze Aufmerksamkeit auf ihre neuen angeheirateten Verwandten, einen bekannten Cashewnusshändler und dessen Frau, an der unzählige Juwelen wie Wassertropfen nach einem Regenguss glitzerten. Das letzte Mal, als meine Familie von den Maraars so hartnäckig ingoriert wurde, hatte ich versucht, meine Mutter zu trösten, indem ich mich besonders liebevoll um sie kümmerte, um die Maraars zu ärgern. Aber mittlerweile hielt ich solche pubertären Spielchen im Grunde für überflüssig. Ich hoffte, meine Mutter würde nie wieder hierher kommen müssen. Ich hatte mir ausgerechnet, dass ich dieses Haus zusammen mit Riya in weniger als zehn Monaten verlassen könnte, um weit entfernt von Kerala, irgendwo im Ausland, mit ihr zusammen ein neues Leben zu beginnen. Der Gedanke, mich von Suresh scheiden zu lassen, lag mir fern. Es gab niemanden in meiner Familie, der sich jemals hatte scheiden lassen, und ich wollte ihnen keinesfalls Schande machen. Ich brauchte keine Scheidung. Ich wollte nur fort von den Maraars, und ich wollte nie, in meinem ganzen Leben nicht, auf Riya verzichten.

Ich schaute von meinem Platz hinter dem mit Jasmin geschmückten Mandapam aus zu, wie Gauri mit ihrem bärtigen Rechtsanwalt vermählt wurde. Der Nadaswaramspieler blies seine mageren Backen auf; die lauten, schrillen Töne seiner Flöte durchschnitten die schwere, feuchtheiße Luft. Nair-Hochzeiten waren immer turbulente, lärmende Ereignisse, die zudem seit ein paar Jahren durch das Surren von Videokameras noch hektischer wurden. Die Familien der Braut und des Bräutigams wehrten sich nicht, als sie von den Kameraleuten während der Hochzeit grob herumgeschoben wurden, damit sie sich nach der anstrengenden Zeremonie vor der Leinwand versammeln und den Ablauf der Ereignisse noch ein zweites Mal genießen konnten. Glücklicherweise zogen sich diese Hochzeiten nicht allzu lange hin, im Vergleich zu den viertägigen ausgedehnten Feierlichkeiten unserer Cousins und Cousinen in den nördlichen Staaten Indiens.

»Da hat Gauri sich aber wirklich einen wunderbaren Mann geangelt, nicht wahr, Moley?«, flüsterte asthmatisch schnaufend Tante Maheswari, die hinter mir auftauchte. »Der junge Mann ist Rechtsanwalt mit eigener Praxis, und zudem sieht er noch aus wie ein junger Gott.« Sie seufzte und fügte ein feuriges »Guruvayurappa!« hinzu, womit sie wahrscheinlich die Göttin beschwören wollte, ihre eigenen weiblichen Nachkommen mit einem ähnlich attraktiven Ehemann zu beglücken.

Ich drehte mich zu ihr um und lächelte sie an. Ich wusste, dass sie auf Padmaja Maraars Glück im Grunde schrecklich neidisch war. Ihre eigene Tochter ging auf die dreißig zu, und nirgendwo an ihrem winzigen Horizont war auch nur das geringste Anzeichen für einen Bräutigam erkennbar. Sie war am Abend zuvor mit dem mageren, unglücklich aussehenden Geschöpf bei den Maraars eingetroffen und hatte versucht, ihren Neid auf die vielen Ketten, mit denen man Gauris Hals geschmückt hatte, so gut wie möglich zu verbergen. Es war leicht, ihre Gedanken zu erraten: ›Wie soll jemand wie meine Tochter auch nur die geringste Chance haben, wenn es Leute gibt wie diese Maraars, denen es so leicht fällt, ihre Töchter über und über mit Gold zu behängen. Guruvayurappa!«

Normalerweise mied ich diese Frau wie die Pest, nicht zuletzt deshalb, weil sie es gewesen war, die meiner Großmutter das Heiratsangebot der Maraars mit stark übertriebenen Erzählungen von deren Reichtum übermittelt hatte. (›Der ganze Kofferraum war voll mit Schmuck, meine Liebe, als Sathi auf Hochzeitsreise ging!‹) Als Achtzehnjährige hatte ich mir verschiedene grausame Todesarten für Menschen ihres Schlages ausgedacht, Personen, die sich einmischten, um Ehen zu stiften, und dadurch das Leben vieler glücklicher junger Menschen ruinierten. Jetzt, in diesem Augenblick, tat sie mir Leid. So wie sie es sah, hatte sie vielen besorgten Eltern geholfen, passende Partner für ihre Kinder zu finden. Und jetzt, da ihre eigene Tochter an der Reihe war, schien es in Kerala weit und breit keinen heiratswilligen jungen Mann zu geben. Ich hoffte, sie möge bald einen passenden Partner für ihre Rejani finden. Ich fragte mich auch, was sie wohl von meinen Plänen und dem Brief in meiner Schublade hielte. Plötzlich tauchte eine Vision vor mir auf, wie sie zu Cousine Padmaja eilte und sich selbst anklagend auf die Brust schlug.

»Aiyyo, endey Padmajey! Sie ist einfach auf und davon, nach Arizona? Und hat eine so wunderbare Familie und einen so netten Jungen wie unseren Sureshmone zurückgelassen? Und wenn ich mir vorstelle, dass ich *ganz allein* dafür verantwortlich war, sie mit euch zusammengebracht zu haben! Warum schenkt Guruvayurappan so bösen Mädchen wie ihr eine gute Familie wie deine, während meine arme unschuldige Rejani noch nicht einmal eine nette *einfache* Familie finden kann …«

Die Thaali war um Gauris errötenden Nacken gebunden worden, und die Schwester des Bräutigams fügte nun eine weitere dicke Kette zu den Dutzenden hinzu, die bereits von ihrem Hals bis zur Taille herunterhingen. Die Gäste reckten die Hälse, um einen Blick auf die Swarnamala zu erhaschen, an der man immer den Reichtum der Familie des Bräutigams ablesen konnte. Sie war praktisch ein Strick aus Gold, und der Anhänger bestand – nein, das war fast unmöglich – alle hielten den Atem an – aus *Diamanten*! Tante Maheswari, die sich an meiner Schulter hochzog, um besser sehen zu können, stieß einen tiefen, bebenden Seufzer aus. Ich fürchtete, sie könnte im nächsten Moment ohnmächtig werden.

Es dauerte nur ein paar kurze, verwirrende Minuten, bis

Gauri sicher und unwiderruflich mit ihrem Rechtsanwalt vermählt war. Beide atmeten erleichtert auf und lächelten den Videomann schüchtern an. Riya auf meiner Hüfte balancierend, gesellte ich mich nach der Zeremonie für den nicht enden wollenden Fototermin zum Rest der Familie Maraar. Amma war in ihrem Element; sie befahl, wer sich hinstellen oder sich setzen sollte, abhängig davon, auf welcher Stufe der Maraar-Hierarchie die entsprechende Person stand. Ammas Vorliebe oder Abneigung entschied gewöhnlich darüber, ob der Betreffende in ihrer Nähe oder weiter entfernt platziert wurde. Ich nahm meine übliche Position am äußersten Rand der Gruppe ein. Amma zog ihren geliebten Enkelsohn auf den Schoß, und die Schar ihrer wunderschönen Enkeltöchter hockte sich zu ihren Füßen nieder. Ich nahm Riya ganz fest in die Arme und drückte verstohlen einen Kuss auf ihr molliges Ärmchen. Glücklicherweise war sie sich dieser ermüdenden Spielchen nie bewusst gewesen, und jetzt entdeckte ich, plötzlich und wunderbarerweise, dass sie mir ebenfalls gleichgültig waren. Ich lächelte so strahlend wie seit langem nicht mehr in die klickenden Kameras.

Mich von der überglücklichen Gauri, die stolz ihre neue Swarnamala (mit einem *diamantenen* Anhänger!) zur Schau trug, abwendend, wanderte ich zwischen den Gästen umher, die immer wieder zu den Türen hinüber schauten, hinter denen das Hochzeitsmahl vorbereitet wurde. Es war wichtig, zur Seite zu treten, wenn die Türen sich tatsächlich öffneten und die Menge sich voranschob. Warum waren die Leute bei diesen indischen Hochzeiten nur so schrecklich gierig, dachte ich. Essen war immer reichlich vorhanden und ging fast niemals aus, aber die Hochzeitsgäste benahmen sich immer so, als hätten sie seit Monaten keinen Bissen mehr zu sich genommen. Ich hatte beobachtet, wie sogar normalerweise höfliche und gesittete Personen sich, nach beiden Seiten Rippenstöße verteilend, vorandrängten, als bekämen sie nie wieder etwas zu essen.

Als das Fest vorbei und das letzte Bananenblatt wieder weggeräumt war, wurde Gauri hinaus geleitet, um den traditionellen creme- und goldfarbenen Sari anzuziehen, den ihr die neue Familie geschenkt hatte. Sie brauchte meine Hilfe nicht, da sie ständig von Sathi und Latha umringt war. Als sie wieder auftauchte, strahlte sie über das ganze Gesicht. Keine einzige Träne floss, als sie in den Wagen stieg, der sie zu ihrem neuen Zuhause bringen würde. Heute Abend würde sie zum Haus ihrer angeheirateten Verwandten in Quilon fahren, und von dort reiste sie morgen nach Cochin, wo sie ihren eigenen Hausstand gründen würde. Sie wirkte mutig und zuversichtlich, sie aus ihrem neuen Leben hinauszudrängen. Die Maraars beherrschten offensichtlich die Kunst, für ihre Töchter die richtigen Entscheidungen zu treffen. Gauri war zweiundzwanzig und hatte studiert, zwei akademische Abschlüsse, einen Bachelor und einen Master, gemacht. Ihre Eltern, die großen Einfluss hatten und sich in alles einmischten, lebten nur zwei Stunden entfernt, und sie würde sie zweifellos häufig besuchen. Sie erfüllte alle Voraussetzungen, um von ihrer neuen Familie respektiert zu werden. Und sie wusste, dass sie sich nicht die Mühe zu machen brauchte, zu jedermann höflich zu sein. Alle winkten, und Amma brach in lautes Schluchzen aus, als der Wagen davonfuhr. Plötzlich, als die Letzten der Gäste andeuteten, dass sie jetzt wirklich gehen müssten, hatte ich das Gefühl, meine Füße könnten mich und Riya nicht mehr länger tragen. Ich kehrte zurück in die sich rasch leerende Halle ... War dies meine letzte Hochzeit in Kerala?, fragte ich mich. Der bloße Gedanke erleichterte mich ungeheuer.

Tante Maheswari watschelte an mir vorbei; Rejani trottete verloren hinter ihr her. »Wunderschöne Hochzeit, eh, Moley?« Ihr asthmatisches Schnaufen hatte sich mittlerweile in ein heiseres Keuchen verwandelt. »Sogar noch schöner als deine.« Sie blieb stehen, um mich in die Wange zu kneifen. »Ich erinnere mich noch daran, wie hübsch du damals ausgesehen hast – wie viele Jahre ist es eigentlich her? Es kommt einem vor, als wäre es gestern gewesen, nicht wahr?«

Sie watschelte davon, ohne auf eine Antwort zu warten, ein in Seide gehüllter Berg braunen Fleisches. Ich schaute ihr nach, wie sie sich entfernte; die vielen Speckröllchen zu beiden Seiten ihrer Taille verhüllten heute diskret viele Meter verschwitzter grüner Kanjeevaram-Seide. Ja, vor vielen Jahren, Tante Maheswari. Und nein – überhaupt nicht wie gestern. Es hat sehr, sehr viel länger gedauert, als ich je gedacht hatte, um aus dieser Sache wieder herauszukommen. Auf Wiedersehen, und nimm's nicht allzu schwer. Es war ganz bestimmt nicht dein Fehler.

10

Ich wusste, dass ich es nicht ewig vor mir herschieben konnte, die anderen in meine Pläne einzuweihen. Der sicherste Ort für diese unangenehme Aufgabe war Alleppey. Ma, Ammumma und ich saßen im Wohnzimmer. Draußen verwandelte die Nachmittagssonne Mangobäume, die keine Früchte trugen, in ein bewegtes, tiefgrün leuchtendes

Meer. Sogar die Fensterläden und Ammummas Vorhänge vermochten die schwere, feuchte Hitze kaum fern zu halten. Riya schlief, und im Haus herrschte eine tiefe Stille.

»Ma, Ammumma – ich habe in letzter Zeit ziemlich viel nachgedacht. Im nächsten Jahr, wenn ich meinen Magister gemacht habe, möchte ich mit Riya ins Ausland gehen. In Indien gibt es ja leider nicht viel, was ihr weiterhelfen könnte.«

Ma sah von ihrer Zeitung hoch, aber Ammumma saß noch immer halb schlafend in ihrem Korbstuhl. Die neue Serie im Fernsehen schien sie nicht besonders zu beeindrucken.

»Wird Suresh sich denn frei nehmen können? Ich meinte, du hättest gesagt, dass ihn seine Geschäfte sehr in Anspruch nehmen.«

»Wenn ich auf ihn warten würde, dann käme ich nie von hier weg, Ma. Ich werde wohl allein fahren müssen.«

»Allein?« Mas Stimme senkte sich zu einem Flüstern, aber deren ängstlicher Unterton ließ Ammumma aus ihrem Schlummer hochschrecken.

»Enda, enda? Was ist los? Was ist mit Mone passiert?«

Ammummas Hörvermögen hatte in den letzten Jahren nachgelassen, und alles, was sie nicht verstand, schien ihre tiefsten Ängste zu aktivieren. »Wir haben nicht genug Brot« löste ein besorgtes: »Aiyyo, wer ist tot!?« aus. Und kürzlich hatte sich ein »Heb's mal hoch« in Ammummas ständig von Panik bedrohtem Geist in das gefürchtete »Krebs« verwandelt, der sich anscheinend jede Minute in ihrem Körper zu manifestieren drohte. Ma bemühte sich bei all diesen Gelegenheiten, für sie zu dolmetschen. Jetzt wedelte Ammumma ungeduldig mit dem Arm.

»Was ist mit meinem Mone passiert? Redet ihr über meinen Raman?«

Ramama und Vijimami waren vor vielen Jahren nach Bangalore gezogen, und Ammumma lebte in ständiger Angst, eines ihrer Kinder könnte von einem schrecklichen Unglück heimgesucht werden, wenn sie nicht in der Nähe war, um es abzuwehren. Ma ignorierte sie, und ich bemerkte, dass ihre Unterlippe leicht zu zittern begonnen hatte.

»Allein?«, flüsterte sie noch einmal. »Warum? Kannst du nicht warten, bis Suresh dich begleiten kann?«

»Wenn eine von euch beiden mir nicht sofort sagt, was mit Mone passiert ist, dann werde ich schrecklich böse!«

Ich wandte mich Ammumma zu und erhob die Stimme in der Hoffnung, dass sie nur bis zu Ammummas Trommelfell und nicht durch die Mangobäume hindurch bis zur neugierigen Mrs. Pillai nebenan dringen würde.

»Ich habe die Absicht, mit RIYA nach AMERIKA zu gehen, um dort zu STUDIEREN. Ich könnte sie dort auch einigen SPEZIALISTEN vorführen. Ist das nicht eine GUTE Idee, Ammumma?«

Ammumma schien meine Worte verstanden zu haben. Zu meinem Erstaunen lehnte sie sich in ihrem Sessel zurück und sagte: »Ich glaube, das ist eine gute Idee. Tu das, Moley. Meinen Segen hast du.«

Ich war vor Verblüffung sprachlos, und Ma wandte sich Ammumma angesichts dieser unerwarteten Reaktion abrupt zu. Ihre Stimme schwankte noch immer. »Du hast sie nicht richtig verstanden, Amma, JANU will nach AMERIKA reisen, mit Riya und OHNE SURESH!«

»Du brauchst nicht so zu schreien, ich bin ja nicht taub. Oder willst du, dass Manju Pillai bis in alle Einzelheiten erfährt, was in unserer Familie los ist?«, sagte Ammumma wütend. »Sieh mal, Mani, wenn Janu Riya ins Ausland bringen kann, damit ihr dort geholfen wird, was macht es da schon, wenn Suresh eine Weile allein bleibt? Wie schön wäre es, wenn es eine Möglichkeit gäbe, unserer kleinen Riya Mole zu helfen! Janu kann sich um all das kümmern und dann wieder hierher zurückkommen.«

»Aber was werden die Leute sagen? Und was werden die Maraars sagen?«

Ammumma rümpfte verächtlich die Nase. »Die Maraars! Reizende Leute, unsere Janu daran zu hindern, alles, was irgend möglich ist, für ihre Tochter zu tun! Sie haben keine fünf Minuten übrig, um Janu mit Riya zu helfen, aber ständig klebt eines der heiß geliebten Kinder dieser Sathi am Sari dieser Padmaja. Joji dies und Joji das – das macht mich noch krank!« Und um sicherzugehen, dass sie ihre Botschaft deutlich genug übermittelt hatte, fügte sie, dabei fast ihr Gebiss verlierend, das empörte »PAH!« hinzu, das sie normalerweise für streunende Hunde reservierte, die an ihrem Tor schnüffelten.

Wir beide, Ma und ich, schauten Ammumma mit offenen Mündern an. Wir hatten einander vorher noch nie ehrlich gesagt, was wir von den Maraars hielten. Man hätte blind oder geistig beschränkt sein müssen, um nicht zu bemerken, dass sie nicht die liebevollen, unterstützenden angeheirateten Verwandten waren, die meine Familie sich erhofft hatte. Aber die Enttäuschung war nie offen zur Sprache gebracht worden, vor allem, weil es kaum eine Möglichkeit gab, die Situation zu ändern. Welchen Sinn machte es, ständig über Dinge zu reden, die man nicht ändern konnte? Witwenschaft, gleichgültige angeheiratete Verwandte, ein Kind mit einer Behinderung – wir hatten schon seit langem begriffen, dass dies Dinge waren, die das Schicksal uns einfach zugedacht, die wir aus früheren Leben geerbt hatten. Irgendwann in einer lange zurückliegenden Vergangenheit, es mochte vielleicht vor tausend Jahren gewesen sein, hatte ich etwas getan, das mich dazu zwang, dieses Leben Riya zu widmen. War ich als eine durstige Reisende an ihrer Schwelle aufgetaucht, und hatte sie mich eingelassen, mir die Füße gewaschen, mir Speise und Trank gegeben? Ich würde niemals erfahren, welches alte Versprechen ich ihr gemacht hatte, genauso wie sie nie erführe, welche Tat es gewesen war, die sie in diesem Leben ihrer Worte beraubt hatte. Oder auf welche Weise sie dafür im nächsten entschädigt werden würde. Aber irgendwo in der Vergangenheit hatten wir beide viele Leben gelebt, die uns jetzt miteinander verbanden. Und nach demselben kosmischen Muster war ich nun auch Teil jenes seltsamen, lieblosen Clans geworden, in den ich geheiratet hatte. Der Versuch, sich gegen diese Tatsachen zu sträuben, wäre gleichbedeutend damit, gegen die Götter zu kämpfen, sich ihrem Willen zu widersetzen. Was also mochte es gewesen sein, das jetzt Ammumma dazu bewog, auf so mutige Weise Stellung zu beziehen? War es das Alter oder war es die falsche Hoffnung, tatsächlich irgendein wunderbares amerikanisches Heilmittel für das Urenkelkind zu finden, das sie so sehr liebte?

Offensichtlich hatte sie den Eindruck, ich würde nur vorübergehend fort sein. Das war vergleichsweise akzeptabel. Sie brauchte sich in keiner Weise zu schämen, wenn sie ihren Tempelfreundinnen erzählte, ich hätte das Land verlassen, um ein Studium zu absolvieren und Riyas Behinderung »heilen« zu lassen. Vorausgesetzt natürlich, dass ich wieder zurückkam. Zu den Maraars, die Riya, wie wir mittlerweile alle wussten, krank machten. Ich spielte kurz mit dem Gedanken, sie über die wahren Tatsachen aufzuklären. Danke, Ammumma, aber es gibt da noch etwas, was ich dir sagen muss, ich habe nicht die Absicht, Suresh nur vorübergehend zu verlassen, möglicherweise dauert die Trennung ein wenig länger – beispielsweise – ein ganzes Leben lang.

Ich schaute in Mas Gesicht, in dem sich noch immer Missbilligung und Verwirrung spiegelten, und besann mich eines Besseren. Sie kannte mich, kannte die geheimsten Winkel meiner Seele, und wusste wahrscheinlich sehr genau, dass ich, wenn es mir einmal gelang, Suresh zu verlassen, möglicherweise nie zurückkehren würde. Ich war zu feige, mich mit Ammumma auseinander zu setzen, und beschloss, es ihr zu überlassen, meiner Großmutter zu erklären, was es bedeutete, wenn ich Suresh verließ.

Zudem gab es da noch das Problem der Finanzen, um das ich mich kümmern musste. Die Arizona State University hatte mir unmissverständlich mitgeteilt, dass ich mein Studium selbst finanzieren müsste. Möglicherweise würde man mir, wenn ich ausreichend gute Leistungen erbrachte, im zweiten Semester eine Stelle als Hilfsdozentin anbieten. Aber da ich mich zunächst einmal an die neue Umgebung würde gewöhnen müssen, nahm ich nicht an, dass ich eine allzu realistische Chance hätte, mich vor den amerikanischen Studenten auszuzeichnen. Ich ging in die Bücherei und lieh mir verschiedene Bücher aus, um eine Stiftung ausfindig zu machen, die mir ein Stipendium gewähren würde.

Ein paar Monate später trafen weitere Briefe ein, in denen mir Studienplätze angeboten wurden: von den Universitäten London, Stirling und Newcastle-upon-Tyne. Es überraschte mich nicht, dass in keinem dieser Briefe die Rede von einem Stipendium war. Schließlich kam ein Brief von der Firoze Barwala Foundation.

Sehr geehrte Mrs. Maraar,

wir haben Ihren Plan, einen Master of Arts in Sonderpädagogik an der University of Arizona zu machen, mit Interesse zur Kenntnis genommen. Wenn Sie die Zulassungsunterlagen an uns weiterleiten könnten, dann würden wir uns freuen, Sie kennen zu lernen und mit Ihnen zu besprechen, wie wir Ihnen bei Ihrem Projekt helfen können.

Wie Sie wissen, sind wir eine Körperschaft, die Studenten aus allen Teilen Indiens mit Stipendien unterstützt, aber unsere Vermögensverwalter sind in Delhi ansässig, und wir hoffen, es wird Ihnen möglich sein, hierher zu reisen, um die Verantwortlichen persönlich zu treffen. Das Datum, das den Verwaltern der Stiftung am besten zusagen würde, ist der 8. Dezember. Lassen Sie uns so bald wie möglich wissen, ob Sie am 8. Dezember um etwa 10 Uhr bei der oben genannten Adresse vorstellig werden können.

Wir freuen uns darauf, Sie kennen zu lernen, und verbleiben

mit freundlichen Grüßen
Mrs. Meher Rustomji

Es war höchste Zeit, die Maraars von meinen Plänen in Kenntnis zu setzen. Suresh war derjenige, von dem ich am wenigsten Widerstand erwartete, deshalb wandte ich mich zunächst an ihn.

»Ich habe schon seit langem gehofft, Riya ins Ausland bringen zu können ... Es scheint, man kann in Amerika für Kinder mit speziellen Bedürfnissen außerordentlich viel tun ... Suresh, hörst du mir zu?«

Suresh war damit beschäftigt, sich auf eine seiner Geschäftsreisen vorzubereiten, die vierte – oder war es die fünfte in diesem Monat? Er betrachtete kritisch die Hemden, die ich für ihn zusammenlegte.

»Nicht das blaue hier, ist das braun gestreifte denn in der Wäsche? – Was? Ja, Riya im Ausland behandeln zu lassen ist sicher eine gute Idee, aber du weißt, dass ich einfach nicht die Zeit habe …«

»Ich bitte dich nicht darum, uns Zeit zu widmen, Suresh. Ich werde mit Riya allein dorthin fahren. Einige Universitäten im Ausland haben mir angeboten, mich als Studentin zuzulassen, und möglicherweise gewährt man mir sogar ein Stipendium …«

Plötzlich hatte ich seine volle Aufmerksamkeit. Er hörte abrupt auf zu packen und sah mich mit offenem Mund an. Mehrere Hosen hingen hilflos und schlaff in seinen Händen.

»Wann? Wie hast du diese – diese Zulassung bekommen?«

»O Suresh, das kann dir doch nicht entgangen sein. Ich habe seit langem mit verschiedenen Stellen korrespondiert. Erst neulich habe ich dir davon erzählt, erinnerst du dich nicht?«

Ich hatte nichts dergleichen getan, aber ich wusste, dass Suresh niemals wirklich zuhörte, wenn ich ihm etwas mitzuteilen versuchte. Selbst zu Anfang unserer Ehe bestand seine Reaktion auf das, was ich sagte, gewöhnlich darin, mir, meist mitten im Satz, väterlich den Kopf zu tätscheln und mich »Laathi«, Plappermäulchen, zu nennen. Man hätte dies als zärtliche Geste deuten können, und in gewisser Weise war es das wahrscheinlich auch. Aber sein herablassender Tonfall ließ keinen Zweifel daran, dass ich wieder einmal irgendwelches belangloses Zeug redete, dass ich nichts Wichtiges zu sagen hätte und am besten den Mund halten solle. Was ich schließlich auch tat – ein für alle Mal, während unseres ganzen weiteren gemeinsamen Lebens. Außer wenn es darum ging, ihn um Geld zu bitten, um Riya neue Kleider zu kaufen, oder um ihn zum Essen zu rufen. Selbst in jenen dunklen Monaten, in denen Riyas Behinderung offensichtlich wurde, hatte ich von niemandem Hilfe erhalten; ich hatte weder die Kraft noch die Macht gehabt, die Mauern, die Suresh und sämtliche Maraars um mich herum aufgebaut hatten, einzureißen. Konnte er jetzt ernsthaft glauben, ich hätte zu irgendeinem Zeitpunkt meine Hoffnungen und Träume mit ihm geteilt? In seinem Gesicht spiegelten sich Verwirrung und Bestürzung. Offensichtlich bemühte er sich, sich an das zu erinnern, was ich darüber gesagt haben mochte, Riya ins Ausland zu bringen, um sie dort behandeln zu lassen! Einen Augenblick lang tat er mir Leid, und ich fragte mich, ob ich ihm nicht die ganze Wahrheit sagen sollte. Aber zunächst ging es um die Reise nach Delhi! Ich musste ihm sagen, dass ich beabsichtigte, nach Delhi zu fahren, um mich dort den Geldgebern der Stiftung vorzustellen.

»Und jetzt hat man mich gebeten, mich vorzustellen, damit ich mich bei einer Stiftung um ein Stipendium bewerben kann. Es kann sogar sein, dass diese Stiftung das gesamte Studium finanziert. Das ist eine großartige, einmalige Chance, glaub mir!«

Ich drückte ihm den Brief in die Hand und beobachtete ihn, während er die Hosen, die er in der Hand hielt, ablegte, um ihn zu lesen. Dann schaute er mich an. Blickkontakt! Wann hatten wir zum letzten Mal *Blickkontakt* gehabt? Ich traute kaum meinen Ohren, als er mich fragte:

»Willst du wirklich fahren?«

War das nur eine hypothetische Frage? War sie bloß rhetorisch gemeint und nichts als der Anfang zu einer Serie von Vorwürfen ... Wollte er vielleicht einen Streit vom Zaum brechen? Als er mich ein paar Minuten später noch immer anschaute, wurde ich mir mit einem Schock bewusst, dass Suresh mich allen Ernstes fragte, was *ich* wollte. Offenbar hatte es so vieler Jahre bedurft, um in ihm ein echtes Interesse an dem zu wecken, was in meiner Seele vor sich ging! War dies eine Frage von Schuld? War es mein Fehler, war es seiner? Hätte ich schon vor vielen Jahren versuchen sollen, ihn aufzurütteln, ihn aus seiner Lethargie zu reißen? Wäre es meine Aufgabe gewesen, ihn mit weiblichem Charme zu umschmeicheln, um ihn dazu zu *bewegen*, zu verführen, sich für mich zu interessieren? Ich atmete tief ein und sagte sanft:

»Ja, Suresh, ich möchte wirklich gerne fahren.«

Was die Maraars anging, so war es sehr viel schwieriger, ihren Widerstand zu überwinden. Sureshs Vater, normalerweise jemand, den nichts anderes interessierte als seine Geschäfte, rief mich am folgenden Nachmittag auf die Veranda hinaus. Die Sitzungen auf der Veranda, die nach dem Mittagessen stattfanden, waren gewöhnlich den Männern vorbehalten, während die Frauen im Haus das Geschirr abräumten. Treffen auf der Veranda widmete man Besprechungen über Geschäfte und andere wichtige Angelegenheiten. Gelegentlich gesellte sich Amma zu den Männern, die dort zusammensaßen, aber auch das nur, wenn eine Hochzeit oder irgendein anderes wichtiges Ereignis bevorstand, das danach verlangte, eine Frau in das Gespräch einzubeziehen. Ich selbst tauchte bei solchen Anlässen nur auf, um jemandem ein Glas Wasser zu bringen oder mitzuteilen, wenn jemand angerufen hatte. Mir des Ernstes der Situation bewusst, nahm ich nervös meinen Platz gegenüber meinem Schwiegervater ein, der sich in seinem wunderschönen alten polierten Schaukelstuhl zurücklehnte. Die Nachmittagssonne überflutete den Garten mit heißem, flüssigem Gold. Ich wünschte, jemand würde den Deckenventilator höher stellen, da meine Bluse klebrig an meinem Rücken haftete. Eine Kette von Schweißperlen hatte sich am Ansatz meines Nackens gebildet und rollte jetzt langsam zwischen meinen Schulterblättern den Rücken hinunter, glitt unter meinen Büstenhalter und näherte sich dann mit zunehmender Geschwindigkeit ihrem Ziel, den feuchten Falten des Saris an meiner Taille.

Ich hatte keine Angst vor Achen, aber ich war mir nie wirklich sicher, woran ich mit ihm war. Seine Einstellung mir gegenüber war normalerweise freundlich und distanziert, aber für Dinge, bei denen es nicht darum ging, Profit zu machen oder ein Geschäft abzuschließen, schien er kaum Verständnis zu haben. Er betrachtete es als seine Lebensaufgabe, für seine Frauen zu sorgen und sie zu beschützen, und wie andere Männer seiner Generation machte er seine Sache gut und gründlich. Die anderen, weniger wichtigen Angelegenheiten überließ er seiner Frau, seiner tüchtigen und intelligenten Partnerin, die sein volles Vertrauen genoss. Allem Anschein nach herrschten in seinem Haus Frieden und Glück, und es war nicht seine Aufgabe, sich mit irgendwelchen kleinen Streitereien und Eifersüchteleien zu befassen. Ich fühlte mich unglücklich bei dem Gedanken, dass ich ihn gezwungen hatte, innezuhalten und sich dieses Bild seiner Familie ein wenig genauer anzuschauen, nach ein paar Einzelheiten zu suchen, die ihm helfen würden, diese völlig unerwartete Situation zu verstehen. Hatten Suresh und ich uns gestritten? Fühlte ich mich in seinem Haus nicht wohl? Gab es irgendetwas anderes, was mir Kummer bereitete? Seine Besorgnis rührte mich, und einen Augenblick lang konnte ich fühlen, wie heiße Tränen an der Innenseite meiner Augenlider prickelten. Konnte ich es wagen, ihm mein Herz auszuschütten? Über die Jahre zu sprechen, in denen ich mich einsam und ungeliebt gefühlt hatte? Mich über Ammas Spott und ihre höhnischen Bemerkungen zu beklagen? Darüber, dass Riya offensichtlich von allen abgelehnt wurde? Über Sureshs Schwäche für Whisky, die ihn dazu verführte, ständig irgendwelche Reisen zu unternehmen?

Ich konnte mir vorstellen, welche Hölle losbrechen würde, wenn ich es täte. Suresh würde sofort eine dringende Geschäftsreise vorschützen. Und ich würde das Schluchzen und die Tränen ertragen müssen, mit denen Amma darauf reagieren würde, dass ich sie so schrecklich missverstanden hatte. Als Erstes würde sie zum Telefon greifen, um ihre geliebten Töchter anzurufen und ihnen ihr Leid zu klagen. Dann würden zweifellos wütende Worte gewechselt werden, jeder würde seinen Kommentar dazu abgeben, Gauri und Sathi und Dr. Sasi-der-berühmte-Urologe, vielleicht sogar Gauris neuer bärtiger Rechtsanwalt … Und danach würde meine Mutter davon erfahren, und ich müsste ihre Tränen und vielleicht sogar die von Ammumma ertragen. An jenem Nachmittag in Alleppey waren wir alle drei der Meinung gewesen, dass die Maraars Ammumma krank machten, aber trotzdem konnte ich ihnen nicht sagen, was ich wirklich fühlte! So etwas war im Handbuch der guten Sitten Keralas nicht vorgesehen! Es war in Ordnung, sogar intelligent, die Leute hinter ihrem Rücken zu kritisieren, zu flüstern und zu klatschen und als Freundlichkeit kaschierte Gemeinheiten zu äußern. Aber es war völlig unmöglich, ihnen ins Gesicht hinein zu sagen, dass man sie nicht ausstehen konnte. Ich würde zu meiner Lieblingslüge Zuflucht nehmen müssen.

»Es geht um Riya. Ich möchte mit ihr ins Ausland reisen, um herauszufinden, ob es irgendeine Behandlung gibt, die ihr helfen kann.«

Ich war nicht sicher, ob er mir glaubte. Mir war völlig klar, dass es auf der ganzen Welt keine Behandlung gab, die Riya ›heilen‹ würde. Aber ich hatte die Hoffnung, ihr die Möglichkeit zu verschaffen, eine entsprechend ausgestattete Sonderschule zu besuchen, um eine Sprech- und Beschäftigungstherapie zu bekommen, die ihre Lage verbesserten. Vor allem wollte ich, dass sie der Atmosphäre von Vorurteilen und Ablehnung entkam, der sie schon so früh in ihrem Leben ausgesetzt war. Ich wollte nicht, dass sie bemitleidet oder verspottet wurde. Ich wusste weder, ob sie jemals verstehen würde, was Vorurteile sind, noch, ob ›das Ausland‹ ein Ort war, wo die Menschen weniger grausam sind. Aber mein Projekt schien mir einen Versuch wert zu sein. Eine ›Behandlung‹ war etwas, wofür man sich mit einem befristeten Visum ins Ausland begab, um dann, sobald es einem wieder besser ging, in seine Heimat zurückzukehren. Ich konnte Achen nicht sagen, dass es den Rest unseres Lebens in Anspruch nehmen würde, die Art von Behandlung zu finden, die ich mir für Riya wünschte. Und auch nicht, dass es mir ebenso um mich selbst wie um meine Tochter ging. *Und* dass sein Zuhause wahrscheinlich der letzte Ort war, an den wir gerne zurückkämen. Selbst nachdem Riya schließlich ihre besondere ›Behandlung‹ erhalten haben würde.

Noch mehr Fragen – wo würde die Behandlung stattfinden? Wie lange würde sie dauern? Was war das für eine Ausbildung, die ich machen wollte? Wo würden wir wohnen? Ich ließ die Befragung benommen über mich ergehen, fühlte mich verwirrt und war mir meiner wachsenden Unsicherheit bewusst. Aber schließlich schien Achen zu akzeptieren, was ich sagte, wenn er es auch nicht ganz verstand. Er meinte, ich könne mein Ticket nach Delhi buchen, wenn Suresh am Donnerstag wieder nach Hause käme. Ich sagte ihm, ich wolle bei einer der Cousinen meiner Mutter wohnen, die mich sicher auch am Bahnhof abholen werde. Ich würde Riya bei meiner Mutter in Alleppey lassen, es wäre kein Problem, wenn sie ein paar Tage in ihrer Schule versäumte. Plötzlich spürte ich eine tiefe Dankbarkeit und, eine alte Maraar-Regel vergessend, brachte dieses Gefühl mit Worten zum Ausdruck, aber mein Schwiegervater wandte den Blick von mir ab und schaute hinaus in den Garten. Damit war ich entlassen. Spielte ich schon jetzt in seinem Leben keine Rolle mehr? Hatte ich ihn verletzt oder beschämt? Oder hatte er sich im Geiste bereits erneut den Dingen zugewandt, über die er sich normalerweise Sorgen machte, und die Probleme, die ich so unerwartet zur Sprache gebracht hatte, bereits beiseite geschoben? Zurück im Haus, fühlte ich mich erschöpft und unglücklich, obwohl ich die Erlaubnis hatte, nach Delhi zu reisen.

Eigentlich hätte ich mich noch schlechter fühlen sollen, als Amma nach dem Aufwachen über eine schreckliche Migräne klagte. Sie saß am Küchentisch und schüttete eine Tasse Kaffee nach der anderen in sich hinein. Weder sie selbst noch Achen, murmelte sie, hätten in der Nacht ein Auge zugetan, weil sie sich solche Sorgen um ihren Sohn machten. Was würden die Leute sagen? Aber Achen war, wie ich sah, so energisch und robust wie immer und nahm, bevor er ins Büro ging, wie üblich ein herzhaftes Frühstück zu sich. Er dankte mir, und das war ungewöhnlich, mit einem Nicken für den Kaffee, den ich für ihn aufgebrüht hatte, und fragte, wo Riya sei. Amma dagegen lief den ganzen Tag über mit hängendem Kopf herum, um zu demonstrieren, wie sehr sie vom Schicksal geschlagen war, und machte viel sagende Andeutungen über junge Frauen, die sich nicht im Geringsten um ihre armen Ehemänner kümmerten, welche so hart für sie arbeiteten. Nachdem ich mir einen ganzen Morgen lang ihre Klagen angehört hatte, spürte ich, wie der letzte Rest von Schuldgefühlen, ausgelöst durch mein Gespräch mit Achen auf der Veranda, von mir abfiel. Wenn sie tatsächlich ein ernstes Problem hatte, dann sollte sie den Mut haben, es anzusprechen. Aber solange sie nur mit ihrem Kaffeebecher, den Schränken und dem Himmel vor dem Fenster zu sprechen schien, war ich nicht verpflichtet, ihr zu antworten. Ich ging meinen üblichen Pflichten nach und summte zufrieden vor mich hin.

11

Die Reise nach Delhi würde zwei Tage dauern. Ich hatte das Gefühl, als wären dies die ersten richtigen Ferien seit Jahren. Mit einer Vorfreude, die ich kaum verbergen konnte, bestieg ich den Zug, schob meinen Koffer unter den Sitz und verabschiedete mich von Suresh. Zuvor hatte ich Riya nach Alleppey gebracht und mich davongeschlichen, während sie von den Marienkäfern im Garten abgelenkt war, denen sie begeistert hinterherjagte. Ich hatte sie vorher nie für längere Zeit allein gelassen, aber ich war sicher, dass sie sich bei ihren beiden liebevollen und aufmerksamen Großmüttern wohl und geborgen fühlen würde. Nach einer endlos langen Wartezeit gab die Lokomotive einen warnenden Pfiff von sich, ruckte heftig und setzte sich in Bewegung. Ich fühlte mich wie in einem Traum; plötzlich reiste ich zurück in die Stadt meiner Kindheit, ohne Suresh und ohne Riya. Ich fühlte mich frei und unbeschwert, als wäre ich wieder ein junges Mädchen, und es kümmerte mich nicht, dass dieses Gefühl ebenso flüchtig war wie die Landschaften, die an meinem Fenster vorbeiglitten.

Palghat, Vijaywada, Itarsi, Jhansi – die Namen dieser Städte klangen wie Musik in meinen Ohren, und jedes Stampfen der Lokomotive, die mich immer weiter von Kerala forttrug, stärkte meine Hoffnung und meine Zuversicht. Hatte ich das Land, das zu meiner Heimat geworden war, im Laufe der Jahre hassen gelernt? Ich hatte dort einige meiner glücklichsten Stunden erlebt, und schon als kleines Kind hatte ich gewusst, dass ich dorthin gehörte, dass der Frieden seiner vielen stillen Gewässer mir Ruhe und Geborgenheit schenkte. Meine Vorfahren hatten dort seit Generationen die fruchtbare Erde gepflügt, meine Großmutter hatte dabei geholfen, eine ganze Generation von Kindern in ihrem Dorf großzuziehen – und trotzdem hatte Kerala mich, eine ihrer treuen Töchter, nicht wirklich angenommen. Trotz all der nutzlosen Versuche, Saris zu tragen und Malayalam zu sprechen, hatte ich es nicht geschafft, wirklich dazuzugehören. Vielleicht, weil meine Eltern nach Delhi gezogen waren? Weil ich nicht, wie die Tradition es vorschrieb, im Haus meiner Großmutter geboren worden war, weil ich auf eine elitäre irische Klosterschule gegangen war und weil die Freundinnen, mit denen ich aufgewachsen war, Kinder von Geschäftsleuten aus dem Punjab waren, die eine Art ›Hinglish‹ sprachen, sodass mein Malayalam nie seinen eigenartigen Akzent verlor? In einem Teil meiner Persönlichkeit war ich noch immer ein Mädchen aus Delhi, das in Kerala ewig eine Fremde blieb. Das Seltsame war, dass ich auch nicht wirklich nach Delhi gehörte, da in meinem Herzen noch immer das Mädchen aus Kerala lebte. Was sich auch an meinem Namen zeigte und an der Art, wie meine Eltern sprachen, und an den Idlis, die statt der Parathas in meiner Lunchbox steckten und den Sandwiches, die mit sauren Gurken oder sogar Salami belegt waren. Wir hätten einen weltweiten Club von Kindern gründen können, die nirgendwo und überallhin gehörten, in ständiger Verwirrung über unsere eigene Identität …

»Poori? Möchten Sie Poori?«

Eine der Frauen, mit denen ich mein nur für Damen reserviertes Abteil teilte, hielt mir eine Poori hin, die mit einem leuchtend gelben Kartoffelbrei gefüllt war. Sie war in Vijaywada eingestiegen und hatte mir bereits erzählt, dass sie nach Delhi reiste, um ihren Sohn und ihre Schwiegertochter zu besuchen.

»Meine Schwiegertochter, wirklich ein sehr intelligentes Mädchen, schon zwei akademische Abschlüsse, einen Magister und einen Bachelor. Und jetzt macht sie noch einen Magister in Erziehungswissenschaften! Aber die Prüfungen sind im März, und sie braucht jemanden, der ihr hilft! Sie kann ihre eigene Mutter nicht um Hilfe bitten, denn die wohnt in Palghat und hat noch jüngere Kinder, für die sie sorgen muss, ihr Sohn muss zudem in diesem Jahr noch seine Abschlussprüfungen machen, deshalb hab ich ihr versprochen, ihr zu helfen, schließlich hab ich sonst keine Verpflichtungen; mein Mann hat diese Welt vor zwei Jahren verlassen.«

In diesem Augenblick schienen ihre Erinnerungen (ob gute oder schlechte, konnte ich nicht feststellen) sie plötzlich zu überwältigen, und sie verfiel in ein gedankenverlorenes Schweigen, bis der Hunger sie erneut in die Realität zurückbrachte. Ich hatte ihr nichts über mich erzählt, aber als ich in ihre Poori biss, schob sie ihren Fuß unter ihren Sari und lächelte mich an, als wären wir alte Freundinnen.

»Sie fahren auch nach Delhi, oder?«

Ich nickte und lächelte.

»Warum?«

Um einer Ehe zu entfliehen, die nicht ganz und gar *schlecht* war, aber auch nicht gut. Sie schaute mich noch immer an. In ihren Augen spiegelten sich eine harmlose Neugier und die besorgte Frage, warum eine junge Frau ganz allein eine so weite Reise unternahm. Ich war sicher, dass sie zu der Sorte Frau gehörte, die alles, sogar den *Zweiten Magister* ihrer Schwiegertochter stehen und liegen lassen würde, um einem anderen Menschen in Not zu helfen. Als ich ihr antwortete, konzentrierte ich mich auf den großen, geschliffenen Diamanten, den sie auf ihrer Nase trug.

»Zu einem Vorstellungsgespräch.«

»Aaahh!« Ich konnte sehen, wie sich Erleichterung in ihrem Gesicht ausbreitete. »Für einen Job?«

Wenn ich ja sagte, würde ich irgendeinen Job erfinden müssen.

»Nein, ein Vorstellungsgespräch für ein Stipendium.«

»Stipendium!« Sie war erfreut, Bildung bedeutete ihr viel, das war offensichtlich. »Also sind Sie bestimmt eine intelligente junge Frau, oder?«

Intelligent? Säße ich in diesem Zug, wenn ich weniger intelligent, dafür aber ehrlicher gewesen wäre? Ich wusste, dass sie mir ein Kompliment machen wollte, und überlegte, ob ich ihr sagen sollte, dass ich eigentlich nicht *intelligent* sei, aber, was Leistung anging, eine Menge erreicht hatte. Langeweile und Willensstärke waren die wesentlichen Faktoren gewesen, die mich motiviert hatten, meine akademischen Abschlüsse, einen Bachelor und einen Magister, zu machen.

Es folgte eine kurze Pause, und sie angelte eine Flasche mit eingelegten Limonen aus ihrer gewebten Plastiktasche, die prall gefüllt war mit Proviant. Ich lehnte ihr erneutes Angebot jedoch dankend ab. Sie biss in eine zweite Poori – sie schien unerschöpfliche Vorräte davon zu haben – und bedeckte sie reichlich mit Kartoffeln. Obenauf legte sie ein Stück eingelegte Limone und wickelte das Ganze geschickt zu einer festen kleinen Rolle zusammen. Dann warf sie mir erneut einen Blick zu, ruckte mit dem Kopf und schürzte die Lippen, um mir eine weitere Poori anzubieten. Als ich zögerte, schob sie sich die ganze, wohlgeformte Rolle in den Mund und begann zufrieden zu kauen. »Ein Stipendium für welches Fach?«

Ich dachte, wir hätten das Thema zwei Städte und ein Dorf hinter uns gelassen, und schrak zusammen.

»Äh … Pädagogik«, und dann, als ich mich an den *Master of Education* ihrer Tochter erinnerte, fügte ich hinzu: »Sonderpädagogik.«

»Sonderpädagogik? Was ist das?«

»Unterricht für Kinder mit Lernbehinderungen – für geistig behinderte Kinder.«

»Aah, ja, geistig behindert. Das kenne ich, der Sohn meines Nachbarn in Vijaywada, er ist fünf, glaube ich, aber er kann nicht sprechen, und er geht so komisch, so etwa«, sie schob die Knie nach außen und wackelte mit demKopf hin und her, wobei sie ihre Zunge, die mit Poori bedeckt war, herausstreckte: »Das arme Mädchen, seine Mutter, sie weint den ganzen Tag: Mein armer Junge, mein armer Junge, er kann nicht zur Schule gehen, er kann gar nichts.«

Sie schnalzte mitfühlend mit der Zunge, baute sich aber eine weitere dreilagige Poori, bevor sie entschlossen ihren Stahlbehälter schloss.

Ich lehnte mich auf meinem Sitz zurück und sah zu, wie die mittlerweile bräunlich gefärbte Landschaft am Fenster vorbeirollte. Riya, mein Liebling, ich hoffe, es geht dir gut. Ammumma und die große Ammumma werden mit dir ausgehen und dich dorthin bringen, wo es schön ist, zum Tempel und zum Strand. Vielleicht bekommst du sogar einen Elefanten zu sehen, falls das Tempelfestival beginnt, während du noch dort bist!

»So, dann werden Sie also solche Kinder unterrichten. Seehr gut. Son-der-pääda-gogik.« Sie sprach das Wort sehr langsam aus, ließ es auf ihrer Zunge rollen, um sich besser daran erinnern zu können, da sie ihrer Schwiegertochter davon erzählen wollte, wenn sie nach Delhi kam. »Und – das Geld? Als Sonderschullehrerin – verdient man da viel Geld?«

Ich lachte über diese naive Frage und sagte: »Nein, viel Geld bringt es einem bestimmt nicht. Eine Menge Kummer, ja, aber viel Geld ganz gewiss nicht!«

Ich wusste, dass sie nicht genau verstanden hatte, was ich damit meinte, aber sie sah mich an, als müsste ich völlig verrückt sein, mich so wenig um weltliche Dinge zu kümmern. Ihr meine Geschichte zu erzählen hätte unsere ganzen zweieinhalb Tage in diesem Zug in Anspruch genommen, deshalb beschloss ich, als sie mir ihre nächste Frage stellte, mit der Wahrheit ein wenig sparsam umzugehen.

»Verheiratet?«

Ich schüttelte den Kopf. Sie schenkte mir ein freundliches Lächeln, ich war eine junge, unverheiratete Frau, ich brauchte *definitiv* jemanden, der auf mich aufpasste, und dies war die Rolle, die ihr jetzt zugefallen war, und in der sie sich wohlfühlte.

»Sonderpädagogik.« Sie ließ dieses neue Wort auf der Zunge zergehen. »Seehr gut. Sie *müssen* sehr intelligent sein, wenn Sie ein Stipendium bekommen. Die Leute aus Kerala sind alle sehr intelligent, die haben eine Menge Grips im Kopf.« Sie tippte mit dem Zeigefinger seitlich gegen ihre Stirn. »Meine Schwiegertochter sagt, im Staat Kerala gibt es überhaupt keine Analphabeten. Alle jungen Frauen sind intelligent und gebildet und gehen arbeiten, nicht wahr?«

Ja, ich hatte diese jungen Frauen gesehen. In Bussen und Nahverkehrszügen, wenn sie spätabends von der Arbeit nach Hause fuhren. Um ihre Kinder aus billigen, schlecht geführten staatlichen Kindergärten abzuholen und das Abendessen für die Familie zuzubereiten, wozu sie die Kokosnuss für die *Kootans* auf ihren Küchensteinen zerstampften. Ich hatte häufig gesehen, wie Saramma, die Stenotypistin, die hinter Ammummas Haus in Alleppey wohnte, die Kleider ihrer Familie in einem blauen Eimer wusch. Gewöhnlich schöpfte sie dafür beim Schein des Mondes das Wasser aus dem Brunnen, weil die städtische Wasserversorgung um acht Uhr eingestellt wurde. Danach füllte sie erneut ihren blauen Eimer mit Brunnenwasser und kehrte ins Haus zurück, um die Fußböden zu reinigen. Eine Stunde später sah ich sie auf allen vieren auf der Veranda, ihren Wischlappen scheinbar unermüdlich von einer Seite zur anderen schwingend. Am nächsten Tag war sie in der Morgendämmerung wieder auf den Beinen, um das Frühstück vorzubereiten und die kleinen Lunchpakete, die sie in kleine Tragebehälter packte. Zwei kleine für die Kinder, einen großen für den Korb am Motorroller ihres Mannes und einen Stahlbehälter für sich selbst, so klein, dass er in die Handtasche passte, die sie im Bus bei sich trug.

Sie war eine dieser gebildeten jungen Frauen, der Stolz Keralas, ein Produkt kommunistischen Denkens und der Ziele und Ideale der Gewerkschaften. Sie war fleißig und tüchtig und sorgte für sich selbst und ihre Familie ohne irgendwelche Hilfe von Seiten der Regierung oder ihres Mannes. Dieser Mann, Thomachen, schien sie über alles zu lieben und führte seine kleine Familie jeden Sonntag ins Kino aus, oder sie fuhren gemeinsam an den Strand, um dort Erdnüsse zu essen. Aber die Überwindung des Analphabetentums in Kerala brachte ihr keine Befreiung. Was dabei herauskam, war eine Art minimaler Schulbildung ohne eine wirkliche Vision. Beide, Thomachen und Saramma, waren stolz darauf, dass Saramma die Schule besucht und einen Job bei der Regierung gefunden hatte. Es schien sie nicht zu beunruhigen, dass sie mit siebenundzwanzig so dünn war wie eine Bohnenstange und dass die tagtägliche Überforderung sich bereits in den winzigen Linien um ihre Augen und in der riesigen Vene zeigte, die sich, ständig pulsierend, quer über ihre Stirn zog. Sie entsprach dem statistischen Prototyp, auf den Kerala so übertrieben stolz war; »gemäß der Statistik dieselben Verhältnisse wie in *entwickelten* Ländern«, so hieß es.

Ich nickte meiner Reisegefährtin zu: »Die letzte Umfrage ergab eine hundertprozentige Alphabetisierung, aber soweit ich weiß, wird sie daran gemessen, ob man mit seinem eigenen Namen unterscheiben kann. Das scheint mir kein fairer Maßstab zu sein, oder?«

Glücklicherweise waren meine eigenen Probleme mittlerweile, während der Zug schaukelnd und stampfend durch die Nacht von Andhra rollte, nicht mehr Thema des Gesprächs. Eine Stunde später kam der Fahrkartenschaffner vorbei. Es sei ratsam, sagte er, das Damenabteil für die Nacht abzuschließen. Nachdem wir rasch noch ein letztes Mal zur Toilette gegangen waren, die Schlafwagenbetten heruntergeklappt und Luftkissen aufgeblasen und Wolldecken geglättet hatten, bereiteten wir uns auf die Nachtruhe vor. Als es darum ging, wer in der oberen Schlafwagenkoje liegen sollte, richteten sich die Blicke aller Mitreisenden auf mich. Es schien nur gerecht, wenn ich, als einzige unverheiratete Frau, die obere Liege nahm, da ich vermutlich beweglicher war und mehr Energie hatte als meine verheirateten Schwestern. Ich zog die kleine Metallleiter herunter, um für die Nacht in meine gemütliche Koje im dritten Stock zu steigen, und benutzte die raue Wolldecke der Indian Railway, um mich gegen das unheimliche Blau der Nachtlampe über meinem Kopf abzuschirmen. Der Zug wiegte mich in den Schlaf, wie eine Mutter, die sich bemüht, ihr Baby zu beruhigen. Ich genoss jede Minute meiner Freiheit. Es war sogar vergnüglich gewesen, den Mitreisenden die leicht veränderte Version meiner Geschichte zu erzählen, die Geschichte der unverheirateten Frau, der die Zukunft mit all ihren wunderbaren Möglichkeiten offen stand. Plötzlich hatte ich das Gefühl, mich nicht mehr auf festen Gleisen zu bewegen. So, wie ich mich fühlte, hätte der Zug durch den Nachthimmel sausen und sogar die Sterne überholen können.

Der Bahnhof von New Delhi war genau so, wie ich ihn in Erinnerung hatte: laut, chaotisch und er wimmelte von Menschen. Die ungewohnten Laute auf Hindi aus dem

Lautsprecher verwirrten mich für einen Moment. Ich half meiner behäbigen Reisegefährtin dabei, ihr Gepäck aus dem Damenabteil zu tragen. Dann wählte ich die beiden, wie ich hoffte, ehrlichsten Gepäckträger aus, die uns laut rufend ihre Dienste anboten. Nachdem wir dafür gesorgt hatten, dass die Gepäckstücke dem richtigen Träger übergeben wurden, bahnten wir uns langsam unseren Weg den Bahnsteig neun hinunter und gingen dann über die Fußgängerbrücke in Richtung Haupteingang, wobei wir uns an Hunden, Kühen, Bettlern und Schwarzhändlern vorbeidrängen mussten. Eine kleine Prozession zweier Frauen, ein wenig überfordert von den Menschenmassen und den vielen neuen Eindrücken, gefolgt von einem Gepäckträger, der einen Koffer mittlerer Größe trug, und einem zweiten, der unter zwei riesigen Koffern, einer Schultertasche, jetzt glücklicherweise fast völlig leer, kaum noch erkennbar war.

Bevor wir zum Haupteingang gelangten, stürzte ein junger Mann mit einem freundlichen Gesicht auf uns zu. »Amma!«, rief er mit strahlendem Lächeln. Meine Reisegefährtin ließ meinen Arm fahren und antwortete mit einem lauten, glücklichen: »Ramesha!«, auf das ein Wortschwall in Telegu folgte. Sie plapperte weiter in Telegu, während Ramesha ihre Füße berührte, dem Gepäckträger Anweisungen gab und ihren Arm nahm. »Komm, Amma, rasch, Usha wartet schon auf dich. Sie hat dir zum Frühstück Poories gemacht, so, wie du sie am liebsten magst.« Meine Reisegefährtin hätte mich lieber persönlich den fürsorglichen Händen Onkel Raghus übergeben, bevor sie mich verließ, aber ihr Sohn, vertrauter mit den Sitten dieser riesigen Stadt, stimmte mir zu, dass mir dort, wo ich mich befand, keinerlei Gefahren drohten. Nachdem sie dreimal nachgefragt hatte, ob wirklich alles in Ordnung sei, dabei aber ein Gesicht machte, als glaubte sie mir nicht, dass Onkel Raghu tatsächlich bald käme, ging sie mit ihrem Sohn davon und tauchte wenig später in der Menge unter. Eine freundliche Frau mit einem guten Herzen und der einzige Mensch auf der Welt, den ich kannte, der mich für eine unverheiratete junge Frau – und für intelligent hielt!

Ich bezahlte meinen Gepäckträger, der eindeutig verärgert zu sein schien, viel weniger zu bekommen als sein Kollege. Er war offensichtlich vor allem an Reisenden interessiert, die *nicht* mit leichtem Gepäck reisten, vor Passagieren wie mir hatte er wenig Respekt. Es fiel mir schwer, mich gegen sein Schimpfen zu wehren, da mein Hindi mir noch immer ein wenig zögernd und unsicher über die Lippen kam. Er tat mir Leid, aber mit der routinierten Sachlichkeit aller wohlhabenden Inder, die täglich mit bitterster Armut konfrontiert sind, vermied ich Blickkontakt zu ihm. Ich suchte die Menschenmenge nach Onkel Raghu ab. Wenig später sah ich ihn. Ich hatte ihn zuletzt vor vier Jahren bei der Hochzeit seiner Tochter in Guruvayur gesehen, hätte aber seinen glänzenden Schädel aus einer Entfernung von vielen Meilen erkennen können. Er bahnte sich durch die Menge hindurch seinen Weg in meine Richtung und rief mir durch den Lärm hindurch zu: »Tut mir Leid, Moley! Du hast doch noch nicht lange gewartet, oder?«

»Wie schön, dich wieder zu sehen, Onkel«, erwiderte ich und umarmte ihn. Onkel Raghu war einer der vielen Cousins meiner Mutter, ein warmherziger Mann, dem es nichts auszumachen schien, sich zwei Stunden Zeit zu nehmen, ein Mitglied der Familie vom Bahnhof abzuholen oder jemandem ähnliche Gefälligkeiten zu erweisen.

»Hattest du eine gute Reise? Du sehnst dich jetzt bestimmt nach einem Bad und einem anständigen Essen, nach all dem Zeug, das man im Zug so in sich reinstopft.« Wir gingen an Autos Marke »Tonga« und »Tempo« vorbei und gelangten schließlich zu Onkel Raghus verbeultem Fiat, den ein glänzender, brandneuer »Ambassador« zuparkte. Während Onkel Raghu den gedankenlosen Fahrer in ungehobeltem Hindi zur Rede stellte, atmete ich in tiefen Zügen den Geruch ein, der in den Wintermonaten für Delhi so typisch ist. Rauch von den Feuern, mit denen die Gartenabfälle verbrannt wurden, der Duft gerösteter Erdnüsse und karamellisierten Zuckers, den man benutzte, um Sesam- und Erdnusskrokant herzustellen, Winteräpfel und Dieselabgase. Ich hatte die Stadt in all diesen Jahren mehr vermisst, als ich mir hatte eingestehen wollen. Sieben Jahre ... Nein, wohl eher sechs ... Die Zeit, seit ich zuletzt hier gewesen war, erschien mir so lang wie ein ganzes Leben ... War dies die Stadt, in der ich wieder Hoffnung schöpfen konnte? Ich erinnerte mich daran, wie ich hierher gekommen war, um Riya zur Welt zu bringen, damals voller Glück über den neuen Anfang, den sie mir ermöglichen würde. Jetzt war ich wieder hier, wieder erfüllt von Hoffnung auf einen neuen Anfang für uns beide.

»Komm, Moley, lass uns losfahren. Verdammte Mistkerle, all diese Punjabis mit ihren großen Geschäften und neuen Autos und arroganten Fahrern!«

Ich schob meine Tasche auf den Rücksitz und kletterte rasch neben Onkel Raghu in den Wagen. Der Fahrer des Ambassadors, der seinen Wagen widerwillig aus dem Weg gefahren hatte, schürzte die Lippen und tat, als schickte er einen dramatischen Kuss in meine Richtung, während wir mit stotterndem Motor davonfuhren. »Noch immer dieselbe von Menschen überfüllte Stadt und noch immer dasselbe Chaos auf den Straßen, was, Onkel?«

»Ja, wirklich, es ist schrecklich, das kann ich dir sagen, und es wird jedes Jahr schlimmer. Aber am schlimmsten sind diese Punjabis, so rücksichtslos ehrgeizig und arrogant. Sie kümmern sich einen Dreck um ihre Mitmenschen.«

Ich lächelte über Onkel Raghus spezielle Form von indischem Rassismus, die wir einander jedoch nicht übel nahmen, uns gegenseitig versichernd, dass das alles eigentlich halb liebevoll gemeint war. Er war sicher nicht bösartig, dieser Rassismus, aber er basierte auf ebenso vielen unfreundlichen Vorurteilen wie der Rassismus in der westlichen Welt. Ich konnte nicht genau sagen, ob Onkel Raghu so wie die meisten Südinder »Punjabi« als Oberbegriff für jeden benutzte, auf dem der Fluch lastete, nordindische Vorfahren zu haben, oder ob er damit tatsächlich die Leute bezeichnete, die sich bei der Teilung auf der falschen Seite befanden und 1947 in Scharen nach Delhi übersiedelten. Die Familien einiger meiner Schulfreundinnen hatten dazugehört; die meisten von ihnen waren aus ihren Häusern geflohen und praktisch ohne jeden Besitz im seit kurzem unabhängigen Indien angekommen. Aber innerhalb weniger Jahre hatte der Ehrgeiz der Immigranten, sich ein neues, erfolgreiches Leben aufzubauen, zahllose florierende Unternehmen entstehen lassen. Eine gewisse Rücksichtslosigkeit war zweifellos eine der Voraussetzungen für diesen Erfolg, aber genau diese Eigenschaft war dem durchschnittlichen Südinder verhasst. Aufgrund der geografischen Lage von den Grausamkeiten der Teilung verschont, waren die Südinder im Vergleich zu den Indern des Nordens entschieden freundlicher und strenggläubiger. Der Norden pflegte wiederum seine eigenen Vorurteile gegenüber dem »Southy«. In der Schule hatte man mich vorwurfsvoll gefragt, warum ich nicht klein, schwarz und superintelligent sei und warum meine Haare nicht fest und drahtig seien. Und ob die Mitglieder meiner Familie vielleicht die seltsame Angewohnheit hätten, ihren Reis und Sambar zu großen, matschigen Bällen zu formen, die sie in die Luft warfen und mit dem Mund wieder auffingen, wobei Sambar von ihren Ellenbogen tropfte. Ich hatte es für meine heilige Pflicht gehalten, dieses Vorurteil in all meinen Jahren in der Schule erbittert zu bekämpfen; gewöhnlich war ich die einzige »Madrasi« in der Schule, die einem ganzen Bataillon von »Punjabis« gegenüberstand. Und als ganz besonders ärgerlich empfand ich es, dass man mir, da ich so wie alle anderen redete, mich kleidete und verhielt, häufig Komplimente machte, wie sehr ich einer Nordinderin ähnelte. »Das ist so, weil sie hier geboren wurde, weißt du. Schau mal, sogar ihre Haut ist hell«, war eine der Theorien, die die Mutter einer Freundin verbreitete, erstaunt darüber, dass ich nicht in das Klischee hineinpasste, wie eine »Madrasi« auszusehen hatte.

Jahrhunderte des Kastenwesens, der sprachlichen und religiösen Schranken, hatten unsere Vorurteile bestätigt. Und letztlich bewirkt, dass meine Familie hoffte, man könnte mich ohne Probleme aus meiner gewohnten Umgebung herausreißen und viele Meilen weit entfernt in Kerala, bei meinen eigenen Leuten, wieder einpflanzen. Sie hatten ernsthaft geglaubt, es ginge mir dort besser als in dieser fremden Stadt, wo man so rücksichtslos ehrgeizig und zudringlich auftrat. Das Problem war vermutlich, dass ich mich in Delhi weniger fremd fühlte als meine Eltern. Wenn ich überhaupt irgendwo hingehörte, dann hierher, in diese Stadt. Ich war hier geboren und aufgewachsen und hatte auf diesen Spielplätzen und in diesen Klassenzimmern viele

Kämpfe zwischen den »Southys« und den »Northys« gewonnen. Ich wusste, wie man sich in Delhi über Wasser hielt und hätte eine »Punjabi«-Erziehung und einen entsprechenden Lebensstil und vielleicht sogar eine *Ehe* überlebt, wer wollte das wissen? Überleben war das eine, was Kinder, die nirgendwo wirklich hingehörten, gut beherrschten, da sie mühelos zwischen ihren unterschiedlichen Identitäten wechselten.

Wir fuhren jetzt durch Rajpath, meinen liebsten Stadtteil, wo der Verkehr sich auf den breiten Boulevards ein wenig lichtete und das majestätische Rashtrapathi Bhavan deutlich aus der Silhouette der Stadt ragte. »Dieser Stadtteil von Delhi ist einfach wunderbar, Onkel, hierher sind wir immer gefahren, um uns auf die Maidans zu setzen und Eiskrem zu essen.«

»Ja, du hast sicher eine Menge Erinnerungen an diese Stadt. Dein guter Vater, wir mochten ihn so sehr, Shobha und ich – also er ist mit dir hierher gefahren, um Eis zu essen?«

»Ja«, sagte ich, auf die weite Rasenfläche hinausschauend, an deren Rand noch immer die kleinen Eiswagen standen. Ja, hierher waren wir gefahren, als ich klein war, und meine Mutter hatte sich ihr bestes Kleid angezogen und sah zweifellos wunderbar aus. Damals, als sie sich nur einen Motorroller leisten konnten und ich sicher und warm, den Bauch voller Eiskrem, zwischen ihnen saß.

Und dann, später, war ich auch mit Arjun hierher gekommen, wann immer wir uns davonstehlen konnten. Häufig hatten wir am Rand jenes lang gezogenen Sees dort gesessen, und klebrige Flüssigkeit durchweichte den Boden unserer Waffeltüte, wenn uns das Reden wichtiger war als unser Eis. Er war meine erste Liebe, Onkel Raghu, meine einzige Liebe, und ich konnte stundenlang mit ihm reden, und ich mochte ihn sehr, sehr gern.

Ich betrachtete das Profil meines Onkels, das mich vage an meine Mutter erinnerte. Dies waren die Menschen, die so sehr daran glauben wollten, dass ich in eine hervorragende Familie geheiratet hatte und glücklich war. In ihren Augen hatte ich mehr Glück gehabt als all meine Cousinen, wenn man meine Situation nach Häusern und Juwelen und Luxuslimousinen Marke »Ambassador« beurteilte. Es war sinnlos, ihnen in dieser Hinsicht irgendetwas zu erklären, und es gab nichts, absolut nichts, was irgendjemand von ihnen tun konnte, um mir zu helfen.

Mein Vorstellungsgespräch sollte am folgenden Morgen im India International Centre stattfinden. Tante Shobha erklärte mit fester Stimme, ein Bummel durch Connaught Place würde mich zu sehr anstrengen, und bestand darauf, dass Einkäufe und alles andere bis nach dem Interview warten sollten. Da ich schon vollauf zufrieden war, nur die verschmutzte Luft Delhis einzuatmen, hatte ich keine Einwände dagegen und stimmte ihr zu, ein heißes Bad zu nehmen. Im Badezimmer betrachtete ich misstrauisch den uralten, winzigen Durchlauferhitzer und beschloss, es sei sicherer, Tante Shobha zu bitten, mir noch einmal zu erklären, wie man ihn benutzte, ohne bei einer Explosion mein Leben einzubüßen. Es war seltsam, wie vieles man vergessen konnte, wenn man es nicht brauchte. Nach einem wunderbaren warmen Bad (wie man es in Kerala niemals nötig hatte, da dort die Temperaturen nur entweder heiß oder noch heißer waren) schlenderte ich mit Tante Shobha über den Malviya Nagar Markt; bei unserer Rückkehr hatte ich ein Samtpferdchen mit goldenen Borten und schielenden Knopfaugen für Riya erstanden. Als wir am Abend fernsahen, musste ich mich anstrengen, um die Ansagerinnen zu verstehen. Es war erstaunlich, wie rasch ich mein Hindi verlernt hatte. Wann genau war Delhi unmerklich von mir abgefallen? Wann war ich, mehr als je zuvor, wieder zu dem Mädchen aus Kerala geworden?

Der Tag endete mit einem Abendessen, bestehend aus den typischen Gerichten Delhis: Daal und Methi-aloo, aber ich spürte, dass bei dem Gedanken an das Interview am folgenden Tag Schmetterlinge in meinem Magen zu tanzen begannen. Ich konnte kaum etwas essen, obwohl Tante Shobha mich immer wieder liebevoll nötigte, und bat darum, früh ins Bett gehen zu dürfen. Ich rollte mich unter dem Rajasthani-Quilt zusammen, auf dem herausgeputzte Elefanten schwerfällig trabten und Pfauen fröhlich einherstolzierten. Unter dem Quilt, das nach den Neemblättern roch, die Ma jeden Frühling unter unsere Decken legte, fühlte ich mich plötzlich warm und geborgen wie in meiner Kindheit. Aber es dauerte lange, bis ich müde wurde und endlich einschlief. Hier gab es andere Nachtgeräusche, den Lärm der Autos und das Gebell von Hunden, nicht das Zirpen der Heuschrecken von Kerala, an das ich mich in den vergangenen Jahren gewöhnt hatte.

12

Ich wachte in der Frühe auf, schwang die Beine aus dem Bett und schrak heftig zusammen, als ich die unerwartete Kälte des Mosaikbodens unter meinen Sohlen spürte. Ich hatte es fast vergessen – ich war in Delhi! Tante Shobha hatte ihr winziges Gästezimmer mit den vielen kleinen

Souvenirs dekoriert, die sie von ihren alljährlichen Reisen nach Kerala mitbrachte. Ein winziger geschnitzter Elefant mit Stoßzähnen aus Elfenbein hatte seinen Platz unter einer Topfpflanze gefunden, und ein großer *Para* aus Messing, der wahrscheinlich einst in Tante Shobhas Elternhaus benutzt worden war, um Reiskörner abzumessen, diente als Zeitschriftenständer für *Filmfare* und *The Times of India.* Nach dem Aufstehen fiel mir ein, dass ich mir zunächst einmal von Onkel Raghu erklären lassen musste, wie ich auf schnellstem Weg zum India International Centre kam. Delhi hatte sich, seit ich das letzte Mal dort gewesen war, sehr verändert, und ich würde es nicht zulassen, von irgendeinem schlauen Fahrer übers Ohr gehauen zu werden.

Als ich die Küche betrat, saß Onkel Raghu schon am Tisch und aß heiße Idlis mit Kokosnusschutney. Er lachte, als er mich sah. »Was ist das denn, du siehst ja aus wie eine kleine Ammumma aus Kerala, mit dicken Socken und einem Schal! Ein paar Jahre in Kerala haben doch wohl hoffentlich nicht deine Freude über ein bisschen Kälte gedämpft, oder?«

»Nein, nein, hör nicht auf ihn, Moley, zieh dich nur schön warm an. Du wirst dich vor deinem Vorstellungsgespräch doch nicht erkälten wollen.«

Tante Shobha war mütterlich um mich besorgt und natürlich schrecklich neugierig. Sie hatte mich am Abend zuvor, auf dem Rückweg vom Markt, nach Strich und Faden ausgefragt. Ich wusste, dass sie mich sehr gern hatte, aber ich fragte mich, ob dieses Gefühl sich möglicherweise rasch verflüchtigen würde, wenn ich ihr mitteilte, dass ich nicht nur beabsichtigte, ins Ausland zu reisen, sondern auch, meinen Mann zu verlassen. Sie verstand meinen Wunsch, Riya ins Ausland zu bringen, und umarmte mich voller

Mitgefühl, als ich ihr die zehn verschiedenen Diagnosen beschrieb, die die Ärzte gestellt hatten. Aber es verwirrte sie sichtlich, dass es mir so wenig auszumachen schien, Suresh in Indien zurückzulassen, und sie versuchte, sich selbst ein wenig Mut zuzusprechen, indem sie sagte: »Er kann dich ja besuchen, wenn du dort bist; dann könnt ihr zusammen Urlaub machen.«

Jetzt drängte sie mich, von dem Teller mit den Idlis zu nehmen. Ich aß ein paar Happen, da in meinem Magen wieder Schmetterlinge tanzten, stand aber bald vom Tisch auf, um mich zu duschen.

Um acht Uhr dreißig war ich zur Abfahrt bereit und trat vor Ungeduld von einem Fuß auf den anderen. Tante Shobha forderte mich auf, mich langsam einmal ganz zu drehen, und musterte mich dabei von oben bis unten. Schließlich nickte sie. Ich hatte ihren Ratschlag, so ›Punjabi‹ wie möglich auszusehen, befolgt, denn, so hatte sie erklärt: »Du möchtest doch nicht, dass sie denken, da kommt so ein Landei aus dem Süden daher und versucht, sich das Stipendium unter den Nagel zu reißen, das genauso gut die Tochter der Schwester meines Neffen bekommen könnte.« Ich lachte und erwiderte, das klinge ja wie eine Verschwörung.

Aber sie war offensichtlich einverstanden mit dem Ensemble, für das ich mich in Kerala nach vielen Stunden des Auswählens und Anprobierens entschieden hatte – einen cremefarbenen Salwaar Kameez mit einem Minimum an Stickerei in Gelb und Purpurrot um den Hals herum. Ich schlang mir noch ein purpurrotes Tuch um den Hals und streifte Tante Shobhas besten Kaschmirpullover über. Ich sah gut aus; vor allem die Farben standen mir gut, das wusste ich. Da Tante Shobha darauf bestand, legte ich auch noch ein wenig Make-up auf und machte mich dann auf den Weg.

Im Foyer des India International Centre saßen etwa zehn andere junge Männer und Frauen, und alle sahen nervös und ein wenig grün im Gesicht aus. Einige Ingenieure, die an der Pilani-Hochschule gerade ihr Examen gemacht hatten, drei Medizinstudentinnen, Absolventinnen des Lady Harding College, ein Archäologe, ein Anwalt, der sich auf Menschenrechte spezialisiert hatte, und zwei Sozialarbeiterinnen, die am Tata Institute in Bombay studiert hatten. Alle wirkten ernst und ein wenig beklommen. Wie nötig brauchten sie dieses Stipendium, um ihr Leben zu verändern? Plötzlich wurde mir schmerzlich bewusst, dass meine eigenen Gründe nicht ganz und gar altruistisch waren, und ich konnte fühlen, wie Scham den Tanz der Schmetterlinge in meinem Bauch abrupt beendete. Aber das Stipendium wollte ich trotzdem.

Ich war die Erste, die hineingerufen wurde. Der Raum wirkte angenehm und sonnig. Meine Interviewer waren zwei vornehme ältere Herren und Mrs. Rustomji, die mir den Brief geschrieben hatte. Ich spürte, wie ich mich entspannte, als sie mich zunächst fragten, wie meine weite Reise nach Delhi verlaufen sei. Danach wollten sie einiges über Riya wissen und über meine Erfahrungen als Lehrerin in ihrer Schule. Es beeindruckte sie offensichtlich, dass ich trotz meiner Ehe und meiner behinderten Tochter sowohl einen BA als auch einen MA erworben hatte. Da ich ihr Wohlwollen spürte, spielte ich mit dem Gedanken, ihnen zu gestehen, beides mehr oder weniger aus Langeweile und Sturheit gemacht zu haben, besann mich dann aber eines Besseren.

Am Ende des Interviews fragten sie, ob ich warten wolle oder um fünf Uhr nachmittags zum Centre zurückkommen könne, da sie dann ihre Entscheidung getroffen hätten.

Ich gesellte mich wieder zu den Wartenden im Foyer, die alle wissen wollten, wie das Gespräch verlaufen sei. Da ich denjenigen, die eigentlich meine Kokurrenten waren, nicht allzu viele Informationen in die Hände spielen wollte, erklärte ich, ich hätte noch etwas zu erledigen, und verließ hastig das Centre.

Ein paar Minuten lang stand ich vor dem großen Gebäude, fühlte mich völlig verloren und starrte auf den Verkehr, der an mir vorbeirauschte. Ruf Tante Shobha an! Plötzlich erinnerte ich mich daran, dass sie mich zum Lunch erwartete; ich musste ihr sagen, ich könnte erst nach fünf Uhr wieder zurück sein. Also würde ich wieder ins Centre gehen und jemanden bitten müssen, sein Telefon benutzen zu dürfen. Ich eilte mit eingezogenen Schultern an der kleinen Gruppe der wartenden jungen Männer und Frauen vorbei, die am anderen Ende des Foyers saßen, und fand einen älteren Pförtner, der mir zeigte, wo ich ein Telefon finden konnte.

»Tante Shobha, ich hab das Vorstellungsgespräch schon hinter mir, aber ich erfahre erst um fünf, wie sie sich entschieden haben! – Ja, ich glaube, es ist gut gelaufen – nein. Nein, ich werde zwischendurch wohl nicht zurückkommen, dann wäre ich ja die ganze Zeit nur unterwegs – ich habe heute Morgen eine ganze Stunde gebraucht, ein Glück, dass ich so früh losgefahren bin! – Ich werde ein bisschen in Connaught Place bummeln und mir die Geschäfte anschauen – mach dir keine Gedanken wegen des Mittagessens, ich werde mir schon was besorgen – vielleicht schau ich bei ein paar alten Freundinnen vorbei, wenn ich ihre Adresse herausfinden kann – ich ruf dich irgendwann um die Mittagszeit noch mal an, ja? – Ja, sicher ich rufe dich sofort an, sobald ich ihre Entscheidung weiß – vor allem, wenn es sich um eine gute Nachricht handelt! – Ja, ja, ich glaube, es ist gut gelaufen, aber man kann nie ganz sicher sein, weißt du. – Drück mir die Daumen!«

Bei ein paar alten Freundinnen vorbeischauen? Darüber hatte ich schon in Kerala nachgedacht, aber plötzlich verließ mich der Mut. Vielleicht würde sich niemand an mich erinnern – das wäre schrecklich! Doch jetzt fühlte ich mich mutiger – aber hatte ich überhaupt noch die Telefonnummern? Sie standen noch in meinem Notizbuch, aber sie konnten sich inzwischen geändert haben – vielleicht waren alle meine Freundinnen umgezogen, hatten Delhi inzwischen verlassen ... Ich ließ meinen Blick eine Liste entlangwandern, die mindestens sechs Jahre alt war ... Leena, Anu, Renu ... Ich werd mal versuchen, Leena zu erreichen. Ich hatte sie zuletzt getroffen, als Riya noch ein Baby war, sie studierte irgendetwas an der JNU. Vor einiger Zeit hatte ich eine Hochzeitsanzeige bekommen, sie hatte irgendeinen Rahul Batra geheiratet, aber auf meinen Gratulationsbrief hatte ich keine Antwort erhalten.

»Hallo, ist das die Nummer von Leena Kapoor – Entschuldigung, von Leena Barta? – Ich bin eine alte Schulfreundin von ihr – Janaki – oh, sind Sie es, Leenas *Mutter*? Hallo, wie nett, wieder einmal Ihre Stimme zu hören! Ich hoffe, Sie erinnern sich an mich! – Nur für ein paar Tage – Ja, ich weiß, dass sie verheiratet ist, sie hat mir letztes Jahr eine Anzeige geschickt – aber ich hatte keine andere Telefonnummer – was? Sie hat ein *Baby* bekommen? Du liebe Güte, ich kann mir Leena überhaupt nicht als Mutter vorstellen! – Wo? Ja, genau, ich weiß, wo das ist –, das ist hier ganz in der Nähe, ich könnte sie für ein paar Stunden besuchen – ja, bitte, geben Sie mir ihre Nummer –«

Als Leena meine Stimme hörte, erklangen etwa fünf Minuten lang nichts als Lachen und Jubelschreie. Mein eigenes Lachen und meine übermütige Freude drehten die Zeiger der Uhr in meinem Kopf mühelos um Jahre zurück. Ich erklärte ihr rasch, was ich in Delhi zu tun hatte, und bat sie, ihr Baby anschauen zu dürfen.

»Ich habe genau zwei Stunden Zeit, und ich komme sofort! – Ja, ich bin allein, ich habe Riya und Suresh in Kerala gelassen – nein, ich kann nicht zum Mittagessen bleiben, ich muss ein paar Einkäufe machen – ich möchte nichts weiter als dich und dein Baby sehen.«

Plötzlich fühlte ich mich beschwingt, voller Energie. Ich winkte eine Auto-Rikscha heran und ließ mich nach Khan Market fahren. Ich wusste, dass ich dort etwas für Leenas Baby kaufen konnte – Leena war Mutter geworden! Die verrückte, schlimme alte Leena mit ihrem hin und her schwingenden, in der Taille hoch gekrempelten Rock, das ewige Sorgenkind von Sister Seraphina! Ich suchte hastig ein paar Dinge aus und nahm mir eine zweite Auto-Rikscha, die Arme voll mit Babykleidung und einer flauschigen gelben Ente.

In Golf Links, Leenas Stadtviertel, herrschte noch immer die vertraute Atmosphäre von Vornehmheit und altem Geld. Ich betrachtete die prächtigen Anwesen, die an mir vorbeiglitten, sämtlich geschützt durch hohe Tore und gelangweilte Sicherheitsmänner. Hatte Leena einen reichen alten Mann geheiratet? Der Scooty hielt vor einem hohen gelben Gebäude, dies schien die Adresse zu sein – ich bezahlte den Scootywallah und ging zum Seiteneingang, wie Leena es mir beschrieben hatte.

Als ich auf die Türklingel drückte, hörte ich ein entferntes Ding-Dong und bald eilige Schrittgeräusche. Dann wurde die Tür aufgerissen und Leena stand vor mir.

»Jans! Meine Süße! Oh, mein *Gott*, lass dich anschauen!«

»O, Leena, wie schön, dich wieder zu sehen …«

Wir standen ein paar Minuten lang eng umschlungen da und wiegten einander, und plötzlich wurde mir bewusst, dass ich Leena wahrscheinlich noch nie sprachlos erlebt hatte. Aber nach ein paar Minuten war sie wieder ganz die Alte und redete wie ein Wasserfall auf mich ein. Sie zog mich ins Haus, schlug die Tür hinter uns zu und trat einen Schritt zurück, um mich noch einmal anzuschauen.

»Wie *schaffst* du es bloß, jedes Mal, wenn ich dich sehe, *jünger* auszusehen? Los, rasch, gib mir mal ein paar Tipps. Sieh doch bloß, was diese verdammte Schwangerschaft meinen Hüften angetan hat!«

Sie klopfte sich mit der flachen Hand auf den Hintern, und ich stellte fest, dass er sich seit unserer Schulzeit zweifellos um ein paar Zentimeter ausgedehnt hatte. Ich nahm sie erneut in die Arme. »Wahrscheinlich kommt es daher, dass du zufrieden bist. Also sorgt dein Rahul Batra gut für dich, ja?«

»Frag mich nicht, ja, er ist ein richtiger Schatz, und ich bin total in ihn verliebt, sogar noch nach zwei Jahren Ehe, und ich bin sicher, er wird dir auch gefallen.«

Dieser letzte Satz hatte Leena immer als Einleitung gedient, mir von ihrer augenblicklichen großen Liebe zu erzählen, und ich fragte mich, ob ich ihre Worte tatsächlich ernst nehmen sollte. Aber jetzt war sie verheiratet, und Zynismus war in diesem Augenblick gewiss nicht angebracht.

»Ich würde ihn schrecklich gerne kennen lernen. Ist er da?«

»Nein, ja, er wird wahrscheinlich zum Lunch zurück sein. Aber hier ist jemand anders, der sich darauf freut, dich wieder zu sehen. Du ahnst bestimmt nicht, wer … Arjun

Mehta! Speziell für dich aus dem guten alten England eingeflogen. Mensch, ich war so aufgeregt, dich zu sehen, dass ich ihn einen Moment lang fast vergessen hätte! Komm mit nach oben, in meine Wohnung.«

Arjun.

Nach all diesen Jahren.

Ich hatte von diesem Augenblick irgendwann einmal geträumt, in irgendeiner feuchten, sehnsüchtigen Nacht in Kerala …

»Warte, *warte*, Leena!« Sie war schon den halben Weg die Treppe hinaufgelaufen. »Was hast du gesagt, *Arjun* ist hier? Warum hast du mir das nicht vorher erzählt? Ich kann ihn nicht wieder sehen!«

»Jetzt zier dich nicht so, wo ist denn überhaupt das Problem? Er kam zehn Minuten, bevor du anriefst, um mich zu besuchen, und dann, nachdem er von deinem Anruf gehört hatte, fragte er, ob er noch ein wenig bleiben könne, um dich zu treffen. Das ist alles. Natürlich habe ich ja gesagt. Was soll daran verkehrt sein?«

»Ich kann nicht …, warum hast du es mir nicht *gesagt*?«

»Tja, ich könnte natürlich sagen, weil ich dich nicht *davon abhalten* wollte, hierher zu kommen. Aber das stimmt nicht. Es sollte eine Überraschung für dich sein. Wovor fürchtest du dich denn so? Er ist doch nur ein alter Freund … Ich weiß, dass du jetzt in Kerala lebst, aber deshalb brauchst du doch nicht plötzlich so prüde zu sein. Jetzt komm!«

Leena, du verstehst mich nicht. Du verstehst nicht, was das für mich bedeutet. Ich habe ihn einmal geliebt, und ich habe nie einen anderen Mann geliebt, und wie ein kleines, dummes Mädchen habe ich jeden Tag an ihn gedacht. Jeden

Tag. Ungefähr neun verdammte Jahre lang. Ich konnte mich doch jetzt nicht mit ihm zusammensetzen und *Smalltalk* machen, oder? Plötzlich fühlte ich mich den Tränen nahe.

Leena zog mich, ununterbrochen plappernd, die Treppe hinauf. Mein eigener Mund war wie versiegelt, und meine Füße fühlten sich an wie Blei. Was war nur los mit mir – diesen Traum hatte ich jahrelang immer wieder geträumt. Dass ich irgendwo, irgendwann zufällig Arjun begegnen würde. Und dass wir uns dann als Erwachsene gegenüberstünden, gelassen und weltgewandt und fähig, ruhig und besonnen über die Vergangenheit zu reden. Ich hatte es mir so oft vorgestellt, dass ich mich hätte sicherer fühlen sollen. Dies war ein Déjà-vu-Erlebnis! Wir traten in ein helles Wohnzimmer und eine Gestalt, groß und verschwommen, stand von einem Stuhl auf und kam auf mich zu. Ich hörte ein glucksendes Lachen und ein sanftes: »Hallo, Janu …«

»Hallo, Arjun«, hörte ich mich, leise, fast flüsternd, sagen.

»Alles okay?« In seiner vertrauten Stimme schwang jetzt ein britischer Tonfall. Und eine leise, amüsierte Heiterkeit.

Ich nickte und ließ mich auf das Sofa fallen. Ich hatte mich häufig gefragt, wie es sein würde, wenn es tatsächlich geschah. Ich wusste, dass es geschehen würde, irgendwann. Daran hatte kein Zweifel bestanden, obwohl die Umstände immer im Dunkeln gelegen hatten. Einmal, ein einziges Mal, in Valapadu, vom Rücksitz des Autos aus, hatte ich einen Mann in der Menge gesehen – größer als die meisten anderen auf der Straße – braune Locken, die in der Sonne glänzten … Und hatte rasch den Kopf gedreht, um mir durch das Rückfenster sein Gesicht anzuschauen. Blaue Augen und eine englische Nase. Ein wenig verstört, weil mir die Gesichtszüge nicht vertraut waren, hatte ich mich wieder abgewandt, enttäuscht und traurig, dass es nicht Arjun war. Aber jetzt stand er vor mir. Ich sollte mich freuen, dass es tatsächlich geschehen war, und nicht in Valapadu, sondern hier, in Delhi, in der Stadt meiner Hoffnung. Ich hatte mir so sehnsüchtig gewünscht, hatte immer wieder davon geträumt, Arjun irgendwo einmal wieder zu treffen, irgendwann in ferner Zukunft, häufig genug, um es wirklich geschehen zu lassen. Also war es meine Schuld und niemand anders als ich war dafür verantwortlich, dass ich jetzt hier saß, gefangen in Leenas Wohnzimmer und in meinen eigenen Gefühlen, auf einem Sofa neben Arjun, der meine Hände in seinen hielt.

Meine Hände in seinen! Das war nicht in Ordnung! Ich zog sie hastig weg und schaute dann in sein Gesicht. Ich hatte ihn nicht verletzen wollen, und er lächelte. Sein Lächeln war noch immer ein wenig jungenhaft, aber jetzt zeigten sich um seine Augen herum kleine Fältchen! Feine Linien auf beiden Seiten dieser grüngrauen Augen. Es waren noch immer dieselben Augen, und sie hatten noch immer dieselbe Wirkung auf mich. Ich konnte fühlen, wie eine Hand mein Herz umschloss, mir augenblicklich meinen Atem, meine Gedanken und meine Sprache raubte. Durch einen langen Tunnel hindurch konnte ich Leenas Stimme hören, die mich fragte, ob ich Lust hätte auf einen Drink …

»Ja – ja, bitte …« Aber jetzt sprach Arjun wieder.

»Janu, es macht dir doch nichts aus, dass ich hier bin, oder? Als Leena sagte, du kämest, musste ich einfach bleiben, um zu erfahren, wie es dir geht. Wenn du möchtest, kann ich auch gehen …«

»Nein!« Ich konnte die Panik in meiner Stimme hören und sagte, jetzt leiser: »Nein, geh nicht. Für mich ist es auch wunderbar, dich zu sehen. Aber du lebst jetzt nicht ständig in Indien, oder?«

»Nein, meine Mutter ist vor zwei Jahren hierher zurückgekehrt, aber ich selbst lebe noch immer in England. Ich bin letzte Woche gekommen, um einen Monat Urlaub zu machen. Meine Familie musste heute an einer Hochzeit in Agra teilnehmen, deshalb dachte ich, ich rufe mal ein paar Leute an. Als Leena sagte, sie hätte ein Baby, wollte ich es mir unbedingt anschauen! Aber dass ich dich hier treffen würde, das kam völlig unerwartet – und es ist die schönste Überraschung.«

Leenas Baby! Ich hatte es vergessen!

Ich wandte mich Leena zu, die mit frisch gepresstem Zitronensaft ins Zimmer trat.

»Leena, wo ist das Baby?«

»Ich dachte, du würdest mich das nie fragen! Sie liegt in ihrem Bettchen, komm, schau sie dir an ...«

Ich hob die Tüte mit Babykleidung und die Plüschente auf, die ich auf den Boden hatte fallen lassen, und ließ mich von Leena in ein Kinderzimmer führen. Ich konnte spüren, dass Arjun mir folgte, und war erneut überwältigt von Freude und Erstaunen über die seltsame Vertrautheit, die ich empfand. Es wurde schwierig, das Déjà-vu und die alten Versprechen von den wirklichen Erinnerungen zu trennen. Wie viele Male hatte ich in meinem einsamen Bett gelegen und dem Zirpen der Grillen gelauscht und mich gefragt, ob Arjun sich jemals an mich erinnerte ...

Leenas Baby lag auf dem Rücken in ihrem Bettchen und schaute uns mit blicklosen Augen an. Ein winziges neues Leben, das so viel Freude und Kummer aus so vielen anderen Leben in sich trug. Wer war sie, wer war sie gewesen? Irgendwo gab es gewiss jemanden, der den Plan kannte, der allem Leben zu Grunde lag. Entscheidende Ereignisse konnten nicht einfach zufällig geschehen, oder? Ich legte die Geschenke ab und hob die Kleine sanft aus ihrem Bettchen.

»Oh, Leena, sie sieht genauso aus wie du! Hallo, Süße, siehst du aus wie deine Mum, ja? Was meinst du?«

»Mein Gott, ich hoffe nicht. Ich könnte den Gedanken, eine Tochter wie mich zu haben, nicht *ertragen*! Zumindest sollte sie nicht so schrecklich sexbesessen sein wie ich!«

Wir lachten über die Erinnerung an Leenas »Sexbesessenheit«, und ich konnte fühlen, wie die letzten Jahre meines Lebens von mir abfielen. Waren wir wieder jung? Waren wir wieder fähig zu träumen? Konnte es sein, dass die Zeit einfach eingefroren war und wir uns jetzt genau dort befanden, wo wir vor so langer Zeit gewesen waren? In einem anderen Haus, das Leena gehörte. Auf einem Sofa, wo zwei junge Liebende sich nicht richtig voneinander verabschiedet hatten.

Der Rest des Morgens zog wie ein Traum an mir vorbei. Das Licht der Wintersonne strömte in Leenas Wohnzimmer und verwandelte jedes kleine Objekt in etwas Glänzendes, Leuchtendes aus einer anderen Welt. Leena wollte alles über mein Leben wissen – in deinen Briefen hast du mir nie etwas Wichtiges mitgeteilt, beklagte sie sich. Ich dachte an all die wichtigen Dinge ... Dass es mir nicht gelungen war, wieder einen Mann zu finden, den ich lieben konnte ... Riyas Behinderung ... Ich war mir die ganze Zeit über Arjuns Blick auf mein Gesicht bewusst. Ich schaute auf mein Glas, in dem Eiswürfel fröhlich klirrten, und lachte, ohne auf Leenas Fragen zu antworten. Heute war nicht der Tag, all diese Dinge zur Sprache zu bringen. Ich fühlte mich beschützt, wie in einem Kokon, umhüllt von Arjuns Liebe und Zärtlichkeit – oder war das nichts als eine Illusion? Leena beharrte nicht darauf, dass ich ihre Fragen nach meinem jetzigen Leben beantwortete, und während des Nachmittags fluteten unsere fröhlichen, warmen Stimmen durch den hellen Raum. Plötzlich spielte es keine Rolle, ob es die Vergangenheit oder die Gegenwart war, über die wir sprachen. Wir waren drei alte Freunde, die gerade die Schule beendet und eine großartige Zukunft vor sich hatten. Nichts anderes war je geschehen, und diesmal gab es nichts, was unsere Freude schmälern könnte. Ich wünschte mir, dieser warme, verträumte, goldene Tag ginge niemals zu Ende.

In dieser Stimmung verließ ich zwei Stunden später zusammen mit Arjun Leenas Haus. Ich sagte ihr nur, ich müsse zurück zum India International Centre, und Arjun bot mir an, mich auf seiner Heimfahrt dort abzusetzen. Wir beide, Arjun und ich, traten hinaus in einen jener blassen, sonnendurchwärmten Nachmittage, an denen alles zu glücken scheint. Als wären die changierenden Strahlen, die durch die Baumkronen drangen, ein seltener, kostbarer Segen, den irgendeine verspielte Göttin von dort oben auf uns hinunter schickte.

Ich stieg in Arjuns Wagen und wir fuhren fast schweigend die Straßen entlang. Wir hatten schon vor langer Zeit gelernt, die Gedanken des anderen zu lesen, und brauchten das Hilfsmittel Sprache nicht. Ich wusste, dass wir in Richtung seines Elternhauses fuhren. Ich war nur zweimal dort gewesen, aber danach, später, war ich jene Straße im Geiste viele Male hinuntergefahren. Die Grenzsteine glitten an mir vorbei wie vertraute alte Gesichter, die glänzende, purpurrote Kuppel der Nizammuddin-Moschee, das Krematorium in der Nähe, wo die Menschen diejenigen betrauerten, die sie liebten, die Überführung ›Defence Colony‹ …

Als wir angekommen waren, gingen wir die Treppe hinauf in sein Zimmer. Das letzte Mal, als ich hier war, hatten wir, lachend und voller Übermut, ein wildes Kartenspiel gespielt ... zusammen mit Leena und Jai und Arjuns Bruder ... Ich meinte zu hören, wie das Echo unseres Lachens leise von den Wänden widerhallte. Arjun lehnte sich gegen die Tür, und sie schnappte hinter ihm zu. Ich schritt in seine ausgebreiteten Arme, und als er sie um mich schlang, wusste ich, dass ich am Ziel einer langen, langen Reise angekommen war. Ich war wieder zu Hause, sicher und geborgen. In meinem Herzen wehte eine sanfte Brise Millionen von Spinnweben fort – jene feinen, kaum spürbaren Fäden, die meine Sehnsüchte überwuchert und erstickt hatten, dachte ich. Ich konnte fühlen, wie der Atem der wohlwollenden Göttin wieder sanft auf mich herabwehte, mich in ihre goldene Sphäre emporhob, voller Verheißung. Ich überließ mich Arjuns und meiner eigenen Lust ohne die gerinste Furcht oder Scham ...

Tante Shobhas Kaschmirpullover fiel zu Boden, und als ich meine Arme hob, damit Arjun meinen Kameez abnahm, empfand ich ein tiefes Glück, als er zum ersten Mal meinen Körper sah. Später, viele Tage später, erstaunte es mich, wie wenig befangen ich im hellen Licht der Nachmittagssonne gewesen war. Aber in jenem Augenblick schien es die natürlichste Sache der Welt zu sein, Arjuns Hände auf meinem Körper und seine Haut auf meiner zu spüren. Unsere Küsse waren endlos und voller Leidenschaft, wie die herannahende Flut des Meeres. Sie zog uns auf sein Bett hinunter, wie die verräterischen Strömungen, die die Fischer in den Monsunmonaten so sehr fürchteten. Unsere Körper vereinigten sich mühelos, Sonnenschein auf Sand, Regen auf Meer, und es war schwer zu sagen, wo der eine endete und der andere begann. Unsere Hände und Münder bewegten sich gierig aufeinander zu, voller Dankbarkeit für den, der diesen wunderbaren Nachmittag endlich hatte Wirklichkeit werden lassen. Wir liebten einander so drängend, so ungeduldig wie die riesigen Wellen, die so häufig gegen die nassen Strände Keralas brandeten, und nach dem Sturm waren unsere Liebkosungen so sanft wie das Wasser, das wieder zum Meer zurückkehrt.

Danach lag ich, den Kopf auf seinem Arm, lange Zeit ganz ruhig und gelöst neben Arjun, und wir sprachen über Kerala und England und die Ereignisse und Jahre, die uns getrennt hatten. Ich spürte, wie seine Finger mit meinem Haar spielten, und als er von seinem eigenen Kummer, seiner Einsamkeit und Traurigkeit erzählte, schwang in seiner Stimme keinerlei Vorwurf mit. Mein Brief war an einem nassen Morgen in Hull angekommen, und er hatte den vertrauten blauen Luftpostumschlag aus Indien erkannt, als er, zwei Stufen auf einmal nehmend, die Treppe des Nicholson-Blocks hinunterrannte. Wie üblich hatte er ihn sorgfältig in die Tasche seines Hemds geschoben, ungeöffnet und ungelesen, um ihn sich für später aufzusparen.

»Hast du das immer so gemacht?«

»Ich musste mir ein paar Tricks ausdenken, um in den ersten Monaten in England irgendwie zurechtzukommen. Ich habe dich schrecklich vermisst und mein Zuhause genau so, und die Briefe bekamen eine geradezu unheimliche Bedeutung für mich. Außerdem sehnte ich mich danach, so oft wie möglich von dir zu hören! Ja, ich habe deine Briefe immer in die Tasche meines Hemds gesteckt, wo ich sie den ganzen Tag über und während all der langweiligen Vorlesungen spüren konnte. Und ich habe mir erst dann erlaubt, sie zu lesen, wenn ich abends in meinem Zimmer war, weil ich, anders als die anderen Studenten, abends keinen Anruf von meiner Freundin bekam. An jenem Tag habe ich mir ein Kricketspiel in Birmingham angeschaut, mit deinem Brief in meiner Hemdtasche. Den ganzen Weg nach Edgbaston und zurück trug ich ihn bei mir, ohne die geringste Ahnung zu haben, welche Schrecken er bereithielt.«

»Und dann, als du ihn gelesen hattest?«

»Ich war erschüttert. Erschüttert vermutlich vor allem, weil alles so plötzlich kam. Und ich war wütend. Und auf einmal so *entsetzlich* einsam. Es war Samstag, und es war kaum jemand da, nur ein paar von den ausländischen Studenten.«

»Warst du wütend auf mich?«

»Ja, auf dich vor allem. Ich musste unbedingt raus und ein paar Stunden auf dem Fußballplatz meine Runden drehen, um meine Enttäuschung irgendwie zu verarbeiten. Dieser Marathonlauf war nicht das, was ich normalerweise an einem nassen Abend in England tun würde, das kannst du mir glauben!«

»Du denkst doch nicht, dass es meine freie Entscheidung war, oder?«

»Ich wusste nicht, was ich denken sollte, Janu, ich war so schrecklich verletzt und verwirrt. Fast hätte ich auf der Stelle einen Flug gebucht, um nach Indien zurückzugehen! Ich denke, ich habe später versucht, eine Erklärung zu finden, und dachte, dass es wahrscheinlich für dich genauso hart wäre wie für mich. Damals hab ich häufig in dem Krankenhaus herumgehangen, in dem Mum arbeitete. Dem Himmel sei Dank, dass sie in meiner Nähe war, sonst wäre ich vielleicht überhaupt nicht damit fertig geworden.«

Aber mir schien, Arjun war mit der neuen Situation ganz gut fertig geworden, besser als ich. Dass er jetzt (glücklicherweise ohne eine englische Ehefrau und ihre Teekanne) hier war, ganz in meiner Nähe, erschien mir wie ein Wunder. Und ebenso war es ein kleines Wunder, dass er sich, genau wie ich, voller Zärtlichkeit an unsere Liebe vor so vielen Jahren erinnerte. Aber es klang, als hätte er, nachdem er an jenem nassen Morgen in Hull meinen blauen Luftpostbrief erhalten hatte, seinen Kummer im Laufe der Monate mehr und mehr abgeschüttelt und sein Leben, so gut es ging, weitergelebt. Ich empfand fast so etwas wie Neid über diese Reaktion und ärgerte mich zugleich über mich selbst.

»Hast du an der Universität viele Freunde gefunden?«

»Hunderte, das war das Beste an der Uni. Die Sprache war zuerst ein kleines Problem. Es war verrückt, wir sprachen alle Englisch, aber einer konnte den anderen kaum verstehen! Manche Studenten hatten einen schrecklichen Akzent, vor allen Geordie! Einmal musste ich diesen Typ doch tatsächlich bitten, *aufzuschreiben*, was er mir sagen wollte, stell dir das vor! Aber ich kann dir versichern: Nach ein paar Gläsern Bier sind sämtliche Unklarheiten beseitigt!«

Ich lachte. »Damals konntest du Bier nicht ausstehen!«

»Tja, eine kleine Übung in Selbstüberwindung … Hab ich dir schon erzählt, dass mir in meinem letzten Jahr der begehrte Titel *Ayatollah Martini des Königreichs Nicholblokia* verliehen wurde, weil ich einen halben Liter Bier in weniger als acht Sekunden herunterstürzen konnte?«

Ich musste erneut lachen, atmete aber erst einmal tief durch, bevor ich ihm die nächste Frage stellte. »Und was war mit Freundinnen?«

»O weh! Keine einzige während des ganzen Studiums, weil mein Herz deinetwegen in tausend Teile zerbrochen war …«

Ich wusste, dass er scherzte, aber was er erzählte, klang

wie Musik in meinen Ohren. »Du willst mir doch wohl nicht sagen, du hattest in all diesen Jahren keine Freundin!«

»Freundinnen ... Lass mich mal überlegen ... Als ich zuletzt nachgezählt habe, waren es – vielleicht vierundfünfzig – oder waren es dreiundfünfzig? – Ja, richtig, es waren *genau* dreiundfünfzig. Bis heute dreiundfünfzig Freundinnen.«

Jetzt war er an der Reihe, über meinen ungläubigen Gesichtsausdruck zu lachen. »Wenn du es unbedingt wissen willst, ich hatte zwei Beziehungen, keine von beiden schrecklich ernst. Drei, wenn man die letzte mitzählt, die letztes Jahr nach nur vier Monaten im Sande verlief, also zählt sie eigentlich doch nicht.«

Ich schaute ihn noch immer erwartunsvoll an. »Du willst wohl auch noch die schlüpfrigen Einzelheiten wissen, oder?«, fügte er scheinbar gelangweilt hinzu. »Ich hatte gerade die Universität beendet und einen Posten bei einer Steuerberatungsfirma bekommen, die an einem Ort namens Milton Keynes ansässig war. Hazel, die dort als Sekretärin arbeitete, hatte ein Auge auf mich geworfen, und es war mir unmöglich, diesem schönen Körper zu widerstehen ...«

»War sie hübsch?«

»Hübsch? Ganz hübsch große Titten, das kann ich dir versichern – autsch! – Tja, die Sache lief eine Weile lang ganz gut, bis sie entdeckte, dass ich noch immer dein Bild in meiner Brieftasche mit mir herum trug. Das hat sie leider nicht besonders gut verkraftet.«

»Konntest du ihr nicht erklären, wer ich bin?«

»Das hab ich natürlich versucht! Ich glaube, sie dachte, das Mädchen auf dem Foto hätten meine Eltern in irgendeinem Dorf in Indien für mich ausgesucht. Ich glaube, der

Gedanke, die zweite Geige spielen zu müssen, hinter irgendeinem Paan kauenden Bauernmädchen aus Ludhiana, das nach Kuhdung und Heuhaufen riecht, gefiel ihr nicht besonders. Nichts konnte sie davon überzeugen, dass das Foto in Wirklichkeit eine tolle, moderne junge Frau aus der Stadt zeigt, die mich vor Jahren fallen gelassen hat, um einen erfolgreichen, arroganten Geschäftsmann zu heiraten!«

Ich versetzte ihm erneut einen Tritt und er lachte, während er sich aus dem Bett lehnte, um zwischen seinen Kleidern herumzuwühlen. Er zog etwas aus seiner Brieftasche hervor und wandte sich mir dann erneut zu.

»Hier, schau dir das an …«

Es war das Foto, das Leena an dem Tag, an dem Arjun nach England geflogen war, von uns gemacht hatte. Rissig und verblasst, weil es so viele Jahre in einer Brieftasche gesteckt hatte, waren die Gesichter jetzt kaum erkennbar. Die Gesichter zweier junger Leute, so schrecklich jung und hoffnungsvoll, dass es mir im Herzen wehtat. Ich drehte es um, da ich mich daran erinnerte, dass ich etwas auf die Rückseite geschrieben hatte, bevor ich es ihm nach England schickte. Flüsternd las ich die Worte: »Eines Tages werden wir uns jenseits des Meeres treffen, und mein Schiff wird niemals wieder allein segeln müssen.« Plötzlich war ich den Tränen nahe wegen der vielen Jahre, die seine Liebe zu mir überdauert hatte. Aber unser Gespräch war bis zu diesem Augenblick frei und heiter gewesen, und ich suchte nach etwas Witzigem, das ich ihm sagen könnte. Ich schaute auf und sah, wie Arjun, den Kopf auf den Arm gestützt, mich anblickte. Sein Gesicht war jetzt ernst, und er atmete tief ein, bevor er langsam zu sprechen begann.

»Das könnte doch noch immer geschehen, nicht wahr?«

»Was?«

»Du glaubst doch wohl nicht, dass ich ohne dich zurückgehe? Nachdem ich gerade das große Meer durchschwommen habe, um dich zu finden.«

Er hatte das nur halb scherzhaft gemeint. Er glaubte tatsächlich, wir könnten es diesmal schaffen! Hatten wir wirklich eine Chance? Guruvayurappa, gib mir Kraft! Bitte gib mir die Kraft, diesmal ›ja‹ zu sagen! Und warum rief ich gerade den Gott an, in dessen heiliger Gegenwart ich mit Suresh vermählt worden war – in dessen Gegenwart Riya mit ihrem ersten Löffel Reis gefüttert wurde? Ich schien tatsächlich zu glauben, *Er* hätte Verständnis für meine Wünsche!

»Arjun ...« Ich konnte das Zittern in meiner Stimme hören, und ich konnte fühlen, wie die Wellen der Verzweiflung erneut über mir zusammenschlugen ... »Was ist mit Riya, meiner Tochter – meiner Ehe, ich meine, ich kann nicht einfach so tun, als wäre ich nicht verheiratet, oder? Meine Mutter, sie würde sich umbringen ...«

Jetzt schauten seine Augen grimmig. Die Flamme der Liebe war erloschen und die Lachfältchen sämtlich verschwunden. Ich hatte ihn ein zweites Mal verletzt, diesmal tiefer, schmerzlicher, von Angesicht zu Angesicht, nicht durch einen billigen blauen Luftpostbrief.

»Arjun, was genau schlägst du mir vor?«

»Ich schlage dir vor, morgen nicht nach Kerala zurückzufahren. Bleib hier, bei mir, meine Eltern werden nichts dagegen haben. Ich besorge dir ein Visum für England ...«

»Überhaupt nicht zurückgehen? Arjun, du vergisst ... Ich kann Riya nicht im Stich lassen ...«

»Bring sie her, lass sie hierherbringen, wir werden sie mitnehmen.«

»Aber ich bin noch immer verheiratet ...«

»Na und? Wir können auch miteinander leben, ohne verheiratet zu sein. Wenn Riya bei uns ist, gibt es doch nichts, was dir fehlen würde, oder?«

»Es gibt doch bestimmt Gesetze gegen Leute, die so etwas tun, Arjun …«

»Was macht das schon! Alles, was ich will, ist, dich nie wieder zu verlieren.«

»Arjun, hör mir zu, sei doch vernünftig! Du hast vergessen, dass meine Zeit in Kerala ohnehin fast abgelaufen ist. Das Studium und das Stipendium! Ich glaube, es ist am besten, wenn ich jetzt erst mal wieder nach Kerala gehe und mich dann darauf vorbereite, ins Ausland zu gehen, um mein Studium zu absolvieren. *Und* die Universität von London hat mir ebenfalls einen Studienplatz angeboten, erinnerst du dich? Dann werden wir wenigstens nahe beieinander sein. Und du hast die Chance, auch Riya kennen zu lernen. Ich kann nicht davon ausgehen, dass du ohne Probleme mit ihr fertig wirst, es ist manchmal sehr anstrengend, mit ihr umzugehen. Was meinst du dazu? Bitte, *die* Lösung ist sicher besser und unkomplizierter als alle anderen …«

Ich konnte sehen, dass er noch immer sehr unglücklich war. Er setzte sich auf und strich sich frustriert und wütend durch das Haar. Seine Stimme klang traurig.

»Ich hab dich schon einmal verloren. Und ich hab mich *so* häufig gefragt, ob du die Kraft gehabt hättest, dem Druck deiner Familie zu widerstehen, wenn ich in Indien gewesen wäre. Woher soll ich den Mut nehmen, dich ein zweites Mal hier zurückzulassen? Woher soll ich wissen, dass die ganze schreckliche Geschichte sich nicht wiederholt? Was ist, wenn sie dich nicht gehen lassen?«

»Jetzt können sie mich nicht mehr aufhalten. Nur noch

ein paar Monate, Arjun. Bitte warte auf mich, ich werde im September dort sein, ich verspreche es dir.«

Ich zog ihn wieder aufs Bett herunter und umarmte ihn so leidenschaftlich und liebevoll, als könnte ich dadurch die Jahre des Schmerzes ungeschehen machen. Ich legte mich auf ihn, und mein Haar fiel wie ein Vorhang um unsere Gesichter, als wollte es uns vor allem Unglück schützen, selbst vor dem Zorn der Götter. Ich hielt seinen Kopf mit beiden Händen fest, um sein Gesicht erneut mit Küssen zu bedecken. Wieder und wieder küssten und liebten wir uns, und ich fragte mich, wie ich mir dieses Glück so lange hatte verweigern können. Hätte ich solche Süße, solche Glückseligkeit vorher gekannt – hätte ich dann je darauf verzichten können? Hätte ich der Liebe meiner Eltern, meinem eigenen guten Ruf und der Ehre alter, berühmter Familien Vorrang gegeben vor meiner Sehnsucht nach Glück?

Aber heute war ich das Opfer der verräterischen Rufe des Meeres geworden, der heulenden, flehenden Klagen einer gierigen Kadalamma, der Göttin der Ozeane. Diese Sehnsucht würde mich nie mehr loslassen. Heute gab es nichts anderes, was von Bedeutung wäre, nicht mein Ruf, nicht die Liebe einer Mutter und nicht die Ehre alter, berühmter Familien ... Ich wusste, dass ich dafür einen Preis würde zahlen müssen – vielleicht schon morgen, wenn ich in den Zug steigen müsste, der mich nach Kerala brachte. Oder im nächsten Monat, wenn ich in das gequälte, tränenüberströmte Gesicht meiner Mutter schaute. Vielleicht würde das in einer dunklen, nassen Nacht geschehen, in der ich von wahnsinnigen Frauen umringt war, die blutige Tränen weinten, während sie mit ihren Köpfen Nägel in einen Baum stießen. Oder vielleicht sogar in einem anderen Leben ... Aber heute, heute lag all das in weiter Ferne, heute ließ Kadalamma mich auf den höchsten Kämmen ihrer Meereswellen reiten, während sie mir zuschaute und ihr heulendes, höhnisches Lachen lachte, da sie wusste, dass ich in großer Gefahr schwebte, in ihren trüben Tiefen zu ertrinken.

Um fünf Uhr nachmittags kehrte ich mit Arjun zum India International Centre zurück. Ich hatte das Gefühl, ein ganzes Leben lang fort gewesen, durch ein anderes Universum gereist zu sein, nur um zurückzukommen und festzustellen, dass alles andere sich nicht von der Stelle bewegt hatte. Zehn junge Leute, die hofften, ein Stipendium zu bekommen, saßen im Foyer, alle mehr oder weniger erschöpft. Die Spannung in der Luft war jetzt mit Händen zu greifen, und ich fragte mich, ob im Laufe des Nachmittags das Stipendium für die anderen eine ebenso lebenswichtige Bedeutung gewonnen hatte wie für mich.

Mrs. Rustomji tauchte mit einem geheimnisvollen Lächeln vor uns auf.

»Die anderen Stiftungsmitglieder haben mich gebeten, Sie, Sie *alle*, zu informieren, welches Vergnügen es ihnen war, heute so viele intelligente junge Menschen kennen zu lernen. Es ist immer, jedes Jahr, ein wunderbares Gefühl, zu sehen, dass unser Land so viele Talente hervorbringt, und es erfüllt uns mit so viel Hoffnung für die Zukunft, wenn wir diese Interviews durchführen ...«

O, nein, dies ist bestimmt nicht der richtige Zeitpunkt, um eine *Rede* zu halten, dachte ich ...

» ... und jedes Jahr macht es uns traurig, dass wir Sie nicht *alle* in Ihren wertvollen Zielen unterstützen können. Was ich denjenigen unter Ihnen, die es dieses Jahr nicht geschafft haben, gerne sagen würde, ist, *bitte* gehen Sie nicht mit dem Gedanken fort, das, was Sie tun, sei nicht nützlich und wertvoll. *Ohne Ausnahme* waren wir von Ihnen allen sehr beeindruckt und möchten Ihnen das Allerbeste für die Zukunft wünschen. In diesem Jahr haben wir entschieden, dreien der Anwärter ein Stipendium zu gewähren. Ich werde ihre Namen vorlesen und möchte alle drei bitten, noch ein Weilchen hierzubleiben, um uns einige weitere Informationen zu geben – Anasuya Dutta – Bhaskar Lamba – und Janaki Maraar.«

Ich schaute zum anderen Ende des Foyers, wo Arjun an einem Tisch lehnte. Als er lächelte, zeigten sich wieder all die liebenswerten Fältchen, die mir jetzt immer vertrauter wurden. Unser Traum wurde wahr, wir würden für mindestens ein Jahr zusammen sein, alles andere würde sich finden. Man gratulierte mir, und Mrs. Rustomji gab uns ein Zeichen, ihr ins Prüfungszimmer zu folgen. Ich schaute noch einmal zu Arjun hinüber. Es gab mir ein sicheres Gefühl, dass seit seiner Rückkehr mein Leben unter einem glücklichen Stern zu stehen schien. Als hätte alles, was in den letzten Jahren misslungen und fehlgeschlagen war, etwas mit seiner Abwesenheit zu tun gehabt. Ich verdrängte natürlich, wie bald wir uns wieder voneinander verabschieden mussten. Der Zug, der morgen nach Kerala fuhr, brauste auf seinem Weg nach Delhi bereits durch das nordindische Flachland. Morgen würde Arjun erneut Teil meiner Träume sein, an dem Tisch am Ende des Foyers lehnend, mit seinem neuen Lächeln mit den vielen Fältchen im Gesicht und einer sehr alten Liebe im Herzen …

Das Stipendium würde die Vorlesungsgebühren abdecken und dazu einen erheblichen Teil der Lebenshaltungskosten. Für das, was darüber hinausging, würden wir auf unsere eigenen Mittel zurückgreifen müssen, oder wir müssten versuchen, uns um ein Zusatzstipendium zu bewerben. Als ausländische Studenten konnten wir uns um eine Arbeitserlaubnis bemühen, was immer sinnvoll war, da ein Job es erleichterte, sich mit Land und Leuten vertraut zu machen. Ja, meinte Mrs. Rustomji, ich könnte mich durchaus auch um einen Studienplatz an der Universität von London bewerben, wenn das meinen Bedürfnissen mehr entsprach, allerdings müsse ich die Zulassung für London so bald wie möglich einreichen. Wir sollten mit der Stiftung in Kontakt bleiben und sie informieren, wenn wir Probleme hätten, ein Studentenvisum zu bekommen. Wir sollten sie natürlich auch informieren, wenn sich während der Ausbildung Probleme ergäben. Sollten wir sie auch informieren, wenn einer von uns sich verliebte und alles andere darüber vergaß? Vermutlich nicht. Ich konnte mich nicht mehr konzentrieren. Ich musste diesen Raum so schnell wie möglich verlassen, um wieder mit Arjun zusammen zu sein.

»Ich wusste, dass du es schaffen würdest!«, sagte er, als wir wieder ins Auto stiegen.

»Das ist nett, denn ich selbst hatte nicht die geringste Ahnung!«

»Wird das Stipendium sämtliche Kosten decken?«

»Jedenfalls die gesamten Studiengebühren, und dazu kommt noch eine bestimmte Summe für die Lebenshaltungskosten, aber den Rest werde ich selbst aufbringen müssen. Was meinst du, wie viel werden das Ticket und das Visum kosten?«

»Ungefähr 500 Pfund, dreißigtausend Rupien. Bitte, mach dir keine Sorgen über Lebenshaltungskosten, das kannst du getrost mir überlassen.«

»Du bist ein Schatz, aber um ein Visum zu bekommen,

muss ich, glaube ich, beweisen können, dass ich in der Lage bin, für meinen Lebensunterhalt selbst aufzukommen.«

»Wie viel Geld hast du im Augenblick auf deinem Konto?«

»Oh, ungefähr fünfhundert Rupien. Genug, um mir einen Sari zu kaufen, wenn ich Lust dazu habe«, sagte ich lachend.

Arjun schaute mich verdutzt an. »Du willst doch nicht behaupten ...« Und dann, als ihm klar wurde, dass ich die Wahrheit gesagt hatte, schüttelte er ungläubig den Kopf.

Ich war die Schwiegertochter einer wohlhabenden Familie, ich sollte mir um Geld eigentlich keine Sorgen zu machen brauchen. Ich war sogar Teilhaberin in ihrem blühenden Unternehmen, das eine Menge Rupien wert war. Wie viele genau, wusste ich nicht, meine Aufgabe bestand lediglich darin, Dokumente zu unterschreiben, die mir vorgelegt wurden. Fragen zu stellen hätte nur den Anschein erweckt, ich sei habsüchtig. Würdelos, ganz und gar würdelos, hätte meine Mutter gesagt. Allmählich dämmerte es mir, dass eine gute Erziehung einer jungen Frau in Kerala ganz und gar nicht weiterhalf. Wie viel sinnvoller wäre es, wenn Eltern ihren Töchtern ein paar weibliche Listen beibrächten und sie auch im Hinblick auf das Bankkonto ihres Ehemannes ein paar der Tatsachen des Lebens lehrten. Ich wusste noch nicht einmal, bei welcher Bank Suresh sein Konto hatte, geschweige denn, wie viel Geld er besaß. Die Maraars hatten Recht. All meine Bescheidenheit, mein ständiges ›Bitte‹ und ›Danke‹ hatten mich nicht sehr weit gebracht.

Arjun fuhr mich zur großen Kreuzung in Malviya Nagar. Von dort aus war es nur ein zehnminütiger Fußweg zum Haus von Tante Shobha.

»Ich muss wieder zurück sein, bevor sie Suchtrupps nach mir aussenden, Arjun.«

»Kannst du dich nicht abends noch einmal mit mir treffen? Denk dir irgendeinen Vorwand aus … Ich möchte unbedingt, dass du meine Eltern triffst, sie kommen gegen zehn Uhr heute Abend zurück.«

»Arjun, mein Zug fährt morgen in der Frühe ab, und ich muss bei Tagesanbruch aufstehen, damit Onkel Raghu mich zum Bahnhof fahren kann. Wenn ich sage, ich wolle so spät am Abend noch einmal ausgehen, werden sie denken, dass irgendetwas an der Sache faul ist. Bitte lass uns jetzt nichts tun, was unser Projekt wieder gefährdet.«

Arjun nickte, und ich fragte ihn misstrauisch: »Du hast doch hoffentlich keine Dummheiten vor, beispielsweise morgen am Bahnhof aufzutauchen, oder?«

Er lachte. »*Großartige* Idee. Dir zuzuschauen, wie du dich unter den wohlwollenden Blicken deines Onkel Raghu vor Verlegenheit windest!«

Er lachte erneut, als er meinen Gesichtsausdruck sah, und sagte, jetzt ein wenig ernster: »Janu, Liebste, ich werde jetzt *nichts* tun, was unsere Zukunft gefährden könnte, ich verspreche es dir. Ich werde nicht anrufen, ich werde nicht schreiben. Ich werde ganz einfach in deine Zukunft hinein verschwinden und dort auf dich warten, wie lange auch immer das dauern mag. Wenn du mit mir Kontakt aufnehmen willst, dann weißt du, wo ich bin, und du weißt, wo meine Eltern sind. Vertrau mir, lass mich, wenn möglich, wissen, wie die Dinge laufen, und vor allem, sorg dafür, dass du wirklich dort *ankommst*.«

Ich rutschte auf meinem Sitz zu ihm hinüber, um ihn ein letztes Mal zu umarmen … Würde es Monate oder Jahre dauern, bevor wir einander wiedersahen? Guruvayurappa, beschütze ihn! Was auch immer du mit den Menschen vorhast, welche seltsamen Spiele du mit ihnen zu spielen beabsichtigst, bitte halte von diesem liebevollen, sanften Mann allen Schaden fern. Tränen rannen meine Wangen hinunter, als ich mich Arjuns Armen entzog. Ich wusste, dass Busfahrer und Erdnussverkäufer neugierig in das Auto spähten; einige machten schlüpfrige Bemerkungen über Liebespaare, die nicht voneinander loskommen. Einer grölte ein Lied, als ich aus dem Wagen stolperte, und während ich die Straße hinunterrannte, verfolgte mich der Text des letzten Kinohits. Die Worte hallten noch in meinen Ohren wider, als ich mich der Pforte von Tante Shobhas Haus näherte.

Heer Ranjah – die beiden Liebenden, die weit ins Meer hinausgeschwommen waren, um einander heimlich zu treffen …

und in einer stürmischen Nacht gemeinsam untergingen …

der Zorn der Welt, der in den riesigen Wellen über ihnen zusammenschlug …

Ich wischte mir das Gesicht mit meinem Halstuch trocken und bereitete mich darauf vor, wieder in meine alte Rolle zu schlüpfen. Dieser Film war in Kerala am längsten gespielt worden, er lief seit neun Jahren, mittlerweile fast zehn, der langsame Märtyrertod von Janu. Eine Rolle, die ich so lange perfekt gespielt hatte, dass sie zu einem Teil meiner Persönlichkeit geworden war. Wie in aller Welt sollte ich diese Fesseln lösen? Irgendwann würden die Leute herausfinden, dass ich alles getan hatte, was ein Mädchen, das das Glück gehabt hatte, in eine gute Familie zu heiraten, niemals tat. Man stelle sich vor, sie verlässt ihr Heim und ihren Mann und entzieht einem behinderten Kind seinen Vater (›Haben Sie schon *gehört*, sie hat sogar mit einem

Liebhaber aus ihrer Zeit am College Kontakt aufgenommen, damit er sie ins Ausland bringt.‹) Hinterhältig, herzlos, ehebrecherisch – all diese harten Worte warteten auf mich. Einige würden von Menschen kommen, von denen ich es am wenigsten erwartete, auch von Onkel Raghu und Tante Shobha, aber für den Augenblick war ich noch ihre arme, süße Janu. (›Es ist bewundernswert, wie *gut* sie damit fertig geworden ist, ein behindertes Kind zur Welt gebracht zu haben, wie sie ihr Leben dem Kind widmet, die Ärmste.‹)

»Moley! Da bist du ja. Ich habe schon angefangen, mir Sorgen zu machen!« Shobha zündete die *Vilakku* in ihrem Vorderzimmer an. Ich legte meine Hände zusammen und verneigte mich in Richtung der kleinen Figurine der Devi und der Bilder von Ganesha und Guruvayurappan und suchte in ihren Augen nach Spuren von Missbilligung. Sie wirkten friedvoll, ließen ihren gewohnt heiteren Blick auf mir ruhen, und ich spürte, wie mein Atem leichter wurde. Tante Shobha strich einen Klacks Vibhuti auf meine Stirn, bevor sie mich nach dem Stipendium fragte.

»Ich hab's bekommen, Tante Shobha!« Ich versuchte, gelassen zu wirken, als ich ihr die Einzelheiten erzählte.

»Und was meinst du – wann wirst du abreisen?«

»Wahrscheinlich im September. Dann wird es dort vermutlich kalt werden.«

»Kalt? In Arizona ist es doch das ganze Jahr über heiß, oder?«

Fehler Nummer eins! Ich hatte vergessen, dass mein Reiseziel noch an diesem Morgen Amerika gewesen war! Oh, Tante Shobha, alles hat plötzlich eine ganz andere Wendung genommen, weißt du, irgendeine übermütige Göttin hat mein Leben, nachdem ich an diesem Morgen dein Haus verließ, in ihre Hände genommen und es gründlich durchgeschüttelt. Wie die Kaleidoskope mit den billigen kleinen Plastikteilchen drin. Schau mich an, sehe ich nicht plötzlich ganz anders aus? Alles ist in einem Augenblick auf eine verrückte und köstliche Art auf den Kopf gestellt worden, und all das, weil etwas Himmlisches, etwas ganz und gar Unvorhergesehenes geschehen ist und ich in den Armen eines wunderbaren Mannes lag, des Mannes, nach dem ich mich so lange gesehnt habe.

Ich konnte fühlen, wie ich errötete, als ich mit gespieltem Gleichmut erklärte: »Es könnte sein, dass ich nach England gehe, weißt du ... Es ist aber noch nicht sicher ...«

»Aber gestern sagtest du doch, in Amerika seien die Chancen für Riya besser ...«

Gestern wusste ich nicht, dass England wieder zum Zentrum meines Lebens werden würde. Wie viel Uhr ist es? Sieben minus fünfeinhalb, in England ist es jetzt Nachmittag ... »Diese – diese Stiftung hat zu englischen Universitäten anscheinend die besseren Kontakte ...«

Ich senkte den Blick, um niemanden anschauen zu müssen, weder Tante Shobha noch das Pantheon der Götter, die mich von der Wand aus aufmerksam beobachteten. Tante Shobha würde gewiss im nächsten Moment erraten, dass ich ihr nicht die ganze Wahrheit sagte, oder vielleicht würde sie bei einem anderen Gespräch zu einem späteren Zeitpunkt erkennen, was ich wirklich vorhatte. Und dann gab es nichts, was sie davon abhalten würde, mich mit aller Strenge zu verurteilen. (›Was für eine *unverschämte* Lügnerin – wer hätte das gedacht? Sie leiht sich *meinen besten Kaschmirpullover,* um sich mit einem derart *unschuldigen* Gesicht mit ihrem Liebhaber zu treffen ... Man kann wirklich niemandem trauen, wahrhaftig nicht!‹)

Ich sagte, ich müsse dringend ein Bad nehmen, und schloss die Badezimmertür mit einem Gefühl der Erleichterung hinter mir zu. Während das Wasser einlief, schaute ich mir mein Spiegelbild an, neugierig auf das Gesicht, das Arjun heute betrachtet und wunderbarerweise noch immer geliebt hatte. Wasserdämpfe stiegen aus der Wanne empor und schlugen sich auf dem Spiegel nieder, sodass ich aussah wie auf einem Werbefoto für Luxusseife. Winzige Lach- und Kummerfältchen, die sich im Laufe der Jahre um meine Augen herum eingegraben hatten, wurden durch den Dunstschleier verwischt ... Arjun und ich hatten es versäumt, die besten Jahre unseres Lebens miteinander zu teilen. Wäre es uns möglich, mit dem, was von diesem Leben übrig war, ein neues zu beginnen? Einander von den wunderbaren Dingen zu erzählen, die wir gemeinsam hätten tun können? Ich hatte meine Jugend genommen, sie mit einer goldenen Schleife zu einem Paket zusammengebunden und sie einem Fremden geschenkt, der sich noch nicht einmal besonders darüber freute. Und jetzt musste ich wieder zu ihm zurück, morgen, in einem Zug, der mich nach Kerala brachte. Wie verführerisch war es, Arjuns Angebot anzunehmen und einfach vor allem davonzulaufen. Ich könnte Riya später nachkommen lassen, sie würden sie niemals bei sich behalten wollen, das war gewiss das Letzte, wonach ihnen der Sinn stand. Dann brauchte ich mir ihre bissigen Bemerkungen und ihre Kritik nicht mehr anzuhören, niemand wäre da, der mich verletzen könnte. Ich hatte keine weiteren Kinder, auch keine Geschwister, deren Ruf ich für alle Zeiten schädigen würde, und die deshalb niemanden fänden, der sie heiratete. Was das anging, war ich frei. Es gab nur meine Mutter und meine Großmutter, auf die ich Rücksicht nehmen musste ...

In dem beschlagenen Spiegel verwandelte sich mein Gesicht, wurde zu dem meiner Mutter und meiner Großmutter, und ich fühlte, wie mir das Herz in Anbetracht ihres Kummers schwer wurde. Könnte ich in England ein glückliches Leben leben, obwohl die Menschen, die ich liebte, sich für alle Zeiten in ihrem Haus aus Kummer eingeschlossen hatten? Sie hatten mich großgezogen und das für mich getan, was jede wohlwollende Mutter, jeder wohlwollende nahe Verwandte getan hätte: eine Ehe für mich arrangiert, von der sie glaubten, sie wäre das Beste für mich. Sie hatten, soweit es in ihren Möglichkeiten stand, die beste Familie für mich ausgesucht, und sie meinten, damit nur ihre Pflicht getan, ihre Sache gut gemacht zu haben. Konnte ich sie dafür bestrafen, ihnen die verächtlichen Bemerkungen hinter vorgehaltener Hand und die mitleidigen Blicke zumuten, die sie überallhin verfolgen würden? Ich wusste, wie grausam Kerala sein konnte, und hatte keine Wahl: Ich würde in diesen Zug steigen, um mich all diesen Schwierigkeiten zu stellen. Mit Mut und Ehrlichkeit. Dies war der Weg, den ich einschlagen musste.

Am Bahnhof herrschte schon um sechs Uhr morgens reges Treiben. Ich vermutete, Arjun würde trotz meines Einwands irgendwo in der Menschenmenge auftauchen. Aber er tat es nicht. Er hatte sein Versprechen gehalten – in meine Zukunft hinein zu verschwinden. Vor neun Jahren hatte er sich in meine Vergangenheit zurückgezogen, still und ohne Aufhebens. Jetzt bat ich ihn, auf mich zu warten, auf unsere gemeinsame Zukunft zu bauen. Wäre es nicht so traurig, man hätte darüber lachen können.

Auf meiner Rückreise genoss ich den relativen Luxus der ersten Klasse der Indian Railways, weil ich im Damenabteil keine Liege bekommen konnte. Als Kind war es für mich selbstverständlich gewesen, mit dem Flugzeug zu reisen. Damals wusste ich noch nicht, dass dies eines der Privilegien war, die zusammen mit meinem Vater sterben würden. Eines der vielen Privilegien, die damit einhergingen, ein hoher Beamter zu sein, zu denen außerdem hervorragende Heiratsanträge gehörten und besondere, fast unterwürfige Aufmerksamkeit bei den Hochzeiten der Maraars. Suresh hatte angeboten, mir ein Flugticket nach Delhi zu kaufen, aber ich fühlte mich verpflichtet, als Gegenleistung für die unerwartete Zustimmung zu meinen Plänen sparsam mit ihrem Geld umzugehen. Jetzt war ich dankbar dafür, durch die Bahnfahrt zudem auch Zeit zu gewinnen, in der ich meine Gedanken sammeln konnte. Bevor ich in zwei Tagen wieder in Kerala einträfe, musste ich mir darüber klar werden, was ich wollte. Sollte ich jedes Risiko vermeiden, einfach abreisen und niemals zurückkehren? Wäre es besser, den Stier bei den Hörnern zu packen und Suresh um eine Scheidung zu bitten? Trotz meines Wunsches, meinen Mann und das Haus der Maraars zu verlassen, war mir eine Scheidung niemals notwendig erschienen, aber jetzt stand ich vor einer völlig neuen Situation. Arjun hatte von meiner Zukunft Besitz ergriffen, und das hatte alles verändert. Wäre es für Suresh und seine Familie im Grunde eine Erleichterung, Riya und mich loszuwerden? Sie hatten für Suresh noch nicht einmal ein ›richtiges‹ Malayali-Mädchen finden können; Ammas zahllose Sticheleien deuteten darauf hin, dass sie diesen Wunsch noch immer nicht völlig aufgegeben hatte. Suresh wäre nach wie vor ein äußerst attraktiver Heiratskandidat; Männer hatten niemals große Schwierigkeiten, eine zweite Frau zu finden. Es waren nur die Frauen, denen sich keine anderen Chancen eröffneten als einäugige Witwer, die eine Schar wilder Kinder großzuziehen hatten. Und ältere Frauen fristeten ein armseliges Leben. In schlecht beleuchteten Häusern, die nach dem Sonnenuntergang hinter Mangobäumen in tiefen Schlummer fielen.

Die Lokomotive begann zu schnaufen und zu rucken, signalisierte, dass sie zur Abfahrt bereit war, und Reisende sprangen hastig in den Zug, während alle anderen, Freunde, Verwandte, Bekannte, Verkäufer von Tee und kalten Getränken und die Gepäckträger, hinaussprangen. Ich lehnte mich aus dem Fenster, um Onkel Raghu zum Abschied zu winken. Er war entschlossen, das Versprechen, das er meiner Mutter gegeben hatte, zu halten und am Bahnsteig stehen zu bleiben, bis ich in meinem Abteil in Sicherheit war und der Zug sich in Bewegung setzte. Mit ein paar herzzerreißenden Schnaufern verließ er langsam und zögernd den Bahnhof von Neu Delhi. »Viel Glück, Moley!«

Danke, Onkel Raghu. Während ich bei dir gewohnt habe, ist mir das größte Glück widerfahren! All die Leute, die aus dem Zug gesprungen waren, und die Verkäufer und Imbissbuden auf dem Bahnsteig glitten jetzt, da er an Geschwindigkeit gewann, immer schneller an meinem Fenster vorbei, wie ein Film, der zu schnell abgespult wurde. Die Bilder der Stadt reihten sich vor meinen Augen aneinander – gefolgt von Zügen auf einem Rangierbahnhof – und riesigen Reklametafeln für einen Sexarzt, der auch die schwierigsten Probleme zu lösen versprach – danach braune Hinterteile von Kindern, die alle in einer Reihe saßen und ihr großes Geschäft verrichteten … Auf Wiedersehen stinkende, schmutzige Stadt meiner Kindheit, Stadt der Hoffnung, geliebtes Delhi, das die Liebe meines Lebens beherbergt …

Der Zug rollte jetzt gleichmäßig stampfend voran, trug mich immer weiter hinein in die Tiefen Indiens.

Oh, Delhi
verzeih mir
ich kann nicht bleiben.

Doch sieh
ich muss heut noch
nach Kerala eilen.

Nach Alleppe,
ans Meer
zum Tempel am Wasser

wo sie auf mich warten
alle die
die mich hassen.

Manche traurig, manche zornig
auf dieser schrecklichen Bühne
voll unheimlicher Ahnen
lechzend nach Sühne.

Auf dieser Rückreise fehlte mir die heitere Kameradschaftlichkeit und die wohlwollende Neugier des Damenabteils: Es gab niemanden, mit dem ich hätte Bekanntschaft schließen wollen. Aber ich musste mir ohnehin über Wichtigeres den Kopf zerbrechen. Ich lag ausgestreckt auf meiner oberen Liege und schloss meine Augen, damit die inneren Bilder nicht verblassten. Im Geiste kehrte ich immer wieder zu jenem Nachmittag mit Arjun zurück. Jedes Mal, wenn ich an Arjuns Finger dachte, die sanft über meinen Körper strichen, spürte ich ein wohliges Prickeln, eine wunderbare Leichtigkeit und zugleich einen leisen Schmerz. Ich horchte in mich hinein, um Schuldgefühle aufzuspüren, die sich in den Cocktail aus Lust und Traurigkeit mischten, aber ich fand sie nicht. Nicht einmal, als ich mich zwang, an Suresh und Riya zu denken. War ich seit dem Augenblick, als ich in Arjuns Armen lag, gegen Schuldgefühle immun geworden? Spielte Schuld keine Rolle mehr, weil dies unsere Bestimmung war, weil es eine Verheißung, ein Versprechen gegeben hatte, so alt, dass ich mich jetzt nicht einmal mehr daran erinnern konnte? Waren vielleicht mit meiner Heirat alle Gefühle in mir erstorben und erst wieder zum Leben erweckt worden, als Arjun mich gestern berührte? Es war unmöglich, Dinge zu bereuen, die man in einem anderen Leben getan hatte, aber man musste damit rechnen, in einem späteren dafür bezahlen zu müssen. Selbst auf meinem Weg zurück nach Kerala, in einem stampfenden, schaukelnden Expresszug, hatte ich das Gefühl, als sei meine Ehe mit Suresh etwas, das in einem anderen Leben stattgefunden hatte. Ich machte mir Illusionen, was meine Zukunft betraf, und versuchte zugleich das Unmögliche: in ein vergangenes Leben zurückzukehren. Das bedeutete, die göttliche Ordnung durcheinander zu bringen; niemand, der versuchte, das Rad des Karmas zurückzudrehen, kam ungeschoren davon. Aber jetzt wünschte ich mir dieses Leben mit Arjun und ich hoffte es mir erobern zu können, indem ich den Preis in hundert späteren Leben zahlte.

13

Als der Zug durch die grünen Ebenen des Staates Kerala rollte, konnte ich sehen, dass der *Thulam Varsham* diesmal mit einem Monat Verspätung eingesetzt hatte. Dieser zweite Monsunregen war der sanftere Bruder des ersten, der im Juni mit so wilder Wut gegen die Küsten Keralas schlug. Auf ihrem Rückweg über die Western Ghats hatten diese Regen irgendwo in den Bergen ihr Ziel verloren und ergossen sich stattdessen in einem traurigen, tränenreichen Schleier über das Land. Der Fußboden des Zugs wurde nass und schmutzig von unzähligen Paaren triefender Chappals, Schuhe und Stiefel, die bei jeder Haltestelle neu hinzukamen. Murrende Passagiere hoben ihre Koffer vom Boden, damit sie nicht in den schlammigen Pfützen durchweichten. Koffer, gefüllt mit Süßigkeiten aus Delhi, und Nylonsaris aus Karol Bagh, für liebe Menschen, die darauf warteten.

Suresh erwartete mich am Bahnhof Cochin; in seinem Blick lag ein seltsamer, verwirrender Ausdruck von Respekt. Ich hatte das Stipendium bekommen; Shobha Aunty hatte darauf bestanden, dass ich ihn anrief, um es ihm mitzuteilen. Er ahnte wohl, dass ich nur noch zurückzuhalten war, wenn er es mit Freundlichkeit und sanfter Überredung versuchte.

»Wir fahren jetzt direkt nach Alleppey. Riya hat sich sehr wohl gefühlt, aber sie hat häufig nach dir gefragt. Deine Mutter wollte wissen, ob ich dich für ein paar Tage in Alleppey lassen könnte, damit du am *Beli* deines Vaters teilnimmst.«

Ich hatte es vergessen. Morgen war der erste Todestag meines Vaters, und ich, sein einziges Kind, musste die Rituale vollziehen, damit seine Seele weiterhin in Frieden leben konnte. In den Armen eines Mannes, um dessentwillen mein Vater mich einst verprügelt hatte, weil ich ihn liebte, war es so leicht gewesen, Liebe, Pflicht und Verantwortungsgefühl zu vergessen.

Im Wagen erzählte ich Suresh von dem Interview und spürte, wie er mir zuhörte. Seltsam, dieses Gefühl, dass er mir tatsächlich seine Aufmerksamkeit widmete, obwohl er es nur tat, weil er immer noch überlegte, wie er mich daran hindern konnte, sein Haus zu verlassen. Sogar die Fragen, die er stellte, dienten dazu, die Stelle zu finden, an der er den Hebel ansetzen konnte, um meinen Plan zum Scheitern zu bringen. Was war mit dem Unterricht, den Riya bekommen sollte? Man würde wahrscheinlich eine Menge Geld dafür bezahlen müssen. Sonderschulen waren in jedem Fall teuer. Wie wollte ich es schaffen, mich um Riya zu kümmern und zugleich mein Studium zu absolvieren? Würde sie die anderen Familienmitglieder nicht vermissen? Ich sah müde aus dem Seitenfenster, auf Häuser, von deren Strohdächern der Regen tropfte, und Radfahrer, die unter großen schwarzen Schirmen die Straße entlangschwankten. Sollte ich diese ganze Farce abrupt beenden, indem ich ihn jetzt, sofort, um die Scheidung bat? Wenn ich ihm von Arjun erzählte, würde er dann mit Wucht auf das Gaspedal treten und geradewegs gegen den nächsten Baum rasen?

Als wir am Haus meiner Großmutter in Alleppey ankamen, sah ich als Erstes Riya, die ungeduldig zappelnd in Ammummas Tür stand. Und dann, als ich aus dem Wagen stieg, schoss sie, einer winzigen Kanonenkugel gleich, geradewegs auf mich zu und landete an meinem Bauch, wobei sie mich fast umgeworfen hätte. Ich lachte und beugte mich glücklich zu ihr hinunter, um sie in die Arme zu nehmen.

»Ammas Puchkie Darling! Wo warst du die ganze Zeit? Du warst bei deiner Ammumma, ja? Oh, wie schön, ein neues *Kleid*. Wer hat dir das denn gekauft?«

Sie zeigte auf Ma und kicherte vor Vergnügen, als ich mein Gesicht in ihrem molligen, kleinen Körper vergrub. Plötzlich fühlte ich mich unendlich erleichtert, dass ich nicht auf Sureshs Vorschlag eingegangen war, Indien ohne sie zu verlassen. Sie entzog sich jetzt zappelnd meiner Umarmung und drehte sich im Kreis herum, um ihr neues rosafarbenes Kleid vorzuführen. Eine mollige, rosafarbene, tanzende kleine Blume in schwarzen orthopädischen Schuhen unter Ammummas üppigen, nassen Pflanzen. Oh, mein Schatz, ich kann nicht glauben, dass ich dich fast verlassen hätte. Welcher Wahnsinn hatte da von mir Besitz ergriffen? Nie, *niemals* werde ich versuchen, glücklich zu sein, wenn du den Preis dafür bezahlen musst, das verspreche ich dir. Der Himmel über mir grollte leise, als wollte er mich warnen, dass es noch jemand anderen gab, der meinen Schwur gehört hatte.

Als dicke Regentropfen auf unser Haar und auf die Erde fielen, gingen wir ins Haus. Suresh erklärte, er würde zum Lunch bleiben, bevor er nach Valapadu fuhr, und in ein paar Tagen zurückkommen, um Riya und mich zu holen. Der Gedanke daran, weniger als eine Woche, nachdem ich in Arjuns Armen gelegen hatte, neben ihm in unserem Ehebett zu schlafen, entsetzte mich. Die Wahrheit. Bitte lieber Gott, hilf mir, meine Zukunft zu regeln, einfach indem ich die Wahrheit sage. Zunächst würde ich Ma die veränderte Situation erklären müssen und sie dann bitten, mich in ihrem Haus in Alleppey aufzunehmen, um mich vor der Wut der Maraars zu schützen. Der Geruch von Reis und Sambar, der aus der Küche herüberwehte, verursachte mir plötzlich Übelkeit, und ich nahm aus weiter Ferne wahr, wie Riya laut und fröhlich vor sich hinsang: ›Tee Tee Teevandi …‹, während sie im Esszimmer wie eine kleine Lokomotive mit ohrenbetäubendem Pfeifen im Kreis stampfte.

Ich spülte den Schmutz der langen Zugfahrt im dampfenden Wasser fort, das in dem großen Kupferkessel erhitzt worden war, der nur in den Monaten des Thulam Varsha hervorgeholt wurde. Aber das Essen, das meine Mutter auf meinen Teller füllte, vermochte ich kaum anzurühren. Ich hörte nur mit halbem Ohr zu, was für den *Beli* meines Vaters am nächsten Tag geplant war.

»Wir werden Jose fragen, ob er uns in seinem Taxi dorthin bringen kann, weil so früh am Morgen noch keine Busse zum Strand fahren. Ich habe den Elayathu gebeten, um sechs Uhr dort zu sein. Er wird sich um alles kümmern, was für die Zeremonie gekauft werden muss.« Ammumma, eine Expertin in solchen Dingen, war offensichtlich in ihrem Element.

Das *Beli* sollte in einem winzigen Tempel stattfinden, der Aussicht auf das Meer gewährte. Er war bekannt als ein Zentrum der Kräfte, die die Geister der Toten zu beschwören vermochten. Hier würden wir dem Geist meines Vaters gekochten, geschälten Reis und Gingelly opfern, damit seine Seele weiterhin in Frieden ruhen konnte. Wenn man dieses Ritual nicht an dem Tag vollzog, an dem er entsprechend den Gesetzen der Astrologie, die sein Leben lenkten, gestorben war, dann, so der Glaube, würde seine Seele ruhelos über die Erde wandern, um Rache an den Lebenden zu nehmen und Zerstörung zu verbreiten.

»Wenn sie tatsächlich anfangen, sich für das Unrecht zu rächen, das ihnen in ihrem Leben angetan wurde, dann tauchen sie seltsamerweise an den Türen der Menschen auf, die sie früher einmal geliebt haben. Der Elayathu sagte, sie verlören in ihrer Ruhelosigkeit die Orientierung und rächten sich an den Falschen. Deshalb haben die Kinder die Pflicht, dafür zu sorgen, dass der Frieden ihrer Seele gewahrt bleibt.«

»Red keinen Blödsinn, Amma«, sagte Ma abfällig. »Das sind von Menschen erfundene Rituale, damit sich die Hinterbliebenen wenigstens einmal im Jahr an diejenigen erinnern, die sie verloren haben, mehr nicht. Es ist eine gute und gesunde Zeremonie, damit man der Toten gedenkt; selbst die Menschen im Westen haben ihre Gedenkgottesdienste. Dein Elayathu würde das Blaue vom Himmel erzählen, um dir möglichst viel Geld aus der Tasche zu locken. Geister, die sich rächen wollen – solchen Blödsinn hab ich wirklich noch nie gehört!«

Ammumma schaute verärgert drein, und draußen verdunkelte sich der Himmel und begann erneut zu grollen.

Ich verbrachte eine schlaflose Nacht, versuchte, die Worte zu finden, die ich brauchte, um zu erklären, dass auch das, was vom Leben meiner Mutter und meiner Großmutter übrig war, auseinander brechen und in Scherben gehen würde. Die ganze Wahrheit wollte ich ihnen erst zumuten, wenn ich tatsächlich nach England abreiste, aber ich war nicht bereit, nach Valapadu zurückzukehren und so zu tun, als hätte sich überhaupt nichts verändert. Als wären nicht die sanften Hände des Mannes, den ich liebte, über meinen Körper gewandert und hätten nicht jede kleine Rundung, jede kleine Delle mit Liebe und Zärtlichkeit erkundet. Da Suresh offenbar alles daran setzte, mich mit Freundlichkeit, Geduld und besonderer Aufmerksamkeit zurückzugewinnen, würde er wahrscheinlich versuchen, mehr Zeit mit mir zu verbringen als je zuvor – mit mir auszugehen – mit mir zu schlafen ... Der Gedanke war mir unerträglich. Arjun wartete auf mich, irgendwo in jener Zukunft, die uns versprochen war. Er hatte keine Forderungen an mich gestellt, keine Schwüre von mir verlangt ..., ich durfte ihn nicht enttäuschen. Ich würde es Ma morgen sagen müssen; ich durfte mein Geständnis nicht einen einzigen Tag länger zurückhalten. Wir würden mit Suresh reden und verhindern müssen, dass er übermorgen zurückkam, um mich zu holen. Aber morgen war der Todestag meines Vaters, ein Tag, der der Erinnerung gehörte. Ma wollte ihn im Gedenken an ihren verstorbenen Mann verbringen, und gerade jetzt, in diesen Tagen, ginge es über ihre Kräfte, zu erfahren, dass ihre verheiratete Tochter mit einem anderen Mann geschlafen hatte. Mit dem Mann, um dessentwillen ihr geliebter verstorbener Ehemann einst seine Tochter verprügelt hatte. Ich wälzte mich die ganze Nacht über im Bett hin und her, lauschte auf das unablässige, verzweifelte Weinen des Regens vor meinem Fenster.

Am folgenden Morgen war das Meer grau und aufgewühlt, und der winzige Tempel sah aus, als würde er davongeschwemmt, wenn eine besonders starke Welle gegen den Felsen brandete. Wütende Brecher donnerten gegen den steinernen Hügel, als wollten sie den grauen Tempel, der auf seiner Spitze thronte, herunterreißen. Zwei Götter, die miteinander im Krieg lagen. Regenwolken ballten sich am Horizont zusammen, der sich hob und senkte wie die Brust einer kummervollen Göttin. In der trüben Dunkelheit der Stunden vor der Morgendämmerung, als die Wolken in der Ferne wieder begannen, über dem grauen Wasser ihre bitteren Tränen zu weinen, war es unmöglich zu sagen, wo der Himmel begann und das Meer endete. Wie zwei Körper, die miteinander verschmolzen, wie zwei Liebende, die es nicht ertragen konnten, getrennt zu werden …

Der Elayathu hatte alles, was er brauchte, auf dem feuchten, dunklen Boden des Tempels ausgebreitet: verrußte Öllampen, Räucherstäbchen, eine Pfanne mit klebrigem, rotem Reis, glänzend-schwarze Gingellysamen, Bananenblätter. Es fehlten all die fröhlichen Attribute eines normalen Tempelbesuchs: winzige weiße Jasminknospen, Tulsiblätter, Blumengirlanden aus scharlachroten und gelben Hibiskusblüten, Bananen, Jaggery, Kokosnüsse – all die Dinge, die dieser Gott liebte. Die Statue, die ihn darstellte, war aus schwarzem Stein, dekoriert mit blutrotem Sandelholz, mit steinernen Höhlen dort, wo die Augen hätten sein sollen; übernächtigt und erschöpft, wie ich war, erschien er mir wie ein Rächer, der nichts anderes im Sinn hatte, als mich für meine Sünden zu bestrafen.

Als die Zeremonie begann, fragte man mich nach meinem Namen und nach dem Namen des Sterns, unter dem ich geboren wurde. Diese Wörter mussten zusammen mit den Beschwörungen des Geistes meines Vaters und der Geister all meiner Vorfahren in einem singenden Tonfall ständig wiederholt werden, wodurch man den Toten versicherte, dass die Frucht ihrer Lenden, die noch auf Erden weilte, in den Tempel gekommen war, um ihre Namen und ihre Seelen zu beschützen. Immer und immer wieder konnte ich hören, wie der Elayathu ›Janaki‹ rezitierte, Janaki – Revathy – Janaki – Revathy – und zwischendurch seine Gebete und Beschwörungen wiederholte. Er hämmerte es tief und immer tiefer in mein Bewusstsein, dass ich, das einzige Kind meiner Eltern, die Verantwortung für meine gesamte Familie trug. Und plötzlich kamen sie; ich konnte sie alle erkennen, manche, die mich traurig, andere, die mich böse, und wiederum andere, die mich zornig anschauten. Dann begannen sie, sich mir Schritt für Schritt zu nähern, mich zu umringen und zu bedrängen; sie verwirrten und verdüsterten meinen Geist und raubten mir den Atem. Ihre Stimmen wurden lauter, schwollen immer mehr an, bis ich nur noch ein entsetzliches Schreien und Heulen vernahm. Ich konnte ihre Worte nicht verstehen, außer dem ständig wiederholten Janaki – Revathy – Janaki – Revathy ..., als wollten sie mich und zugleich sich selbst daran erinnern, wer ich war. Und dies schien auch tatsächlich nötig zu sein, da ich selbst es in meiner Angst und Verwirrung vergessen hatte. Draußen prasselte der Regen immer unbarmherziger. Der Himmel schleuderte Blitze hinab; sie zischten in das brodelnde Meer hinein, das aufheulte wie von giftigen Pfeilen getroffen. Fischer, die sich an jenem Morgen in ihren Booten hinausgewagt hatten, forderten einander mit lauten Rufen auf, zum Ufer zurückzukehren. Ihre kleinen Katamarane schaukelten wie winzige Streichholzschachteln auf dem aufgewühlten Wasser.

Ich konnte fühlen, wie die Feuchtigkeit durch den Boden des Tempels in meinen zitternden Körper drang. Dennoch tat ich, was man von mir erwartete; meine Finger zitterten so sehr, dass ich kaum den Reis in meine Hände nehmen und ihn zusammen mit den Gingellysamen zu Bällen formen konnte, um sie meinen Vorfahren als Opfergabe darzubieten. Ich rang nach Worten, um dem Elayathu mitzuteilen, dass ich gerade heute vielleicht nicht die richtige Person sei, um meine Vorfahren zu beschwichtigen, da sie alle, ohne Ausnahme, meinetwegen zornig oder traurig zu sein schienen. Sie brauchten jemanden, dem sie vertrauen konnten, von dem sie erwarten konnten, dass er ihnen Ehre machte. Bitte, bitte, könnte jemand anders dies für mich tun ... Ich saß auf den kalten Steinen, die Nässe unter mir war plötzlich unerträglich geworden, und ich sprang auf. Dort, auf dem Boden, wo ich gesessen hatte, war ein dunkler, nasser Fleck ... War es – konnte es – Blut sein? Mein Sari war besudelt – große rote Flecken, die durch weiße Baumwolle gedrungen waren ... Und jetzt konnte ich fühlen, wie das Blut meine Beine hinunterrann ... Aus weiter Ferne hörte ich meine Großmutter schreien – ihre Schreie vermischten sich mit dem Heulen Kadalammas aus dem Meer ... Mit überraschend starken Händen packte sie mich bei den Armen und zerrte mich aus dem Tempel. Benommen stolperte ich hinter ihr her – und sank dann kraftlos auf die durchnässten Felsen.

Wir kehrten zu Ammummas Haus zurück, drei völlig verstörte verängstigte Frauen. Die Erinnerung an meinen Vater lähmte uns, umhüllte uns wie eine schwarze Wolke. Welche schrecklichen Heimsuchungen erwarten uns, Guruvayurappa, da wir den Tempel besudelt haben! *Wusstest du denn nicht, dass deine Periode fällig war? Sie war nicht fällig, ich weiß nicht, wie das geschehen konnte.* Ein schrecklicher Fluch würde über uns kommen ... Ishwara! – Der Elayathu wird alle möglichen Poojas vollziehen müssen, um ihn zu reinigen, damit er als Heiligtum erhalten werden kann. Manchmal kann man einen Tempel nie wieder als Heiligtum benutzen, wenn er auf diese Weise geschändet wurde ... Warum hatten gerade wir diesen heiligen Ort besudeln müssen ... Plötzlich überfiel mich die schreckliche Angst, dass uns eine furchtbare Heimsuchung bevorstünde.

Am Nachmittag jenes Tages erzählte ich Ma und Ammumma von Arjun. Dass ich ihn wieder gesehen hatte und ihn noch immer liebte. Und dass ich Suresh um die Scheidung bitten würde. Furcht, Verwirrung, Zorn, Unglaube – angesichts dieses Geständnisses hatten die Ereignisse des Morgens kaum noch Bedeutung – sie waren nichts als winzige Vorboten dessen gewesen, was danach kam. Meine Mutter war so erschüttert und verstört, dass sie sich in ihr Bett zurückzog – als ich in ihr Zimmer ging, um nach ihr zu sehen, lag sie auf dem Rücken und starrte blicklos gegen die Decke. Tränen rannen an ihren Schläfen hinunter. Auf meine flehend geäußerte Bitte, etwas zu essen oder wenigstens eine Tasse Tee zu trinken, zeigte sie keine Reaktion, außer ihrer seltsam stummen, starrenden Traurigkeit. Meine Großmutter, seelisch robuster, erklärte mir, ich sei wahnsinnig, auch nur eine Minute zu glauben, ich könnte meine Pläne realisieren. Was am Morgen im Tempel geschehen sei, sei der Beweis dafür, dass es Kräfte gibt, die sehr viel stärker sind als Menschen, die hochmütig genug sind, anzunehmen, sie könnten den Gang der Dinge mit Hilfe ihres Willens beeinflussen. Ob ich ernsthaft der Meinung sei, ich könne einer jahrhundertealten Tradition trotzen und mich allein in die Welt hinauswagen? Hätte ich es gewagt, etwas derart Verwerfliches zu tun, wenn mein Vater noch am Leben wäre? Und dachte ich wirklich, dieser – dieser *Arjun* würde auf mich warten und mich dann tatsächlich heiraten? Männer wie ihn, so sagte sie, gebe es überall, verantwortungslose Opportunisten, ständig auf der Suche nach neuen Abenteuern. Welche Garantie hätte ich, dass er mich, wenn ich in England ankam, tatsächlich am Flughafen erwarten würde? Und Riya? Würde irgendjemand sich die Mühe machen, sich um ein Kind wie Riya zu kümmern, für sie zu sorgen? Schon ihrem eigenen Vater und ihren Großeltern falle es schwer, sie zu lieben. Ob mir je der Gedanke gekommen sei, dass sie und ich nach einem Monat möglicherweise wieder auf der Straße stünden? Und was käme danach? Ein weiterer Mann und dann noch einer und noch einer? Suresh sei wenigstens jemand, auf den ich mich verlassen könne. Er habe seine Fehler, aber welcher Mann hätte das nicht? Ich sollte dankbar sein, dass er mich nicht verprügelte, wie der Mann von Paavam Suma Chechi. Schließlich fände Suma sich doch auch damit ab, oder? Und ich, ich hätte die Absicht, einem guten Ehemann den Laufpass zu geben! Mullakkalamma, woher nähme ich nur diese Arroganz? Und die Mitglieder seiner Familie, was auch immer ihre Fehler sein mochten, seien respektable und anständige Leute, bei ihnen wäre ich gut aufgehoben. Aber diese anderen – ich kannte sie ja noch nicht einmal! Leute, die ich vor Jahren einmal getroffen hatte, als Schulmädchen in Delhi! Würden sie mich mit offenen Armen empfangen? Sie würden wahrscheinlich ihren Sohn auf der Stelle überreden, sich eines Besseren zu besinnen, als eine Frau zu heiraten, die nicht nur geschieden war, sondern auch noch ein behindertes Kind hatte! Was, so rief sie, hätten *sie* getan, um ein solches Unglück zu verdienen, Guruvayurappa!

Ich hörte mir Ammummas Klagen mit gesenktem, in die Hände gestütztem Kopf an. Es gab nichts, was ich ihr hätte entgegensetzen können. Wie in aller Welt sollte mein Plan glücken? Nachdem ich bei Leena gewesen war, hätte ich direkt zum India International Centre gehen und mich weigern können, von diesem vergiftenden, süßen Trank zu kosten. Arjun hätte wieder in die tiefsten Tiefen meines Bewusstseins zurücksinken können, und das Leben wäre für mich genauso weiterverlaufen, wie es schon so lange verlaufen war, nicht gut, nicht schlecht, aber so, wie es mir vom Schicksal bestimmt war. Gelegentlich hob ich den Kopf, um einen Blick auf Riya zu werfen, die in wortloser Angst und

Traurigkeit von einem Zimmer ins andere rannte, die die wütenden Schuldgefühle ihrer Mutter, den schlimmen Zorn ihrer Urgroßmutter und den stummen Kummer ihrer Großmutter spürte, die in ihrem Bett lag und gegen die Decke starrte …

Suresh traf am nächsten Tag ein. Es schien ihm nicht besonders aufzufallen, dass das Gesicht meiner Mutter verschwollen war, da er wahrscheinlich vermutete, sie hätte aus Trauer um meinen Vater den ganzen Tag über geweint. Wir sagten ihm, die Zeremonie sei gut verlaufen, und ich wusste, dass meine Mutter und meine Großmutter mit ängstlichen Blicken verfolgten, wie ich auf ihn reagierte, da sie herausfinden wollten, ob ich Ammummas Rat ernst genommen hatte oder nicht. Ammumma hatte am Abend zuvor meinen Koffer gepackt, abwechselnd Kleider undRatschläge hineinwerfend, und jetzt wies sie das Hausmädchen an, mein Gepäck hinauszutragen und in den Wagen zu legen. War es möglich, dass sie sich weigerte, mich bei sich in Alleppey aufzunehmen? Was war mit Keralas stolzer alter matriarchalischer Nair-Tradition geschehen? Wie sehr hatten die Zeiten sich verändert, seit Frauen mit Mut und Begeisterung sich um ihren Hof und ihr Vieh kümmerten und sich von den Männern trennten, die nicht ihren Maßstäben entsprachen, indem sie ihnen einfach die Schuhe und den Schirm vor die geschlossene Haustür stellten. Diese Geschichten hatte ich als Kind über meine Vorfahren gehört, aber jetzt wurde nur noch gelacht, wenn man sie erzählte. Den Göttern sei Dank, so hieß es, sei durch ein neues Gesetz, den Nair Act, diesem Blödsinn ein Ende gesetzt worden. Dieses Gesetz habe unseren Männern beigebracht, ihre Verantwortung für ihre Kinder ernst zu nehmen. Es sei am ratsamsten, sich den Traditionen der anderen Landesteile anzuschließen und sich wieder *patriarchalisch* zu orientieren, für alle anderen in Indien scheine das ja offensichtlich gut zu funktionieren.

Also musste ich wohl oder übel an jenem Tag mit Suresh nach Valapadu zurückfahren. Riya saß auf dem Rücksitz des Wagens, und das Bild des tränenüberströmten, gequälten Gesichts meiner Mutter ging mir nicht aus dem Sinn. Die Landschaft an der Straße nach Valapadu schien nie schneller an uns vorübergeglitten zu sein, und es gab anscheinend nichts, was ich tun konnte, um unsere Fahrt zu verlangsamen. Wir hatten bereits den Abzweig nach Thakazhy hinter uns gelassen, wo die Welt, so viele glückliche Jahre lang, auf dem Hof der Grundschule geendet hatte. Heutzutage führte die Hauptverkehrsstraße an Thakazhy vorbei, vorbei am Geist des schlafenden, träumenden Thoduporam. Wir fuhren mit einer Geschwindigkeit von etwa fünfzig Meilen pro Stunde in Richtung des hübschen, großen Hauses, in dem der Boden unter meinen Füßen sich kalt anfühlte und Kissen mich hasserfüllt anstarrten, während sie steif wie Spielzeugsoldaten über den Diwan marschierten. Ich fühlte, wie alles in mir rebellierte. Für mich war es lebenswichtig, nie, niemals dort anzukommen. Ich musste Suresh sagen, was geschehen war. Ich wollte mich nicht einfach aus dem Staub machen; ich wollte meine Ziele erreichen, indem ich mit ihm diskutierte, mit ihm verhandelte. Ich vergaß, dass meine Tochter, der Mensch, für den ich verantwortlich war und von dem letztlich abhing, ob ich glücklich wurde oder nicht, plappernd auf dem Rücksitz saß und unbekümmert ihr neues rosafarbenes Kleid besabberte.

»Suresh, kannst du bitte irgendwo anhalten. Ich muss mit dir reden.«

Ahnte er etwas? Oder war er über meine Bitte nur einfach verblüfft, sodass er an den Straßenrand fuhr, ohne irgendwelche Fragen zu stellen? Er hielt vor einem Gebäudekomplex für Touristen, an dem ich, auf meinem Weg nach Alleppey, viele Male vorbeigefahren war. Ich hatte, wenn ich auf dem Weg zu meiner Mutter dort vorbeikam, häufig beobachtet, wie Wagen anhielten und ganze Familien, Kinder und Erwachsene, dort Rast machten. Dies war das erste Mal, dass ich selbst dort anhielt. Suresh bestellte für mich einen frisch gepressten Zitronensaft, ein Glas Bournvita für Riya und einen Whisky für sich selbst. Herr Ober, einen doppelten, bitte, er wird ihn diesmal ganz besonders nötig haben.

»Möchtest du eine Kleinigkeit zu Mittag essen oder sollen wir warten, bis wir in Valapadu sind? Von dort aus dauert es nur noch eine Stunde.«

»Ich kann warten, das hat keine Eile.« Nachdem du gehört hast, was ich dir zu sagen habe, könnte es sein, dass dir der Appetit vergeht. Willst du dir nicht lieber noch einen zweiten Whisky bestellen, bevor der Kellner sich wieder entfernt?

Suresh sah mich prüfend an. Er schien sich unbehaglich zu fühlen, und ich bemerkte, dass etwas Klebriges, Gelbes sich in seinen Augenwinkeln angesammelt hatte. Das war mir nicht neu; es war eines seiner typischen Anzeichen für Stress. Und jetzt würde ich seine innere Anspannung noch verstärken, mit einem einzigen, entscheidenden Satz seinen nagenden Verdacht bestätigen. Ich war froh, einen öffentlichen Ort gewählt zu haben; es war wenig wahrscheinlich, dass er hier die Nerven verlor und mich verprügelte. Oder dass er mit Riya flüchtete und mich auf halbem Wege zwischen Alleppey und Valapadu zurückließ. Auf halbem

Wege von einer Stadt zur anderen, wie ein Schulmädchen zwischen zwei strengen ältlichen Tanten. Die mich beide gleichermaßen ablehnten, da ich mir irgendwelche merkwürdigen Ideen in den Kopf gesetzt hatte, mit all meinem Gerede über Stipendien und England und *Scheidung*. Touristen, reisende Familien und Paare, die nur für einen Drink angehalten hatten, bestellten, unter flatternden Gartenschirmen sitzend, Essen und Getränke. ›Unsere Empfehlungen für den heutigen Tag sind gebratenes Hühnchen und Fischmolee, Sir. Das Fischmolee ist ausgezeichnet, Sir, mit frischem Nemeen, erst vor ein paar Stunden gekauft.‹ Die Sonne schaute hinter den Wolken hervor und verwandelte die von den Blättern rollenden Regentropfen in Millionen glitzernder Diamanten. Ich atmete tief die sonnendurchwärmte Luft ein, schwer vom Duft nasser Erde und feuchter Gräser.

»Suresh, ich möchte dich fragen ... Bitte, ich möchte dich unter keinen Umständen verletzen ...« Ich wusste, dass meine Stimme schwach und flehend klang und nicht fest und energisch, wie ich es mir vorgenommen hatte. »Suresh ...« Und dann kam mir der entscheidende Satz doch über die Lippen, in einem Atemzug, es gab nichts, was ihn noch zurückhalten konnte: »Suresh, ich möchte die Scheidung.«

Er war offensichtlich nicht wirklich schockiert, aber ich sah, dass er sich jetzt verpflichtet fühlte, Schock, Verletztheit, Entsetzen und Kummer, in dieser Reihenfolge, in seinem Gesicht zum Ausdruck zu bringen. Tu deinen Gefühlen keinen Zwang an, gib ihr zu erkennen, wie grausam sie ist. »Janu«, – flehend – »das kannst du doch nicht wirklich meinen ... Wir beide sind doch ein Paar und im Grunde doch glücklich, oder? – Warum? Warum?« Seine Stimme hatte jetzt einen weinerlich-zitternden Unterton.

»Wir sind nicht glücklich. Das ist der Punkt. Ich bin nicht glücklich mit dir, ich bin es vermutlich nie gewesen. Es ist nicht deine Schuld, wir sind wahrscheinlich nur allzu verschieden. Es scheint, dass wir völlig verschiedene Erwartungen an das Leben stellen.«

»Das kann nicht sein.« –Verletztheit – »Warum hast du nicht vorher etwas gesagt?« – Überraschung – »Ich war vermutlich nicht der beste Ehemann, aber das ist nicht meine Schuld. Ich leite ein Unternehmen, das einen Großteil meiner Zeit in Anspruch nimmt, um das ich mich kümmern muss.« – Selbstmitleid – »In den letzten Jahren war ich völlig überlastet, aber jetzt, in diesem Jahr, werden die Dinge anders laufen.« – hoffnungsvoll – »Ich werde sehr viel mehr Zeit für dich und Riya haben, und wir können zusammen in Urlaub fahren« – eifrig – »wie Chettan und Latha. Vielleicht sogar ins Ausland!« –Trumpfkarte, die er sich für zuletzt aufgespart hatte – »Mr. Kunyali erwähnte neulich, dass wahrscheinlich demnächst in Singapur eine Konferenz von Hoteliers stattfindet. Das würde dir doch bestimmt gefallen, oder?

Meine Eltern, meine Mutter – ich weiß, dass sie eine scharfe Zunge hat, aber sie meint es nicht böse ... Erst gestern habe ich gehört, wie sie zu Thanga sagte, wie sehr du und Riya ihr gefehlt hättet, als ihr fort wart.« – Hat sie das *wirklich* gesagt? – »Sie liebt dich wirklich sehr, sie kann es nur nicht zeigen. Und Sathi und Gauri lieben dich auch, sie lieben dich alle.« – Lügen.

Als die Getränke gebracht wurden, verfielen wir in Schweigen. »Wünschen Sie eine Kleinigkeit zu essen, Sir?«, fragte der Kellner und, ohne auf eine Antwort zu warten, leierte er seine Liste herunter: »Hühnchen-Kebab – Rindfleisch Oluthu – gemischtes Gemüse ...«

Suresh, plötzlich von einer blinden Wut gepackt, schnauzte den Kellner an: »Idiot! Wir wollen nichts essen, merken Sie das nicht, sonst hätten wir schon längst was bestellt!« Der Kellner schrak zusammen, machte eine Kehrtwendung und ging mit schnellen Schritten zurück in die Küche. Ich sah, wie sein Rücken sich in Richtung Tür bewegte, und dachte traurig, nein, danke, es geht hier nicht um eine Kleinigkeit, es geht in Wahrheit um sehr *wichtige* Dinge ... Scheidung – Ehebruch – gebrochene Versprechen ...

Riya, die fasziniert all die Leute beobachtet hatte, die unter ihren Sonnenschirmen saßen und ihre Getränke und ihre Fischmolees genossen, setzte sich eifrig auf. Als sie das Glas Bournvita sah, das vor ihr stand, begann sie heftig zu protestieren.

»Bovi vendaaa!«, brüllte sie wütend. Sie hasste Milchgetränke. Normalerweise redete ich ihr dann ein paar Minuten lang in ihrer Riya-Sprache gut zu, damit sie sich beruhigte. Aber Suresh war blitzschnell aufgesprungen und hatte sie auf die Arme genommen. Da ich ihn völlig verblüfft anschaute, vergaß Riya ihren Protest und betrachtete interessiert mein Gesicht. Warum hatte ihr Acha sie hoch genommen? Würde er sie jetzt irgendwo hinbringen, wo es aufregend war, wo ein wenig Abwechslung auf sie wartete, in das Land der Sprudelgetränke vielleicht?

Ich saß unter meinem bunten, flatternden Sonnenschirm und schaute erschöpft zu, wie Suresh sich mit Riya entfernte und sie hier- und dorthin trug. Sie blieben in Sichtweite, und Suresh zeigte ihr Blumen und Blätter, während sie in atemloser Vorfreude auf die riesige Limonade, die er ihr wahrscheinlich versprochen hatte, um sich schaute. Suresh würde nicht ohne weiteres nachgeben, tatsächlich würde er, indem er sich in einen nervenaufreibend aufmerksamen Ehemann verwandelte, die Dinge nur komplizieren. Das war für ihn die einfachste Möglichkeit, diesem neuen Trauma, das ihm möglicherweise bevorstand, aus dem Weg zu gehen. Am Ende würde er mich noch nach England begleiten, falls ich die Erlaubnis bekäme zu reisen! Ich würde ihm von Arjun erzählen müssen. Ich fühlte mich matt und erschöpft. Der bunte Sonnenschirm über meinem Kopf drehte sich in einem verrückten, wirbelnden Tanz.

Als Suresh und Riya zu unserem Tisch zurückkamen, mit einem riesigen Glas klebriger grüner Limonade, gekrönt von Vanilleeis mit einer Kirsche und einer Eiswaffel, erzählte ich ihm von Arjun. Dass ich ihn kennen gelernt hatte, als ich noch zur Schule ging; dass ich ihn hatte heiraten wollen und meine Eltern die Beziehung missbilligt und verhindert hatten. Und dass er dann nach England gegangen war und ich es zuließ, dass meine Eltern für mich meine Ehe arrangierten. Ich sagte, ich sei nicht mit Arjun in Kontakt geblieben (»Ich weiß, dass du mir nicht glaubst, aber es ist die Wahrheit.«), aber ich hätte ihn wieder getroffen, in Delhi. Er liebe mich noch immer und sei bereit, mich zu heiraten. Dass ich glaubte, ihn noch immer zu lieben, aber alles, was ich im Augenblick wolle, sei, mein Studium zu absolvieren und Riya in einer guten Sonderschule unterzubringen. Ich wisse noch nicht, ob Arjun und Riya miteinander auskommen könnten. Vor allem jedoch wolle und brauche ich diese Scheidung, damit ich einen Neuanfang versuchen könne. Mit jedem Wort, das ich äußerte, war ich mir bewusst, einen weiteren unumkehrbaren Schritt in einen Bereich hinein zu tun, den zuvor in den Augen der Maraars nur sehr dumme oder sehr schlechte Frauen betreten hatten.

Der Ausdruck in Sureshs Augen veränderte sich. Ich wusste, dass ich ihm plötzlich und wider Erwarten eine schreckliche Bürde abgenommen und sie mir selbst aufgehalst hatte. Jetzt war nicht mehr ich diejenige, der Unrecht geschah – er war es! Nicht mehr ich hielt die Fäden in der Hand, sondern er. Im Rückblick fragte ich mich, warum ich nicht bemerkt hatte, dass Suresh so wenig eifersüchtig war. Ich hatte ihm nicht im Einzelnen von jenem beglückenden Nachmittag mit Arjun erzählt, aber er musste etwas in dieser Richtung doch vermuten. Ich hatte mit einer gänzlich anderen Reaktion gerechnet: dass Suresh so aufgebracht, so verletzt und beschämt wäre, dass er mich für alle Zeiten aus seinem Leben hinauswerfen würde, dass er mich geradewegs nach Valapadu fahren, mir befehlen würde, meine Sachen zu packen und danach mich und Riya irgendwo aussteigen lassen, mich auf den erbarmungslosen Straßen von Valapadu aussetzen würde. Ich dachte, wir sähen uns, wie in einigen Filmen, die ich gesehen hatte, erst vor dem Scheidungsrichter wieder.

Stattdessen begann Suresh rasch und leise zu sprechen, diesmal mit seiner normalen Stimme. Der Sturm der Gefühle war vorübergezogen: Schock, Entsetzen, Traurigkeit und Zorn, Gefühle, die er nacheinander zum Ausdruck gebracht hatte, wurden nicht mehr gebraucht. Die Matinee war vorbei; keine herzzerreißenden Songs ertönten aus dem Kinosaal mit den viel zu dünnen Wänden. Während Riya gierig die blassgrüne klebrige Flüssigkeit aus ihrem Glas schlabberte, erklärte Suresh, er sei bereit, in die Scheidung einzuwilligen. Warum ich ihm nicht vorher von Arjun erzählt hätte? Er hätte sich selbst an seine und meine Eltern gewandt und mir damals, vor all den Jahren, geholfen, Arjun zu heiraten. Jetzt allerdings würden wir die Sache behutsamer angehen müssen, zu viele seien beteiligt und es stehe allzu viel auf dem Spiel. Für den Augenblick wäre es am besten, wenn ich einfach alles ihm überließe. Wir würden nach Valapadu zurückgehen und zunächst einmal so tun, als hätte sich nicht allzu viel verändert. Er würde mir helfen, mir meine Tickets und meine Visa zu besorgen. Er und ich könnten die Scheidung einreichen, er wisse nicht, wie lange es dauern werde, aber es solle am besten in aller Stille geschehen, damit die Leute keinen Anlass hätten, sich die Mäuler zu zerreißen. Er bitte mich dringend, mit niemandem, nicht einmal mit seinen Eltern, darüber zu reden, sie würden sich zu viele Sorgen machen und das Ganze bekäme eine unangemessene Bedeutung. Er werde es ihnen sagen, wenn der richtige Zeitpunkt gekommen sei.

Während ich Riyas grün verschmiertes Gesicht und ihre Finger mit Papiertüchern abwischte, fühlte ich, wie ich mich entspannte. Alles war sehr viel leichter gewesen, als ich es mir vorgestellt hatte. Was bedeuteten die kaum hörbaren Schläge winziger Tempeltrommeln, die ich in meinem tiefsten Inneren zu spüren vermeinte? Eine Warnung? Sureshs Reaktion war gewiss sehr ungewöhnlich gewesen. War er schockiert? War er im Grunde seines Herzens froh über die Aussicht auf eine Scheidung? Hatte ich mir eingebildet, mir damit *geschmeichelt*, ich bedeutete ihm so viel, dass er über meinen Vorschlag zutiefst unglücklich wäre? Vielleicht war er in eine andere Frau verliebt! War das der Grund für seine Gelassenheit: dass in all den Jahren, in denen ich stumm eine unglückliche Ehe ertragen hatte, Suresh genau dasselbe durchgemacht hatte? War dies für ihn, ebenso wie für mich, eine Chance, sich endlich zu befreien?

Ein unsicherer Waffenstillstand nahm wie eine dritte Person zwischen uns Platz, als wir nach Valapadu fuhren, ein gespenstischer Mitfahrer auf dem Vordersitz, der jeden von uns mit einem seiner Arme umklammert hielt. Als wir uns Valapadu näherten und die Staße hinauffuhren, die sich durch Gummiplantagen wand, erbrach sich Riya auf dem Rücksitz, und eine dicke, grüne, klumpige Masse mit einer Kirsche darauf ergoss sich auf ihr Kleidchen, ihre Wasserflasche und ihr neues samtenes Pferdchen, das ich ihr in Delhi gekauft hatte. Als wir am Haus ankamen, nervös, mit durchweichten grünen Papiertaschentüchern in den Händen und Tränen der Erschöpfung in den Augen, bemerkte niemand die ungewohnte Vertrautheit, das nie zuvor erreichte Einverständnis zwischen Suresh und mir. Dieses Einverständnis war der Pakt, von dem ich hoffte, er würde jedem von uns die Freiheit gewähren, nach der wir uns sehnten.

14

In den Tagen nach unserer Ankunft spürte ich, dass hinter meinem Rücken geflüstert wurde. Suresh und sein Vater, Suresh und seine Mutter, Amma und Sathi und sogar der stille Dr. Sasi-der-berühmte-Urologe – alle hatten plötzlich Wichtiges miteinander zu besprechen. Wieder konnte ich den Wirbel der Tempeltrommeln in meinem Magen spüren, aber ich hoffte, dass es bei den Gesprächen um das Thema Scheidung ging, das Suresh, wie er angekündigt hatte, mit seiner Familie diskutieren wollte. In dieser Familie hatte es nie offene Auseinandersetzungen und Konfrontationen gegeben. Gefühle wurden vor allem indirekt, mittels kleiner gehässiger Gesten mitgeteilt. Dies war eine Art der Kommunikation, die mich zu Anfang zutiefst befremdet hatte und an die ich mich nie hatte gewöhnen wollen. Ich hielt es für das Beste, die weitere Entwicklung jetzt Suresh zu überlassen.

Die Atmosphäre jener Tage hatte etwas Surrealistisches: Nach außen gingen die Dinge ihren normalen, alltäglichen Gang, während untergründig die Lava des Hasses brodelte, die hervorzubrechen und alles auf ihrem Weg zu zerstören suchte. Im Rückblick vermag ich noch immer nicht mit Sicherheit zu sagen, wer genau was wusste. Hatte Suresh jemandem von unserem Gespräch in dem Restaurant erzählt, wo die Gartenschirme so fröhlich über den Köpfen der Menschen flatterten? Was unsere Ehe betraf, so hatte sich äußerlich anscheinend nichts verändert, aber so war es immer gewesen, sogar lange nachdem die Liebe, um die wir uns beide bemüht und auf die wir gehofft hatten, gestorben war – so kurz nach unserer Hochzeit, vor so vielen Jahren. Jetzt jedoch hatte die Atmosphäre im Haus der Maraars etwas Unwirkliches, Absurdes.

Nachdem das letzte Geschirr abgeräumt, der Tisch sauber gewischt und der übrig gebliebene Reis in den Kühlschrank gestellt worden war, füllte ich regelmäßig meine kleine Stahlkooja mit Trinkwasser und zog mich in mein Schlafzimmer zurück. Riya lag schlummernd, alle Viere von sich gestreckt, auf dem Bett. Ich schob sie ein wenig zur Seite und zog ihr den Daumen aus dem Mund. Dann kroch ich neben sie, schaute eine Weile zu, wie ihre Lippen weiter Saugbewegungen machten, und deckte sie und mich selbst zu. Kurze Zeit später hörte ich, wie Suresh und sein Vater von ihrer nächtlichen Sitzung auf der Veranda, bei der sie Geschäfte und Politik diskutierten, zurückkamen und wie die Eingangstür verschlossen wurde. Einige Minuten später öffnete sich die Schlafzimmertür. Diese Augenblicke im Schlafzimmer waren häufig die einzige Zeit, in der Paare wie wir allein sein konnten. Ich fragte mich, wie es die anderen wohl machten? Lächelten sie einander an, wie Verschwörer, die ein köstliches Verbrechen begingen, nahmen sie einander wortlos in die Arme und liebten sich? Schoben sie ihr schlafendes Kind an den Rand des Bettes und bauten eine Barrikade von Kissen vor ihm auf? Um dann bis spät in der Nacht miteinander zu reden und einander zu streicheln? Während in der kleinen Stadt Valapadu die Lichter eines nach dem anderen ausgingen, lagen Suresh und ich nebeneinander in unserem Ehebett, unser schlafendes Kind zwischen uns, und träumten, jeder für sich, unsere eigenen Träume.

Manchmal fragte ich mich, was Suresh dachte. Hatte ich seine Reaktion auf meine Bitte um eine Scheidung falsch eingeschätzt? Ich hatte mich nie der Illusion hingegeben, dass er sich allzu viel aus mir machte, aber dass ich ihm so wenig bedeutete, hatte ich ebenfalls nicht geahnt. Was mich noch mehr überraschte, war, dass er sich kaum Gedanken darüber zu machen schien, was seine Eltern und (was noch schlimmer war) seine Freunde sagen würden, wenn die Neuigkeit bekannt würde. Im Grunde waren alle diese Reaktionen völlig unerwartet und verwirrend, und ich hätte mir dieses Bild genauer anschauen sollen. Aber ich flüchtete mich, wie gewöhnlich, in meine ein wenig naiven Träume … September – dachte ich –, das ist schon in ein paar Monaten. Ob es in England dann kalt ist? Sollte ich eine Strickjacke in mein Handgepäck legen? Wie spät ist es jetzt, elf minus fünfeinhalb, halb sechs in England, o Gott, bitte, hoffentlich geht es ihm gut …

Mittlerweile redete ich mit Besuchern und Verwandten

offen über meine Pläne, nach England zu reisen, wobei ich mich an die Version der Geschichte hielt, die ich Shobha Aunty erzählt hatte. Die Stiftung habe zu englischen Universitäten die besseren Kontakte, deshalb denke ich daran, in England statt in Amerika zu studieren. Das Studium würde ein Jahr dauern. Ja, es sei geplant, Riya mitzunehmen. Die Maraars stellten nie irgendwelche Fragen, sie warfen einander nur Blicke zu, hinter meinem Rücken und über meinen Kopf hinweg. Suresh tat es nicht, er schaute nur traurig drein, und ich empfand tiefes Mitleid mit ihm. Für ihn und für mich wäre dies das Ende einer Ära, so gut oder schlecht sie auch immer gewesen sein mochte. Und, wie Ammumma gesagt hatte, er war kein schlechter Mann, er hatte mich trotz allem nicht ein einziges Mal geschlagen, so wie Paavam Suma Chechis Mann es mit seiner Frau tat.

Es war an einem sonnigen Februarmorgen, als ich herausfand, was Sureshs Waffenstillstand zu bedeuten hatte. Dr. Sasi-der-berühmte-Urologe hatte zwei Stunden mit Suresh und seinem Vater auf der Veranda konferiert, für einen Sonntag nicht ungewöhnlich. Amma tauchte hin und wieder auf; an ihrer wichtigtuerischen Miene konnte ich ablesen, dass dies ein besonderer Anlass war. Ein paarmal kam Dr. Sasi ins Haus, um zu telefonieren, und ging dann wieder zu den Männern auf der Veranda hinaus. Sathi, die mich gebeten hatte, ihr beim Nähen eines Patchwork-Quilts zu helfen, fragte mich nach einem Detail in Zusammenhang mit meiner Ausbildung. Ich war überrascht und gerührt; dies war das erste Mal, dass sie irgendwelches Interesse an meinen Plänen zeigte. Ich versuchte, ihre Frage zu beantworten, mich dabei mehr und mehr für mein Lieblingsthema erwärmend, bis ich plötzlich innehielt, da ich ein seltsames, wissendes Lächeln in ihren Augen wahrnahm.

»Was ist los, Sathi? Du lächelst ... Hab ich irgendetwas Komisches gesagt?«

Sie schaute mich erschroken an: »Nein, nein, ich hab nicht gelächelt, ich dachte an etwas anderes ...«

Plötzlich spürte ich, wie Wut in mir aufstieg. Ich hatte genug von diesen Maraars und ihrer hinterhältigen, indirekten Art. Ich war zuvor nie offen unhöflich gewesen, aber anscheinend war jetzt der Augenblick gekommen, endlich unverblümt meine Meinung zu sagen.

»Stimmt's – ihr glaubt nicht, keiner von euch glaubt, dass ich es schaffen werde? Die ganze Sache kommt euch völlig lächerlich vor? Janu und ihr blödes Stipendium. Also, hör zu: Ich hab das Stipendium bekommen, und ich werde fahren. Und ihr könnt euch darauf verlassen, dass ich Riya mitnehmen werde ...« Meine Stimme wurde schrill, und ich wollte gerade erklären, ich hätte zudem auch nicht die Absicht, jemals wieder in dieses Haus zurückzukommen, als Suresh und Dr. Sasi hereinstürzten.

»Enda, enda, was ist denn hier los?« Suresh sah tief bekümmert aus.

»Nichts«, erwiderte Sathi, »wir saßen hier ganz ruhig und nähten, als sie sich plötzlich schrecklich aufregte und losbrüllte; sie faselte irgendetwas von ihrem Stipendium und davon, dass sie Riya mitnehmen wolle ...«

Plötzlich packte Suresh mich an beiden Armen und sagte zu Dr. Sasi: »Siehst du, das ist es, was ich meine. So ist es jetzt schon seit Wochen – all dieses Gerede über Stipendien, die nicht existieren – und darüber, dass sie sich mit Riya aus dem Staub machen will ... Ich kann dieses Verhalten nicht länger ignorieren, sie braucht Hilfe – sie braucht eine Behandlung. Sasichetta, hilf uns!«

Ich traute meinen Ohren nicht – Behandlung? – Hilfe?

Ich versuchte mich mit wütenden, ruckartigen Bewegungen Sureshs Griff zu entziehen, als mir plötzlich klar wurde, dass er sämtliche Anwesenden davon überzeugen wollte, ich sei geisteskrank! Es war wünschenswerter, das Mitleid der Leute zu erregen, weil man eine Frau hatte, die geisteskrank war, als die Schande zu ertragen, mit einer verheiratet zu sein, die zwar nicht gerade verrückt war, aber einen verlassen wollte!

Mittlerweile waren alle ins Zimmer gestürzt, Achen, der zutiefst erschrocken aussah, Amma, die das unerwartet spannende Drama an einem langweiligen Sonntag genoss, und die Hausangestellten, die sich neugierig an der Tür zusammendrängten. Wütend, dass Suresh meine Arme nicht losließ, begann ich mich sogar noch heftiger zu wehren und mit den Füßen zu treten. Aber es war sinnlos, ich musste versuchen, sie mit Worten zu überzeugen, dass ich nicht verrückt war! Ihnen alles sagen, ihnen die *Einzelheiten* erklären. Einzelheiten würden sie von meiner Gesundheit überzeugen.

»Es ist überhaupt nichts Verrücktes daran, ich bin nicht verrückt, glaubt mir – wenn ich es wäre, hätte ich dann allein nach Delhi fahren und eine mündliche Prüfung für ein Stipendium bestehen können? Es ist doch alles da, ihr könnt es euch anschauen, in meinem Zimmer, in der Schublade, die Briefe von der Stiftung, in denen von meinem Stipendium die Rede ist ...«

Ich konnte sehen, wie Amma Achen anschaute und den Kopf schüttelte: »Keine Briefe, ich habe nachgeschaut. Das Ganze ist nichts als ein Hirngespinst.«

Sathi fügte hinzu: »Allerdings haben wir ihr tatsächlich erlaubt, nach Delhi zu fahren! Das hätten wir besser nicht tun sollen!«

Aber ich besaß Briefe, die ich als Beweis vorzeigen konnte! Wo waren meine Briefe hingekommen? Ich drehte den Kopf nach hinten, um Sureshs Gesicht zu sehen: »Meine Briefe von der Stiftung, wo sind sie ... Mrs. Rustomjis Briefe – hast du sie weggenommen?«

Mittlerweile hatte ich vor Hilflosigkeit und Wut zu schreien begonnen, und ich konnte hören, wie Riya irgendwo im Nebenzimmer ebenfalls schrie: »Mein Kind, meine Tochter! Ich will, dass man sie zu mir bringt, sie hasst diese Thanga, man darf sie nicht mit ihr allein lassen!« Dr. Sasi näherte sich mir mit einer Injektionsnadel und stieß sie in meinen Arm. Die Gesichter der Maraars begannen, in einem wirbelnden Nebel vor meinen Augen zu verschwimmen, Maraar-Köpfe in einem verrückten Maraar-Whirlpool ... Suresh würde damit nicht durchkommen, es gab Hunderte von Leuten, die bezeugen konnten, dass ich geistig völlig gesund war ... Meine Gedanken verschwammer ..., eine friedliche, stumme Dunkelheit hüllte mich ein.

Als ich wieder zu mir kam, lag ich in einem Krankenhausbett. Die Ereignisse des Morgens – war es dieser Morgen gewesen – oder irgendein Morgen vor langer Zeit – kehrten langsam wieder in mein Bewusstsein zurück. Ich musste mit einem Arzt reden und ihm alles erklären. In einem Anfall von Panik versuchte ich, aus dem Bett zu springen, und fiel benommen auf die Matratze zurück. In meinem Kopf drehte sich alles, und meine Beine versagten ihren Dienst. Ich konnte mich nicht bewegen! Ich war eine Gefangene in diesem Bett! Ich versuchte, jemanden zu rufen, aber die Worte blieben mir im Halse stecken. Was hatte man mir angetan? Meine Zunge gehorchte mir nicht. Ich fühlte mich müde und erschöpft. Ich wollte nur noch schlafen; ich war zu müde, um zu kämpfen.

Vielleicht morgen, morgen war ein neuer Tag, vielleicht könnte ich morgen alles in Ordnung bringen …

Die Wochen verstrichen in einem Nebel der Benommenheit.

Was bedeutete dieser Nebel, der mich umhüllte?

Die Dämmerung und die Helligkeit des Tages – alles verschmolz miteinander … Wo war ich, und wo war die Welt da draußen …, hatten wir einander jemals wirklich gekannt? – Das Weiße einer Krankenhausdecke, das sich langsam in Gold verwandelte – das Schwarze einer Krankenhausdecke, das mich in einen dunklen Trichter des Schlafes hineinsog … Geckos an den Wänden, die mich missbilligend anstarrten … Menschen, Menschen überall, die mitleidig mit der Zunge schnalzten … Flüstern, ausgestreckte Finger – das Gesicht meiner Mutter, die weinte …

Ich weiß bis heute nicht, wie lange ich in diesem Krankenbett lag. Ich war in die psychiatrische Abteilung des Trivandrum Medical College eingeliefert worden. Dr. Krishnan Menon, ein weiterer alter Freund von Dr. Sasi und, überflüssig zu sagen, ein-weltberühmter-Psychiater, hatte mich begutachtet und erklärt, ich leide unter manischen Wahnvorstellungen.

Hinzu kämen theatralisch-hysterische Persönlichkeitszüge, fügte er theatralisch hinzu.

Sie hat den Verstand verloren, weil sie ein behindertes Kind bekommen hat, *Paavam*, flüsterten sie mitleidsvoll.

Riya war der Mensch, der mir half, mir meine geistige Gesundheit zu bewahren, versuchte ich ihnen zu entgegnen, aber meine Zunge gehorchte mir nicht.

Die Medikamente, die sie mir gaben, hatten eine sehr starke Wirkung, aber selbst in meiner Benommenheit konnte ich mich an viele Dinge erinnern. Ich war Janu, meine Tochter war Riya, mein Mann hatte mein Vertrauen missbraucht, – der Grund, warum ich hier, in diesem Bett, lag. Er hatte mich hintergangen, weil ich ihn hintergangen hatte, an einem Nachmittag vor langer Zeit in einer Stadt namens Delhi. Manchmal konnte ich mich sogar an den Mann erinnern, den ich liebte, und sein Name drang in leisen Flüstertönen aus einer fast vergessenen Vergangenheit an mein Ohr – Arjun ... Ich konnte mich an sein Gesicht nicht zu genau erinnern, seine Gesichtszüge verschwammen mit den unzähligen anderen Gesichtern, die auf mich herabspähten. Aber ich wusste, dass er nicht nur ein Teil meiner Vergangenheit war, sondern auf mich wartete, irgendwo in meiner Zukunft. Das war keine Wahnvorstellung, was auch immer Dr. Krishnan Menon behaupten mochte. Aber meine Zunge war zu müde, um Worte zu formen, und meine Hände tote, bleierne Gewichte. Selbst wenn ich mich noch so sehr anstrengte, vermochte ich sie keinen Zentimeter zu bewegen. Thresiamma und Molykutty, kompetente und tüchtige Krankenschwestern, pflegten mich, mit ihren rauen Händen und rauen Stimmen. Suresh überwachte mit Hilfe seiner Mutter meine Pflege. Wie liebevoll sie sich um das arme Mädchen kümmern, sagten die beiden Pflegerinnen und schnalzten mit der Zunge, voller Erstaunen, dass auch in guten Familien schlimme Dinge geschehen konnten.

Schließlich, nach einer Zeit, die mir wie eine Ewigkeit vorkam, schien meine Mutter, die sich im weit entfernten Alleppey um Riya kümmerte, meine stummen Schreie gehört zu haben und zu erkennen, dass sie nicht länger eine hilflose Zuschauerin sein durfte. Sie erklärte meiner Großmutter, sie werde nach Trivandrum fahren und Riya den Tag über in ihrer Obhut lassen. Dann setzte sie sich in Joses Taxi und ließ sich von ihm bis zum Krankenhaus fahren. Ich konnte das Gespräch im Flur hören und merkte mit einigem Erstaunen, dass Ma, wenn es nötig war, sich tatsächlich durchsetzen konnte. Ich wollte ihr ein fröhliches »Hallo« zurufen, aber meine Zunge gehorchte mir nicht.

»Padmaja Chechi, was meinst du, wie lange kann man sie hier festhalten? Ich habe das Gefühl, sie wird sich schneller erholen, wenn ich sie zu mir nach Alleppey bringe. Vor allem, wenn sie bei Riya ist.«

Suresh Stimme klang verärgert. »Ich denke, wir sollten tun, was die *Ärzte* sagen, und nicht nach eigenem Gutdünken irgendwelche Entscheidungen treffen.«

»Suresh, ich kenne meine Tochter, an diesem gottverlassenen Ort wird sie sich nie erholen. In Alleppey wird sie sich gewiss wohler fühlen. Und Riya vermisst sie, das Kind braucht seine Mutter, mir fehlen die Worte, um dem armen Kind zu erklären, wo Janu sich aufhält ...«

Die Stimme meiner Mutter begann zu schwanken und zu brechen. Bitte lass dich jetzt nicht einschüchtern, Ma! Du machst deine Sache wirklich gut! Bitte!

Jetzt sprach wieder Suresh; seine Stimme klang plötzlich besorgt. »Ma, wir wissen alle, dass dies alles nicht leicht für dich ist, aber für mich ist es ebenfalls nicht leicht. Ich habe meine *Geschäfte* vernachlässigt, um bei ihr zu sein und für sie zu sorgen. Aus dem einzigen Grund, weil Dr. Krishnan Menon für Janus Behandlung in Kerala der beste Arzt ist. Tja, vielleicht sogar der beste in *Indien*.«

Hör nicht auf ihn, Ma! Er wird jetzt all diese Gefühle, eines nach dem anderen, zur Schau tragen: Verletztheit, Kummer, Zorn, Schock ... Lass dich von ihm nicht täuschen! Red mit seinem *Vater*, wenn er da ist.

Und als hätte sie meine Gedanken gelesen, hörte ich Ma

sagen: »Maraar Etta, du bist wie mein älterer Bruder, sag du mir, was ich tun soll. Ich kann nicht länger danebenstehen und zuschauen, wie es meiner Tochter immer schlechter geht ...«

Achens Stimme klang nachdenklich: »Mag sein, dass an dem, was du sagst, etwas dran ist. In Alleppey kann sie, mit deiner Hilfe, allmählich wieder zu einem normalen Alltagsleben zurückfinden. Wenn das Kind nach ihr ruft, sie Amma nennt, wird ihr das helfen, sich daran zu erinnern, wer sie ist. Dies hier ist wirklich eine schreckliche Situation. Was sagst du dazu, Padmaja?«

Achen war nicht eingeweiht! Nicht alle Maraars waren Mitglieder der Verschwörung, wie ich befürchtet hatte. Ich fand nie heraus, ob die anderen, Amma, Sathi, Dr. Sasi, mit Suresh unter einer Decke gesteckt hatten. Es war möglich, dass Suresh ihnen eingeredet hatte, der Familienehre wäre mit einer Schwiegertochter, die verrückt geworden war, besser gedient als durch eine, die mit einem anderen Mann davongelaufen war. Aber woher sollte ich das wissen, und da ich auf dem Krankenbett in so viele dunkle und weit entfernte Welten gereist war, war diese Frage für mich im Augenblick kaum von Bedeutung. Wichtig war vielmehr, dass meine Mutter, verängstigt, aber tapfer, ins Krankenhaus gekommen war, um für mich einzutreten.

Seht sie euch doch nur an, für wen hält sie sich denn, dass sie hierher kommt, allein, in einem *Taxi*, um unseren Männern zu sagen, was sie tun sollen! Mir schien, als könnte ich deutlich hören, wie Amma diese Worte aussprach. Sie war mit dem, was Achen, ihr Mann, gesagt hatte, ganz und gar nicht einverstanden. »Ich schließe mich Sureshs Meinung an: Wir sollten tun, was Dr. Krishnan Menon und unser Sasi sagen. Welches Recht haben wir, ihnen vorzuschreiben, wie sie unsere Janu behandeln sollen?« Aber mit ›wir‹ meinte sie natürlich nur meine Mutter. Gib nicht auf, Ma, sie werden mich, wenn mir niemand hilft, für alle Zeiten hier festhalten! Plötzlich spürte ich eine tiefe, lähmende Verzweiflung. Jetzt hörte ich Schrittgeräusche, und plötzlich standen sie alle in meinem Zimmer. Dr. Krishnan Menon machte Visite. Threesiamma und Molykutty huschten wie üblich ängstlich und eilfertig um den berühmten Arzt herum. Aber was war das! Eine kleine, mollige, zitternde Person wagte es, sich dem viel beschäftigten, berühmten Arzt in den Weg zu stellen!

»Herr Doktor, ich möchte meine Tochter heute abholen und zu mir nach Hause bringen. Ich bin sicher, dass sie sich besser erholen wird, wenn sie bei mir ist. Und es wird ihr helfen, das Kind um sich zu haben. Und natürlich braucht Riya sie auch …«

Der Arzt stieß sie beiseite und starrte stattdessen mit steinernen Augen auf mich herunter. Augen, so steinern wie die eines zornigen Gottes in einem dunkel-nassen Tempel. Seine Stimme klang ärgerlich, und Speicheltröpfchen regneten auf mein Gesicht. »*Wie bitte?* Schauen Sie sie doch nur an! Sieht sie aus, als wäre sie gesund genug, um eine Reise anzutreten? Sie braucht Haloperidol, nicht eine Mutter, die vor Mitleid geradezu zerfließt!«

Er war empört, spuckte die letzten Wörter voller Aggressivität und Wut aus, und sie landeten auf meinem Gesicht wie ein Klumpen Schleim. Was für eine unmögliche Alternative meine Mutter da vorgeschlagen hatte – anstelle der medikamentösen Behandlung durch einen Arzt, der ein jahrelanges Studium absolviert hatte. *Gefühle, Mitleid einer Mutter, völlig indiskutabel!* Die Augen meiner Mutter füllten sich mit Tränen. Ich fürchtete, sie würde es nicht schaffen, sich diesem Mann zu widersetzen (weltberühmt und enorm überzeugt von seiner eigenen Bedeutung). Suresh wirkte angespannt, aber erfreut, Achen eher ängstlich. Amma beobachtete die Szene und merkte sich jedes Wort, um später Sathi und Gauri am Telefon alles detailliert erzählen zu können. (›Ihr hättet das Gesicht von Janus Mutter sehen sollen! Nur, weil sie die Ehefrau eines hohen Beamten in Delhi war, bildet sie sich ein, den Ärzten vorschreiben zu können, was sie tun sollen!‹)

»Los jetzt, beeilt euch!« Der Arzt schnalzte mit den Fingern, und die beiden erschrockenen Krankenschwestern schauten ihn mit offenen Mündern an. Sekunden später gerieten sie wieder in Bewegung und brachten dem berühmten Mediziner mein Krankenblatt und eine Flasche Haloperidol. Er kniff grob in meinen Arm und stieß eine weitere Injektionsnadel hinein.

»Herr Doktor, ich bestehe darauf, ich lasse mich nicht so einfach abweisen!« Die kleine mollige Frau, die unvermutet in dieses Krankenhaus eingedrungen war, schien entschlossen, die Verwaltung der Abteilung für Geisteskranke zu übernehmen. »Niemand kann meine Tochter zwingen, hier zu bleiben. Ich werde dafür sorgen, dass sie gut betreut und dass alles Notwendige für sie getan wird. Ich werde ihr alle ihre Medikamente persönlich verabreichen, ich verspreche es Ihnen. Bitte.«

Dr. Krishnan Menon war es nicht gewöhnt, dass man seine Ratschläge missachtete. Seine Wut steigerte sich ins Unermessliche. Aber diese Wut war meine Rettung.

»Dann holen Sie sie eben hier raus! Los, packen Sie ihre Sachen! Ich bin weit davon entfernt, hier irgendjemanden gegen seinen Willen festzuhalten. Es gibt anscheinend Leute, die glauben, sie wüssten alles besser als Fachärzte, die ein *jahrelanges* Studium absolviert haben. Meine Liebe, ich habe in Fachzeitschriften Artikel über die Krankheit Ihrer Tochter geschrieben. Man hat mich gebeten, nach JAPAN zu reisen, um über das Thema ›Wahnvorstellungen‹ Vorträge zu halten. Aber *Sie* sind natürlich der Meinung, Sie wüssten es besser! Meinetwegen nehmen Sie Ihre Tochter mit, und lassen Sie sie von irgendeinem Quacksalber behandeln. Ich bin mit meiner Geduld am Ende!«

Jetzt gerieten alle Anwesenden in Bewegung, suchten hektisch Kleidung und Medizin zusammen, während ich noch immer benommen im Bett lag, so müde, dass ich wieder einzuschlafen drohte. Diese verdammte Müdigkeit überfiel mich in den unpassendsten Augenblicken. Im Halbschlaf nahm ich wahr, wie jemand mir aus dem Bett half und mich zu einem Auto brachte. Die Fahrt ging in Richtung Alleppey …, auf dem Weg hielten wir in Attingal, vor einer Kirche, damit Jose aussteigen und ein paar Münzen in ein abblätterndes Holzkästchen stecken konnte …, eine Stunde später hielten wir erneut in dem von Menschen wimmelnden Quilon, wo es nach Fisch roch …, danach erreichten wir Haripad, wo ich hinter Felsen und den Booten der Fischer das Meer erkennen konnte …, die Straße nach Thakhazky …, die früher auf dem Hof der Grundschule geendet hatte, von wo aus man nur mit dem Boot zum schlafenden, träumenden Thoduporam gelangen konnte – früher einmal, in einem anderen Leben … Als Thoduporam sich noch nicht in eine Monstrosität aus Betonbauten verwandelt hatte und als Kerala ein Ort war, in dem man nicht ständig wohnte, sondern nur seine Sommerferien verbrachte. Ich lächelte, als plötzlich vor meinem geistigen Auge das Bild einer Wasserschildkröte auftauchte, die sich hartnäckig geweigert hatte, wach gekitzelt und zum Schwimmen verführt zu werden. Und dann hörte ich, wie Ma neben mir leise zu weinen begann.

Meine Mutter hielt ihr Versprechen; sie verabreichte mir alle paar Stunden Dr. Krishnan Menons Medikamente, und gewöhnlich standen ihr dabei die Tränen in den Augen. Ich wusste, dass meine Zunge, solange ich weiter die Medizin nehmen musste, mir nicht gehorchen und dass mein Körper sich weigern würde, mit meinen Gedanken zu kooperieren. Aber meine Müdigkeit war so groß, ich konnte die Sätze nicht bilden, um sie zu bitten, mir keine Medizin mehr zu geben. Hilflos musste ich zusehen, wie meine Mutter und meine Großmutter mich von meinem Bett zum Badezimmer trugen, um mich zu waschen und zu baden. Danach trockneten sie mich sorgfältig ab und kleideten mich in bunte Saris und in Blusen, die jetzt für meinen abgemagerten Körper viel zu groß waren. Nicht mehr vier Abnäher wie für eine Kuh, Mini, sondern überhaupt keine Abnäher mehr!

Riya schien meine Passivität nicht allzu sehr zu stören, außer dass sie mich gelegentlich wütend mit ihren kleinen Fäusten bearbeitete, wenn ich auf die Geschenke, die sie mir ans Bett brachte – Wildblumen und Insekten – nicht reagierte. Ich wusste, dass Suresh irgendwann einmal im Haus gewesen war; ich hatte seine zornige Stimme im Wohnzimmer gehört. Ich konnte nicht verstehen, was gesprochen wurde, aber später wurde mir klar, dass Ma nach diesem Besuch den Entschluss gefasst hatte, mir die Medizin nicht mehr zu geben. Ich konnte hören, wie sie sich mit Ammumma beriet.

»Was meinst du, ob es Janu gut tun würde, wenn wir aufhörten, ihr die Medikamente zu geben? Wir machen das jetzt schon zwei Monate lang, und sie scheinen ihr kein bisschen geholfen zu haben …«

»Auyyo moley, wie kannst du daran denken, mit der Behandlung aufzuhören, ohne einen Arzt zu fragen?«

»Was soll denn schon Schlimmes passieren, Amma? Bitte, lass uns versuchen, eine Woche ohne all diese Tabletten auszukommen.«

Ammumma, deren eigene Existenz inzwischen um eine riesige Sammlung von Pillen kreiste (die rosafarbene fürs Herz, die gelbe für den Magen, die kleine grüne für den Blutdruck), stimmte zögernd zu. »Ich habe mir vorgenommen, sie nach Chottanikara zu bringen, sobald sie reisen kann. Ich bin sicher, dass Devi sie heilen wird!«

Chottanikara … Tempel der Göttin, die den Geist der Menschen beschützt. Als Kind war ich, zusammen mit meinen Großeltern, einmal dort gewesen. Wir waren in Ramamas fabrikneuem Wagen gereist und hatten Gemüseuppuma und eingelegte Mangos in einer großen Plastikdabba mitgenommen, dazu Teller aus Bananenblättern und riesige Mengen hausgemachtes Mangomus in zwei Wasserbehältern. Damals hatte Ammumma den Wunsch geäußert, mit dem neuen Wagen als Erstes zu einem heiligen Ort zu fahren. »Na gut, Chottanikara ist ein großartiges Reiseziel«, hatte Appuppa gesagt. Und so war es auch. In Ramamas neuem Wagen gab es einen eingebauten Kassettenrekorder, ein Gerät, das niemand von uns je zuvor in einem Auto gesehen hatte, und so dröhnte den ganzen Weg nach Chottanikara und zurück Filmmusik aus den Lautsprechern. Immer, wenn die Musik leiser wurde, sang Vijimami die Melodie mit ihrer schrillen Stimme mit und brach in sogar noch schrilleres Lachen aus, wenn sie sah, wie ich das Gesicht verzog und verzweifelt die Hände an die Ohren presste.

Der Tempel war überfüllt von Menschen; ich schaute um mich und sah nichts als einen Wald wandernder dünner brauner Beine, die unter Mundus und Saris hervorschauten. Aber dieser Tempel unterschied sich von den anderen durch einen freien Platz in seiner Mitte, für all die, die den Verstand verloren und sich in den Tempel der Göttin Devi begeben hatten, weil sie hofften, ihn mit ihrer Hilfe wieder zu finden. Ich stand an meinem sicheren Platz, hinter dem Vorhang von Ammummas Sari, und sah schüchtern und ehrfürchtig zu, wie die Tempeltrommeln geschlagen wurden, schneller und immer schneller, während die Menschen, die den Verstand verloren hatten, ihre Köpfe und ihr Haar hin und her schwangen, schneller und immer schneller.

»Was machen sie denn da, Ammumma?«

»Böse Geister haben sich ihres Körpers bemächtigt, Moley.«

Es war so: Die bösen Geister hatten sich der Körper dieser Menschen bemächtigt und kämpften nun darum, auch noch Macht über ihren Verstand zu gewinnen. Eine der Frauen schien mit einem besonders bösen Geist zu ringen; sie war aufgesprungen, und ihr Rumpf bewegte sich rhythmisch zum Klang der Trommeln, ihr Haar fiel wie ein Fächer auseinander und wirbelte dann in einem großen schwarzen Kreis herum. Sie ähnelte einer langen schwarzen Peitsche, die unablässig in die Luft schlug, als könnte sie niemals aufhören. Plötzlich rannte sie laut schreiend zu einem knorrigen alten Baum, der über und über mit Nägeln bedeckt war, und begann, mit gesenktem Kopf dagegenzurennen. Die Menschen stöhnten und traten entsetzt ein paar Schritte zurück. Ich verbarg mein Gesicht erschrocken in Ammummas Sari, weil selbst ich, ein kleines Mädchen, wusste, dass bei einem solchen Akt wahrscheinlich eine

Menge Blut fließen würde, und dann spürte ich, wie Ramama mich auf die Arme nahm und an seine Brust drückte, um mich wegzutragen.

»Warum hat sie das getan, Ramama?«

»Weil sie in ihrem vergangenen Leben ein schreckliches Verbrechen begangen haben muss, die Ärmste, sonst müsste sie sich jetzt nicht so quälen.«

Ich war bereit, nach Chottanikara zu reisen, weil ich wusste, dass ich Dinge getan hatte, für die ich mich entschuldigen musste, und weil schreckliche Taten vergangener Leben in der Währung der Gegenwart beglichen werden mussten. Es hatte einen goldenen Dezembernachmittag in einem Leben gegeben, das in weiter Ferne zu liegen schien, und mein Konto war dafür noch nicht belastet worden. Eine Woche nachdem Ammumma aufgehört hatte, mir meine Medikamente zu geben, begann der Nebel in meinem Kopf sich zu lichten; ich spürte erneut die Muskeln in meinen Armen und Beinen, und meine Zunge gehorchte mir wieder. Ich konnte wieder ohne fremde Hilfe ein Bad nehmen, mir allein meine Kleidung anziehen und, was am besten war, meine Gedanken wieder in Worte kleiden. Ammumma rief Jose an, der uns in seinem Taxi nach Chottanikara bringen sollte. Für meine Mutter und meine Großmutter war dies ein Tag der Dankgebete. Für mich war er eine Erinnerung daran, dass Glück ein Geschenk ist, etwas Kostbares, das sich nicht erzwingen lässt. Es schien einen Lenker des Schicksals zu geben, der dem Menschen Geduld abverlangte, bevor sie ihren Anteil an Glück in Empfang nehmen konnten, und also hatte ich eine Sünde begangen, als ich mir auf eigene Faust eine so große Portion Glück zu erobern versuchte.

Wir füllten den Kofferraum von Joses Wagen mit Lebensmittelvorräten, Töpfen, Pfannen und einem heißen Eintopfgericht. Ammumma hatte uns ein Zimmer in dem Wohngebäude reserviert, das zum Tempel gehörte, deshalb benötigten wir Proviant für eine Woche. Riya rannte freudestrahlend zwischen dem Auto und dem Haus hin und her und hämmerte mit einem Plastikbecher gegen den Eimer, den sie sich auf den Kopf gesetzt hatte. Sie war ebenso aufgeregt und glücklich, wie ich es als Kind damals auf jener Reise gewesen sein musste. In Ramamas neuem Auto, in dem aus den Lautsprechern laute Musik erklang.

Man konnte Chottanikara erst sehen, wenn man praktisch davorstand. Es lag nicht auf einem Hügel zerklüfteter Felsen, von dort auf die Welt hinabschauend, und begrüßte auch seine Pilger nicht mit den hoch aufragenden Toren von Mullakkal. Es sandte auch nicht, wie Guruvayur, lange bevor man dort ankam, seine Vorboten aus: eine Parade von Läden, die Tempelbilder und kleine Opfergaben wie Kokosnüsse und Sandelholz verkauften. Es lag verborgen in einem dichten, grünen Wäldchen, als wollte es sich, wie seine müden Pilger, vor den neugierigen Blicken einer grausamen Welt schützen.

Wir blieben eine Woche lang in der Nähe des Tempels. Schon im Morgengrauen standen wir auf, um Bäder zu nehmen und die Gebete zu sprechen. Wir aßen frugale Mahlzeiten, Haferschleim und Kokosnusschutney, und lauschten den ganzen Tag über den im Singsang gesprochenen Gebeten der Priester. An den Abenden saßen wir im Kreis um jene armen, hilflosen Wesen herum, die noch immer ihre Köpfe gegen den alten, von Nägeln starrenden Baum schlugen und der noch immer das Harz menschlichen Blutes weinte. Ich bat Chottanikara Devi unzählige Male flüsternd um Verzeihung, faltete meine Hände vor ihrer mysteriösen Statue, meine Sünden aufrichtig bereuend. Aber ich wusste sehr genau, dass ich, wenn Arjun in irgendeinem zärtlichen, wunderbaren Traum vor mir erschiene, dasselbe tun würde wie damals vor ein paar Monaten. War es möglich, aufrichtig zu bereuen, dass man sich etwas genommen hatte, was man sich mehr als alles andere auf der Welt wünschte? Hatte es überhaupt irgendeinen Sinn, über vergangene Sünden zu weinen, wenn man wusste, man würde sie immer wieder begehen, in einem erschreckenden, unerbittlichen Kreislauf?

Irgendwo dort, an diesem Ort, im tiefen Frieden von Chottanikara, schienen meine Mutter und meine Großmutter sich damit abzufinden, dass meine Ehe mit Suresh zu Ende war. Meine Entscheidung machte sie nicht glücklich, aber mein Aufenthalt in der Psychiatrie ließ sie einsehen, dass ein anderer Weg nicht möglich war. Arjuns Name war jedoch noch immer tabu. Er war der Mensch, der unangekündigt und ungebeten in mein Leben zurückgekehrt war und dadurch auf ihr eigenes einen schwarzen Schatten geworfen hatte. Wäre er nicht wieder aufgetaucht – hätte ich dann den Wunsch gehabt, meine Ehe so endgültig zu beenden? Wäre ich dann möglicherweise nur nach England gereist, um das Studium zu absolvieren, und danach zurückgekommen, und sei es nur, weil es für mich nichts anderes zu tun gab?

»Ma, ich hatte dir doch schon lange vor meiner Reise nach Delhi gesagt, dass ich ins Ausland ginge.«

»Aber du hast nichts davon erwähnt, dass du für immer bleiben willst.«

»Du wusstest das. Das Studium sollte meine Fluchtmöglichkeit, meine Rettung sein.«

»Du wärest ins Ausland gegangen, aber wenn dieser

Mann nicht gewesen wäre, wärst du auch wieder zurückgekommen.« Ihr Blick war vorwurfsvoll und schrecklich traurig zugleich.

»Ich hätte alles dafür getan, um nicht zurückkommen zu müssen, glaub mir.«

»Das hast du nie gesagt.«

Richtig, ich habe es nie ausgesprochen, aber ich wollte dich nicht belasten; ich habe versucht, dich zu schützen, Ma. Tun das nicht alle Kinder? Dein Schmerz wäre sehr viel schlimmer gewesen als meiner, das weiß ich. Dir nicht die ganze Wahrheit zu sagen schien mir zunächst die beste, rücksichtsvollste Lösung. Doppelzüngigkeit hatte nichts damit zu tun.

Während wir am nächsten Tag, nachdem wir unsere Gebete gesprochen hatten, den Tempel umschritten, spürte ich die Dämonen der Verzweiflung und der Trauer noch immer in ihr toben. »War es wirklich so schlimm, Moley? So schlimm, dass du ihn *verlassen* musstest?« In ihrer Stimme schwang mehr Kummer als Zorn.

Ich schaute auf den knorrigen alten Banyanbaum, unter dem die steinernen Schlangen sich emporwanden, den Blick auf Jahrhunderte menschlicher Mühen und Fehlschläge fixiert. Ich wollte ihr eine ehrliche Antwort geben und dachte eine Weile nach, bevor ich antwortete: »Nein, Ma, es war nicht unerträglich. Ich hätte mich für den Rest meines Lebens damit abfinden können; Menschen vermögen sehr viel schlimmere Dinge zu ertragen, das weiß ich.« Ich schaute ihr ins Gesicht, bemüht, ihr meine Sicht der Dinge verständlich zu machen. »Aber es war auch nicht gut genug. Weder für Riya noch für mich … Ist es denn so schrecklich, sich einfach etwas Besseres zu wünschen, als das was man hat?«

Sie schwieg. Für Frauen ihrer Generation war der Gedanke, sich etwas Besseres zu wünschen als das, was das Schicksal einem zugeteilt hatte, unvorstellbar. Sie ertrugen, was das Leben ihnen auferlegte, demütig und stark zugleich. Ich wusste, dass sie sich fragte, wie ich mich, da sie mich doch mit so viel Liebe und Sorgfalt erzogen hatte, so ganz anders hatte entwickeln können, als es ihren Vorstellungen entsprach. Warum war es ihr nicht gelungen, mich Geduld zu lehren? War es nicht im Grunde mehr als Vermessenheit, die Dinge in unsere eigenen Hände zu nehmen? Hatten wir das Recht, unsere eigene Geschichte zu schreiben?

Arjuns Auftauchen war Zufall gewesen. Dennoch bekam dadurch alles, was ich sagte, den Anschein von Falschheit und Heuchelei. Das wunderbarste, schönste Ereignis in meinem Leben erschien den meisten als etwas Verlogenes, Schmutziges. Was für mich selbst das größte Glück bedeutete, löste bei meiner Mutter tiefen Kummer aus. Wie konnte ich später meine Mitmenschen daran hindern, dieses Glück in das verächtliche, grausame Lachen zu verwandeln, das die Welt meiner Mutter und Großmutter für alle Zeiten erschüttern würde? Für den Augenblick musste ich die stumme Erinnerung an Arjuns Gesicht in den tiefsten Tiefen meines Herzens verbergen. Ich trug sie überall mit mir herum, während ich badete, während ich aß, sogar während ich in einem sinnlosen Akt der Reue um das *Parikrama* des Chottanikara-Tempel herumwanderte. Und dann, irgendwann, in den schlaflosen Nächten, in denen die Grillen zirpten, wurde diese Erinnerung auf wunderbare Weise lebendig. Nicht mit der kindlichen Sehnsucht, die ich vor so vielen Jahren empfunden hatte, sondern in der tiefen Freude einer Frau, die an einem sonnendurchwärmten Nachmittag von ganzem Herzen geliebt worden war.

Kerala wartete auf uns, mit all seinen strengen Moralvorstellungen und seiner Kritik. Bald würde es Grund haben, sich zurückzulehnen und in ein grausames Gelächter auszubrechen. Freundinnen würden einander auf den Rücken schlagen und vor Lachen fast ersticken. Ammumma, die immer so viel Wert darauf gelegt hatte, dass wir korrekt gekleidet waren (›Was sollen die Leute in der Stadt denken?!‹), würde sehr viel mehr zu ertragen haben als Mrs. Pillais Kritik an Mas Baumwollsaris. Bald würde man einander, in Palmweinbuden und an Straßenecken und in eleganten Wohnzimmern, hinter vorgehaltener Hand erzählen, die Schwiegertochter der Maraars, die in eine *so* gute Familie geheiratet hatte, habe sich mit einem anderen Mann eingelassen. (›*Bloß*, um ihr behindertes Kind ins Ausland bringen zu können!‹)

Während wir fort waren, so informierte uns Mrs. Pillai nach unserer Rückkehr aus Chottanikara, waren Suresh und seine Mutter nach Alleppey gekommen, um uns dort aufzusuchen.

»Oh, wir haben unsere Rückkehr um ein paar Tage verschoben und konnten von dort aus niemanden informieren, wissen Sie, in der Nähe des Tempels gab es nirgendwo Telefonzellen, und außerdem waren sämtliche Leitungen eine Woche lang gestört ...«

Ammumma hätte sich ihre weitschweifigen Erklärungen sparen können. Mrs. Pillai nickte wissend und sah mich prüfend an. »Alles in Ordnung, Moley?«, fragte sie besorgt, während sie zweifellos nach Anzeichen für schizophrene Wahnvorstellungen Ausschau hielt.

»Ja, Tantchen«, sagte ich, krampfhaft bemüht, den Eindruck geistiger Gesundheit zu wecken, während ich Ammumma ins Haus schob. Ma stand händeringend im Wohnzimmer. Was hatten die Maraars gewollt, warum waren sie gekommen, und was hatten sie der Nachbarin, Mrs. Pillai, erzählt?

»Mach dir keine Sorgen, Ma, wenn sie noch einmal auftauchen, werden wir schon mit ihnen fertig. Ich muss Suresh ohnehin anrufen und ihn bitten, herzukommen, damit wir über die Scheidung reden können.«

Ich konnte sehen, wie Ammumma und Ma jedes Mal, wenn ich das schreckliche Wort aussprach, zusammenzuckten. Es dauerte noch eine lange Zeit, bevor eine von uns dreien die Wörter ›Scheidung‹, ›Sorgerecht‹ und ›Arjun‹ über die Lippen bringen konnte, ohne einen Blick über die Schulter zu werfen, ob Mrs. Pillai oder die Leute aus der Stadt in der Nähe wären, um den neuesten Klatsch nicht zu verpassen. Oder unsere Ahnen, deren Seelen das 40-Watt-Halbdunkel dieses Hauses bevölkerten. Niemand aus unserer Familie war je zuvor geschieden worden. Das war etwas, was in ehrbaren Familien wie unserer einfach nicht vorkam. Deshalb fand sich die arme Suma Chechi damit ab, etwa zweimal im Monat eine Tracht Prügel über sich ergehen zu lassen. Wenn sie bei Familienfesten auftauchte, wirkte sie müde und deprimiert, aber sie war immerhin verheiratet.

»Wie lange sollen wir die Tatsachen noch verschweigen, Ma? Ich werde so lange hier bleiben, bis ich nach England abreisen kann. Bis September sind es nur noch sechs Monate! Ist das nicht viel zu lange, um so zu tun, als wäre ich nur hier, um euch zu besuchen?«

»Ich kann doch nicht durch die Gegend laufen und den Leuten erzählen, dass du zu uns gekommen bist, weil du die Scheidung willst, oder?«

»Warum nicht? Sie werden es früher oder später ohnehin herausfinden.«

»Wie kannst du nur so schamlos reden? Oh, Gott, was werden die Maraars nur über dich erzählen? Du wirst dich in Kerala nie mehr blicken lassen können! Welch unerträgliche Schande für unsere Familie! Warum hast du Suresh überhaupt gesagt, dass du in Delhi diesen jungen Mann getroffen hast? Du hättest es ihm niemals sagen sollen, dann hätte auch niemand davon gewusst.«

»Ma, wenn ich es ihm nicht erzählt hätte, dann wäre eine Scheidung für ihn undenkbar gewesen. Ich hielt es für das Beste, die Wahrheit zu sagen.«

Tatsächlich dachte Suresh nicht im Entferntesten daran, sich von mir scheiden zu lassen. Er tauchte erneut in Ammummas Haus auf und wirkte überraschend munter und fröhlich. Offensichtlich hatte er sich in der Zwischenzeit einen zweiten Plan ausgedacht.

»Sieh mal, Janu, du hast dich in diesen Jungen verliebt, als du noch ein Teenager warst. So was passiert ständig; es hat überhaupt keine Bedeutung. Als du ihn dann in Delhi wieder gesehen hast, hast du einen Fehler gemacht, aber ich kann dir diesen Fehler verzeihen. Du bist meine Frau, und natürlich verzeihe ich dir … Und niemand wird jemals wissen, was du getan hast, ich verspreche dir, dass ich mit niemandem darüber reden werde.«

»Ich bin nicht sicher, ob ich bereit bin, *dir* zu verzeihen, Suresh, für deine schrecklichen Intrigen, derentwegen ich in die Psychiatrie eingeliefert wurde. Eigentlich hattest du doch die Absicht, mich für immer dort einsperren zu lassen, oder?«

Er sah mich verletzt an. »Was sagst du denn da, Janu, ich war so bekümmert, so besorgt, ich wusste nicht, was ich denken sollte! Ich dachte wirklich, du wärest krank und brauchtest Hilfe, schließlich war das die Meinung der Ärzte, oder? Ich habe damals meine Geschäfte vernachlässigt und mich *selbst* um deine Pflege gekümmert, Janu, das wissen alle!«

Ich schaute ihn ungläubig an; entweder war *er* völlig naiv und beschränkt, oder er dachte, ich wäre es. Er konnte doch nicht ernsthaft der Meinung gewesen sein, ich sei geisteskrank, selbst wenn er sich noch so sehr wünschte, unsere Ehe zu retten. Und ebenso wenig konnte ich glauben, dass er jetzt plötzlich bereit war, mir meine Begegnung mit Arjun in Delhi zu verzeihen und mich wieder als seine Frau zu betrachten. Und was in aller Welt konnte der Grund dafür sein, dass er mich unbedingt zurückhaben wollte? Wollte er sich an mir rächen, auf eine noch perfidere Weise als zuvor? Aus einer trotzigen Sehnsucht heraus, die man für etwas entwickelt, das man nie wieder zurückhaben kann?

Aber er war entschlossen, an seinem Plan festzuhalten. »Nie, niemals habe ich daran gedacht, dich dort für immer einsperren zu lassen, Janu. Ich liebe dich, allein die Vorstellung, du müsstest für immer in einer psychiatrischen Anstalt leben, ist mir unerträglich. Ich werde mich niemals von dir scheiden lassen, niemals! Ändere deinen Entschluss, gib deine Pläne auf und komm zu mir zurück. Zu Hause warten alle auf dich. Ich bitte dich, geh und hol deinen Koffer.«

Ma tauchte im Türrahmen auf. Einen schrecklichen Augenblick lang dachte ich, sie könnte Suresh unterstützen, sich auf seine Seite schlagen. Aber sie sah ihm in die Augen und sagte mit fester Stimme: »Suresh, ich glaube, es wäre besser, wenn du akzeptierst, was Janu sagt. Wir haben bereits versucht, mit ihr zu reden, aber ihr Entschluss steht fest. Für den Augenblick wäre es am besten, wenn du versuchst, deinen Eltern die Situation zu erklären, falls du es nicht bereits getan hast.«

»Ma, selbst du unterstützt mich nicht?« Er war jetzt aufrichtig schockiert und verletzt. Für Ma, die sich immer einen Sohn gewünscht hatte, hatte Suresh allein schon deshalb Autorität besessen, weil er ein Mann war. Und jede indische Mutter meint, die Chancen ihrer Tochter, glücklich zu werden, verbessern zu können, wenn sie ihren Schwiegersohn wie einen König behandelt. Aber Ma hatte sich verändert, war im Laufe der letzten Monate sehr viel mutiger geworden. Suresh starrte sie ungläubig an; er konnte nicht fassen, dass sie ihn tatsächlich aufforderte, ihr Haus zu verlassen.

Eine Woche später kam er wieder, zusammen mit seinen Eltern. Amma hatte einen Karton mit den Rava Ladoos dabei, die ich so gerne aß. In ihrem Gesicht spiegelte sich eine seltsame Mischung aus Reue und Ärger. Es gefiel ihr nicht, sich auf so demütigende Weise um eine Schwiegertochter bemühen zu müssen, aber die Familienehre war ihr offensichtlich eine Menge wert. Sie umarmte mich schluchzend. »Moley, Janu!« Sie hatte mich niemals zuvor mit dem liebevollen ›Moley‹ angeredet; das Wort war immer ihren eigenen Töchtern vorbehalten gewesen. Ich schaute peinlich berührt über ihre bebenden Schultern hinweg auf Achen. Er wirkte ein wenig verlegen, aber gewöhnt an die gelegentlichen hysterischen Ausbrüche seiner Frau, sagte er nichts dazu.

Die ganze Situation hatte etwas Absurdes. Die Maraars waren hier, in Alleppey, im Haus meiner Großmutter. Normalerweise hätte Ammumma ihr bestes Porzellan hervorgeholt, und man hätte das Hausmädchen über den Hintereingang losgeschickt, um rasch ein paar heiße Vadas und Chutney im Kerala Coffee House am Ende der Straße zu besorgen. Aber heute saß Ammumma mit roten Augen vor ihnen, und Ma stand händerigend hinter ihr. Mir schien, als könnte ich Mas Gedanken lesen … (Vor einigen Jahren kamen diese Leute in dieses Haus, um für ihren Sohn um die Hand ihrer Tochter anzuhalten. Und heute kommen sie, um dasselbe noch einmal zu tun. Damals wäre es reine Arroganz gewesen, ihnen ihre Bitte abzuschlagen. Jetzt ist es fast ein Sakrileg.) Offensichtlich war in diesem Augenblick ich diejenige, die das Gespräch in Gang halten musste. Ich versuchte, meiner Stimme einen festen Klang zu verleihen.

»Ich hoffe, Suresh hat euch gesagt, dass ich ihn um die Scheidung gebeten habe.« Ich sprach diesen Satz in einem so beiläufigen Tonfall aus, als wäre eine Scheidung etwas völlig Harmloses.

Aber Amma schien die Sache anders zu sehen. »Aiyyo, Moley«, jammerte sie, »du bist unser Kind, wie kannst du uns verlassen, wohin willst du gehen? Gerade gestern noch sagte ich zu Achen, du kannst ihn selbst fragen, ich sei sicher, dass du diejenige bist, die im Alter für uns sorgen wird. Wie kannst du daran denken, uns zu verlassen?«

Ihre Worte verwirrten mich. Plötzlich redeten wir über *ihre* Zukunft, die Zukunft der Maraars, nicht darüber, dass ich das Versprechen, das ich ihnen einmal gegeben hatte, gebrochen hatte. Es war nicht Suresh allein, den ich um eine Scheidung bat, sondern seine ganze Familie. Ich wusste, dass es in jeder Ehe ungeschriebene Verträge gab, die dazu dienten, nicht nur die Person zu schützen, die man heiratete, sondern in gewisser Weise auch deren ganze Familie. Es ging nicht nur um zwei Menschen, sondern um ganze Familien, die sich durch eine Heirat miteinander verbanden. Und die Trennung eines Paares bedeutete das Auseinanderbrechen eines ganzen sozialen Gefüges. Im Grunde bat ich Hunderte von Menschen, sich voneinander zu entfernen, sich zu distanzieren, ihre Beziehung zueinander aufzugeben. Ich konnte mir plötzlich gut vorstellen, wie häufig diese vielfältigen Bindungen wohl Grund genug waren, eine Ehe weiter bestehen zu lassen.

Dennoch war Ammas Eifer, mich zurückzugewinnen, in Anbetracht der Umstände kaum verständlich. Hatte Suresh den Maraars nicht von Arjun erzählt? Das wäre für eine Familie wie sie Grund genug, mich für alle Zeiten zu hassen. Einen Moment lang war ich versucht, den Stier bei den Hörnern zu packen und es ihnen selbst zu sagen, aber ich spürte förmlich, wie Ma mich wortlos anflehte … (*Bitte* sag nichts, was dich in ein noch schlechteres Licht rücken könnte, was die Leute dazu bewegen könnte, noch schlimmere Dinge über dich zu sagen, als sie es ohnehin schon tun …)

»Ich habe beschlossen, ins Ausland, nach England, zu gehen. Ich nehme Riya mit und werde versuchen, dort zu bleiben. Ich werde nicht zurückkommen, und für Suresh und mich ist es am besten, wenn wir uns scheiden lassen, bevor ich abreise. Deshalb bitte ich euch um die Scheidung.«

»Was haben wir getan, was hat unser *Sohn* getan, um ein solches Schicksal zu verdienen?« Ammas Frage entbehrte jeder Logik. Ich sah sie prüfend an und überlegte, was ich erwidern sollte. Wusste sie wirklich nicht, wie sehr ich mich um ihre Liebe bemüht, nach Liebe gesehnt hatte, als ich mit achtzehn in ihr Leben getreten war? Damals hatte ich mir fest vorgenommen, alles zu tun, damit meine Ehe ein Erfolg würde. Ich hatte meine glücklichen Erinnerungen an meine Kindheit und Arjun in einem Tresor verschlossen, auf dem ›Bitte nicht öffnen‹ stand. Um ihre Liebe zu gewinnen, hatte ich meine Persönlichkeit, vor allem auch die Aspekte, die durch Delhi geprägt waren, an meine Umgebung angeglichen. Wäre man mir mit Liebe und Freundlichkeit begegnet, hätte ich mich für meine neue Familie erwärmen können, aber ich war eine derjenigen gewesen, die auf Ammas Liste von Personen, die Zuneigung verdienten, irgendwo ganz unten gestanden hatten. Was also hatte ihr Sohn getan, um ein solches Schicksal zu verdienen? Im Grunde genommen nicht sehr viel. Es ging vermutlich mehr darum, was er *nicht* getan hatte. Und vielleicht war die Strafe für seine Versäumnisse allzu hart. Aber es ging mir nicht darum, irgendjemanden anzuklagen. Ich hatte nie etwas anderes geäußert als den Wunsch, die Ehe zu beenden. Sogar bevor Arjun aufgetaucht und dieser Schritt zu einer absoluten Notwendigkeit geworden war. War *das* ein Verbrechen? Ich sollte bald spüren, dass es das in den Augen der meisten Menschen tatsächlich war.

Suresh kam noch mehrmals nach Alleppey, manchmal zusammen mit seinen Eltern, manchmal allein. Seine Besuche verliefen immer gleich; offensichtlich hoffte er, seine Beharrlichkeit werde am Ende Früchte tragen.

»Janu, lass uns die Vergangenheit einfach vergessen. Du bist meine Frau, du brauchst mich genauso, wie ich dich brauche. Riya braucht uns beide. Meine Eltern beten ständig, dass dieser Alptraum endlich vorbeigeht. Wir alle brauchen dich.«

»Ihr braucht mich nicht; keiner von euch braucht mich. Tatsächlich hat keiner von euch mich je gebraucht, und das war einer der Gründe, warum ich so sicher war, dass es wirklich kein großes Problem ist, wenn ich dich verlasse, Suresh.«

»In Zukunft wird sich alles ändern, ich verspreche es dir. Bitte komm zu uns zurück und lass es uns noch einmal versuchen, nur einen Monat lang.

Ich will kein neues Leben, ich will dich, Janu. Die Leute

fangen schon an zu reden, weil du schon seit Monaten nicht mehr bei uns wohnst. Ich habe niemandem erzählt, was in Delhi geschehen ist, also kannst du zurückkommen, ohne dich schämen zu müssen.«

Es tat mir weh, dass Suresh mich noch immer zurückhaben wollte. Er hatte offenbar seine eigene Vorstellung von ›Liebe‹ und ›Ehe‹, und bisweilen schien es, als hätte es der Trennung bedurft, damit er spürte, dass ich ihm wichtig war. Aber andererseits wollte Suresh offenbar vor allem das Stigma einer Scheidung vermeiden. Ich hatte sein hämisches Lachen gehört, als er im letzten Jahr von Oomen Chandys Scheidung erfuhr. »Er hätte es besser wissen sollen. Wieso hat er überhaupt zugelassen, dass seine Frau sich plötzlich eine Beschäftigung sucht und Rollen in Fernsehfilmen übernimmt«, hatte er gesagt. »Und jetzt ist sie ihm mit irgendeinem Produzenten davongelaufen, nach Bombay, er hätte es eigentlich besser wissen müssen ...« Die Vorstellung, die Leute könnten jetzt so über *ihn* reden, war Suresh unerträglich. Um das zu vermeiden, würde er sogar den Preis zahlen, wieder mit mir zusammenleben zu müssen, und deshalb hatte er sich entschlossen, seine Kampagne fortzuführen. Manchmal versuchte er mich mit seinen Tränen zu erpressen, manchmal mit seinem Zorn. Seine Versuche, mich zurückzugewinnen, erschienen mir wie ein fader, grauer Brei, den wir beide zu schlucken gezwungen waren, wie Gefangene, die einander hassten, aber Seite an Seite eine lebenslange Strafe absaßen.

Gelegentlich schrieb ich einen kurzen Brief an Arjun, in dem ich ihm erzählte, wie sich die Dinge entwickelten, und ihn zwischen den Zeilen anflehte, auf mich zu warten. Ich hatte ihn gebeten, mir nicht zu antworten, außer wenn er mir etwas Wichtiges mitzuteilen hatte, denn ich wusste, welch tiefe Scham Luftpostbriefe aus dem Ausland in meiner Mutter und meiner Großmutter auslösen würden. Manchmal, wenn mich die Vorstellung heimsuchte, dass Arjun mich nicht mehr liebte, mich möglicherweise aufgegeben hatte, fühlte ich wieder die vertraute, eiskalte Hand, die mir das Herz zusammenpresste. Ich würde in England ankommen, es wäre kalt und naß, und Arjun wäre nicht da. Mit zitternden Händen würde ich die Nummer wählen, die er mir gegeben hatte, und am anderen Ende der Leitung würde ich die Stimme eines Fremden hören. Und, noch viel schlimmer, Arjun selbst wäre dieser Fremde, kühl und distanziert, nicht mehr bereit, sich auf mich einzulassen. Nachdem ich ihn wieder gesehen und erkannt hatte, dass ich ihn noch immer liebte, hatte ich mich kaum mehr an eine Zeit erinnern können, in der Arjun nicht Teil der Zukunft gewesen war, die ich für Riya und mich selbst geplant hatte. Unser tatsächliches Wiedersehen war nur ein wunderbarer Zufall gewesen. Aber so wie alle anderen in meiner Umgebung war ich mittlerweile selbst geneigt zu glauben, dass ich nur deshalb mein altes Leben hinter mir lassen wollte, um mit Arjun zusammenzusein. Es wurde mühsam, mich an das Leben zu erinnern, das ich mir einmal für Riya und mich gewünscht hatte, das ich für uns beide geplant hatte, lange bevor Arjun gekommen war, um seinen Platz in meiner Zukunft einzunehmen.

Nach und nach veränderte sich Sureshs Auftreten. Seine Stimme wurde scharf, aggressiv. In der langsamen, brütenden Hitze jener Sommertage verlor sie alles Flehende, Einschmeichelnde. Dies war anders als der Verrat, der in meiner Einweisung in die Psychiatrie seinen Höhepunkt fand, Suresh war direkter, weniger ängstlich, bereit, ein Risiko einzugehen.

»Glaub nur nicht, dass du damit durchkommen wirst«, sagte er einmal nach einem ermüdenden Streit in Ammummas Wohnzimmer.

»Was meinst du damit?«

»Ich habe überall einflussreiche Freunde.« Er zuckte die Achseln.

Ich sah ihn fragend an. Er schaute zur Seite, murmelte aber kaum hörbar: »Mein Einfluss könnte sich sogar bis nach England erstrecken ...«

Mein Herz begann wild zu klopfen, und ich konnte das hilflose Summen einer Schmeißfliege hören, die immer wieder vergebliche Anläufe machte, durch das Glasfenster ins Freie zu entkommen. Ich sprang auf und riss erschrocken das Fenster auf, scheuchte das Insekt mit einem Ende meines Saris hinaus und sah zu, wie es davonflog, sich verwirrt durch die Büsche hindurch seinen Weg suchte.

Plötzlich packte mich die Wut. »Raus mit dir«, sagte ich mit eiskalter Stimme zu ihm. Er sah mich mit offenem Mund an. In den vielen Monaten, in denen er sich bemüht hatte, mich zurückzugewinnen, hatte ich versucht, gleichmütig und gelassen zu bleiben, weil ich der Ansicht gewesen war, ein offen ausgetragener Streit brächte uns nicht weiter. Aber es hatte nicht funktioniert, und es gab nichts, was ich diesem letzten Einschüchterungsversuch entgegenzusetzen vermochte. Suresh hatte sich offensichtlich an meine geduldige, beschwichtigende Art gewöhnt und konnte nicht glauben, dass ich jetzt vor ihm stand und mit flammenden Augen auf die Tür zeigte. Er stand zögernd auf und näherte sich mir so sehr, bis ich ein Haar sehen konnte, das sich seitlich an seinem Nasenflügel emporkringelte. Ich wich keinen Zentimeter vor ihm zurück, obwohl meine Knie nachzugeben drohten, und dann, plötzlich, wandte er sich abrupt von mir ab und verließ ohne ein weiteres Wort das Zimmer.

Ich ließ mich tief einatmend in Ammummas Korbstuhl fallen. War es nur eine leere Drohung, oder hatte er wirklich Einflussmöglichkeiten, mit denen er mir meinen Aufenthalt in England erschweren konnte? Ich erinnerte mich an die Unterlagen, die er in Valapadu aus meiner Schublade gestohlen hatte; sie enthielten alle wichtigen Adressen, auch die von Arjun, die ich an jenem Tag in Delhi hastig auf die Rückseite meiner Zulassungsurkunde als Stipendiatin gekritzelt hatte. Bei einem seiner frühen Besuche in Alleppey, als er noch versuchte, mich mit Charme zur Rückkehr zu überreden, hatte Suresh mir all diese Dokumente zurückgebracht. Aber wahrscheinlich hatte er sie kopiert und wusste, wo Arjun wohnte. Sollte er den Versuch machen, einem von uns beiden zu schaden, so wäre Arjun, nicht ich, das Opfer. Er war intelligent genug, um zu wissen, womit er mich am meisten treffen konnte.

Ma kam hereingerannt; beim Anblick meines Gesichts erstarrte sie. »Enda, enda, was ist passiert? Was hat er gesagt?«

»Ich glaube, wir vergeuden unsere Zeit, wenn wir versuchen, vernünftig mit ihm zu reden. Wir müssen uns einen Anwalt suchen, Ma.«

»Aiyyo, Moley, und wen? An wen können wir uns wenden, der sich deiner Sache annimmt, der dich nicht verurteilt? Und der uns wirklich gut berät? Und diskret ist? Mullakkalamma, bitte steh uns bei!«

Am nächsten Morgen bahnten wir uns unseren Weg durch dampfende Müllhaufen zum Haus eines Anwalts, einem enfernten Verwandten. Ein Bote führte uns in ein kleines Büro, das offensichtlich gerade auf Hochglanz gebracht worden war. Auf langen Regalen reihten sich dicke, in Leder gebundene Bücher aneinander. An der uns gegenüberliegenden Wand hing das riesige Porträt eines grauhaarigen Mannes in der Robe eines Rechtsanwalts. Um seinen Hals trug er eine Girlande aus Rauschgoldblüten; sein Blick wirkte wichtigtuerisch und mürrisch zugleich. Nachdem eine Hausangestellte uns Tee serviert hatte, öffnete sich ein verblasster, gestärkter Vorhang und eine kleinere, jüngere Version des Mannes auf dem Bild trat ins Zimmer. Ma und ich standen auf und legten zur Begrüßung die Hände aneinander.

»Mani Chechi, was führt dich hierher? Ich glaube, das letzte Mal habe ich dich beim Tempelfestival gesehen. Gerade neulich sagte ich zu Kamala, wir sollten dich und Amma unbedingt einmal besuchen. Wie geht es ihr, doch hoffentlich gut, oder?«

»Alles in allem nicht schlecht, Herzprobleme, Blutdruck, du weißt schon, die Beschwerden des Alters ... Du hast meine Tochter schon früher einmal kennen gelernt, oder? Das ist Janu.«

Er sah mich an und nickte. »Ah, ja, natürlich, Janu. Sie hat in die Familie von T. K. K. Maraar geheiratet, nicht wahr? Ich kenne sie alle sehr gut, T. K. K., A. K. K. und den jungen Mann, wie heißt er noch?«

»Suresh.«

»Jaja, Suresh. Ein sehr angenehmer Mensch. Ich war auf ihrer Hochzeit; übrigens erhielt ich Einladungen von *beiden* Seiten. Ich bin mit der Familie gut bekannt. Suresh, Ihren Mann, habe ich zufällig vor ein paar Tagen auf der Konferenz des Rotary Clubs in Cochin getroffen. Er war mit G. K. Cherian dort.« Er sah den verständnislosen Ausdruck in meinem Gesicht und fügte hinzu: »Ein Mitglied des Kongresses. Sie sind auch zusammen weggegangen. Also *Sie* sind Sureshs Ehefrau. Seehr gut. Seehr gut.«

Es freute ihn, mit einer so einflussreichen Familie verwandt zu sein, und er erschien überglücklich, uns helfen zu können.

»Also, was kann ich für Sie tun, Chechi?«

Wie konnten wir unser Anliegen auf angenehme und diplomatische Art formulieren? Gab es eine einfache Möglichkeit, zu sagen: Ich weiß, Sie denken, mein Mann ist ein angenehmer Mensch, und meine Ehe ist das Glück meines Lebens, aber könnte ich Sie möglicherweise trotzdem dazu bewegen, mir einen Rat zu geben, wie ich ... äh ... mich von diesem angenehmen Menschen *scheiden* lassen kann?

Ma fasste sich ein Herz und eröffnete das Gespräch.

»Bitte, denk nicht schlecht von uns, vor allem nicht von meiner Tochter, aber aus vielen verschiedenen Gründen haben wir uns entschlossen, die Maraars um eine – Scheidung – zu bitten.« Das Wort, das sie jetzt zum allerersten Mal öffentlich ausgesprochen hatte, kam im Flüsterton über ihre Lippen.

Die Wirkung, die ich erwartet hatte, blieb nicht aus. Madhava Menons Brille rutschte abrupt auf seine Nasenspitze, und seine Stimme wurde schrill. »Aiyyo, warum?«

»Sehr schwer zu erklären«, fuhr meine Mutter fort, »viele unterschiedliche Gründe ...«

»Schlägt er Sie?«, fragte er mich. Der Schreck ließ ihn in eine Art Telegrammstil verfallen.

Ich schüttelte den Kopf. Nein, er hat mich – noch – nicht geschlagen.

»Probleme mit dem Alkohol?«

»Ja, das mag sein, aber darum geht es nicht ...«

»Also außereheliche Affären ...?«

Der Mann auf dem Porträt schaute jetzt sehr verärgert drein. Vielleicht wusste *er*, dass es nicht Suresh war, der eine außereheliche Affäre hatte, sondern ich. Auf Madhava Menons Gesicht spiegelte sich Entsetzen; er schien endlich begriffen zu haben, wo das Problem lag. Er senkte die Stimme, sodass Ma und ich uns über den Tisch beugen mussten, um ihn zu verstehen.

»Er ist also sexuell, äh …« Ich sah ihn verständnislos an. »Sie wissen schon, sexuell *anders* orientiert.« Er begleitete das Wort *anders* mit einer abrupten seitlichen Kopfbewegung und einem wissenden Gesichtsausdruck, der signalisierte: »Wir sind schließlich erwachsene Menschen, wir können offen über diese Dinge reden.« Er sprach noch immer im Flüsterton. »Wie ich gehört habe, nehmen solche abnormen Tendenzen auch in unserer Gesellschaft immer mehr zu; tja, all diese verrückten Ideen aus Amerika und dieser obszöne Fernsehkanal, MTV …«

Der arme Madhava Menon bemühte sich krampfhaft, die Teile des Puzzles zusammenzufügen. In dieses saubere, auf Hochglanz gebrachte kleine Büro kam offenbar nur sehr selten jemand, um mit ihm über Scheidungspläne zu reden. Meist ging es wahrscheinlich darum, Erbstreitigkeiten zu regeln. Und noch häufiger um Klagen gegen Geschäftspartner, denen man einmal vertraut hatte. Aber Scheidungen waren noch immer selten und gehörten in Madhava Menons kleinem Buch der Lebenserfahrungen eher in die Kategorie der zu vermeidenden Dinge.

Irgendwie schaffte es Ma, in langen, umständlichen Sätzen, noch immer geprägt von Schmerz und Zweifel, ein paar Einzelheiten dessen zu schildern, was ich in meiner Zeit bei den Maraars erlebt hatte. Für mich klang das, was sie sagte, nicht allzu überzeugend, und Madhava Menon ging es anscheinend ebenso. Er nahm seine Brille ab und putzte sie geistesabwesend mit einem fleckigen gelben Taschentuch.

»Ich glaube nicht, dass Scheidung für eine junge Frau die beste Lösung ist. Man sollte dergleichen lieber vermeiden.« Natürlich wusste ich das selbst, es war mir immer wieder deutlich gemacht worden, und natürlich hielt ich sie auch für eine nicht mehr junge Frau nicht für eine gute Lösung. Gewiss, es war besser, eine solche menschliche Katastrophe zu vermeiden, aber manchmal schien das einfach nicht möglich zu sein.

»Es wird nicht leicht sein, eine Scheidung durchzusetzen, wenn man nicht beweisen kann, dass seelische oder körperliche Grausamkeit im Spiel sind. Oder Ehebruch. Hat er nicht vielleicht doch eine Affäre gehabt?« Er sah mich hoffnungsvoll an. Ich schüttelte den Kopf. Er hatte offensichtlich nicht verstanden, dass es mich nicht im Geringsten *interessierte*, ob Suresh jemals eine Affäre gehabt hatte oder nicht. Alles, was ich wusste, war, dass er niemals da gewesen war, als ich, als jung verheiratete Frau, seine Freundschaft und seinen Rat gebraucht hätte. Er hatte sich auch zurückgezogen, als Riya ihn brauchte und wir uns gemeinsam mit ihren Problemen hätten auseinander setzen müssen. Ich wusste nicht, ob er jemals eine Affäre gehabt hatte, ich war nicht seine Freundin, seine Vertraute, ich wusste noch nicht einmal, wer genau seine Freunde waren. Er hatte mir niemals geholfen, mir ein eigenes Leben aufzubauen, hatte nie mit mir über seine Geschäfte geredet oder mir durch einen menschenüberfüllten Raum hindurch einen liebevollen Blick zugeworfen, um mir zu signalisieren, dass wir beide so etwas wie ein Team waren. Soweit ich sehen konnte, brachte er für Whisky weitaus mehr Interesse auf als für mich! Wie konnte man ein solches Verhältnis beschreiben? Und war es überhaupt wichtig, die Dinge zu beschreiben? Jahrelang hatte ich versucht, ein Wort für Riyas Schwierigkeiten zu finden, als wären alle Probleme gelöst, wenn ich den Begriff fände. Jetzt bat mich dieser Mann, etwas zu benennen, was im Grunde gar nicht existent, eine leere Hülse war. Eine Ehe zu beschreiben, die nie eine gewesen war.

»Un-überwindliche Abneigung!« Madhava Menon schien die Worte gefunden zu haben, nach denen wir suchten. Er sprach sie hastig aus, als handelte es sich um ein Einkommen, so niedrig, dass man es besser verschwieg. Wir entspannten uns ein wenig.

»Kann man das als Grund für eine Scheidung anführen?«, fragte Ma.

»Ja, ja, unüberwindliche Abneigung wird als Scheidungsgrund akzeptiert – allerdings nur bei gegenseitigem Einverständnis. Beide Seiten müssen sich einverstanden erklären, sich für sechs Monate zu trennen; erst dann kann die Scheidung ausgesprochen werden. Alles in allem eine ziemlich unkomplizierte Angelegenheit.«

In Wirklichkeit schrecklich kompliziert, dachte ich. Suresh wird nie einverstanden sein, vor allem jetzt nicht, da er weiß, dass mir eine Scheidung die Möglichkeit eröffnet, glücklicher zu werden, dass ich dadurch sehr viel mehr gewinne als er. Und – eine Trennung von sechs Monaten? So lange bin ich gar nicht mehr hier. Mein Studium beginnt im September.

»Muss man dafür physisch anwesend sein?«, fragte ich.

»O ja, wenn man nicht anwesend ist, wird sie für ungültig erklärt. Beide Seiten müssen physisch anwesend sein, um sie einzureichen und zum Abschluss zu bringen«, erklärte er.

Ich fühlte, wie mir das Herz schwer wurde. Wie sollte ich all das schaffen, bevor ich nach England reiste? Ma warf mir einen Blick zu, der mir signalisierte, es wäre besser zu gehen. Wir erhoben uns; die Stühle scharrten über den Steinfußboden. Madhava Menon umrundete den Tisch, legte seine Hand auf meine Schulter und drückte sie verschwörerisch. »Moley, ist das wirklich der richtige Schritt, diese Scheidung und alles, was damit zusammenhängt? Sie sollten jetzt am besten nach Hause gehen und noch einmal über die ganze Sache nachdenken. Das ist eine so ernste, so einschneidende Maßnahme. Was Sie hier anführen, sind doch eher kleine Probleme, über die man diskutieren und sich einigen kann. Vielleicht sollte ich selbst einmal mit Suresh reden?«

Oh, nein, bitte nicht, dachte ich. »Danke für Ihre Hilfe«, sagte ich lächelnd.

Ma versuchte, Madhava Menon einen Umschlag in die Hand zu drücken. Aber er weigerte sich, ihn anzunehmen, und fuhr stattdessen fort, uns seine Ratschläge aufzudrängen. »Nein, nein, Mani Chechi, ich möchte, dass deine arme Janu Mole sich diese ganze Sache aus dem Kopf schlägt. Warum reden Sie nicht mal mit meiner Frau, Janu? Sie ist sehr verständnisvoll; sie wird Ihnen hervorragende Ratschläge geben.« Bevor ich irgendetwas einwenden konnte, rief er: »Edi, Kamaley!«

Im selben Augenblick öffnete sich der Vorhang und Kamaley trat ins Zimmer; sie hatte offensichtlich dahinter gestanden und gelauscht. Sie hörte teilnahmsvoll zu, nickend und mit großen Augen, während ihr Mann zehn Jahre meines Lebens in wenigen Sätzen zusammenfasste. »Hör mal, unsere Janu hier, Mani Chechis Tochter, hat da ein paar Probleme mit ihrer Ehe. Du weißt schon, sie fühlt sich vernachlässigt; ihr Mann trinkt ab und zu ein bisschen viel«, sagte er, wobei er mit einer kippenden Handbewegung andeutete, dass nicht von Tee oder Kaffee die Rede war, »und da gibt es anscheinend auch ein paar Probleme mit der Schwiegermutter – nichts, was sich nicht regeln ließe. Ich sagte, du könntest ihr ein paar Ratschläge geben.« Er präsentierte uns seine Frau wie eine Trophäe.

Kamala lächelte mich mit einem süßlichen Lächeln an, hinter dem sie ihren Spott und ihre Verachtung verbarg. Ich konnte ihre Gedanken lesen – all diese jungen Frauen aus *Delhi* mit ihren seltsamen Ideen, die die altehrwürdigen Traditionen hier in Kerala zerstören. Natürlich völlig unfähig, sich auch nur im Geringsten anzupassen. Es wäre mir ein Vergnügen, ihnen in wenigen Wochen beizubringen, was man tun muss, um eine vorbildliche Ehefrau zu sein. Ich würde sie lehren, wie man seinem Mann Respekt erweist, wie man sein Haus makellos sauber hält, wie man chinesisches Chilihühnchen kocht und in vorbildlicher Weise den Haushalt führt, anstatt irgendwelchen albernen Ideen nachzuhängen. Ich werde ihnen zeigen, wie man ordentliche Kinder großzieht, die hübsch und adrett gekleidet sind und das ABC *rückwärts* aufsagen können, was sie natürlich *noch* liebenswerter macht. Ich werde ihnen zeigen, wie man Schwiegermütter mit ein paar scharfen Worten und ein paar giftigen Bemerkungen, die man seinem Mann ins Ohr flüstert, mühelos in Schach hält. Das Problem mit diesen Mädchen ist, dass sie meinen, über all diese Dinge erhaben zu sein. Arroganz, das ist das Wort, das mir dazu einfällt!

Ich hätte Kamala auch in hundert Jahren nicht erklären können, dass Arroganz ganz gewiss nicht mein Problem war. Furcht, ja. Unsicherheit, schwindendes Selbstbewusstsein, nagende Selbstzweifel – all diese kleinen Dämonen, die meinen Glauben an meinen eigenen Wert untergraben hatten. Vielleicht *brauchte* ich im Grunde eine gesunde Dosis Arroganz! Zwei große Löffel davon, jeden Tag nach dem Frühstück einzunehmen, verschrieben von Dr. Kamala aus Alleppey, der Expertin für Eheprobleme.

Ich sah zu Ma hinüber, dem Menschen, der mir hätte beibringen sollen, wie man arrogant ist und seinen Mann manipuliert und chinesisches Chilihühnchen zubereitet, das dazu beiträgt, die Ehe zu erhalten. Du hast leider deine Zeit vergeudet, Ma, als du versuchtest, mich stattdessen Ehrlichkeit und Freundlichkeit zu lehren. Ma umarmte Kamala und sagte: »Ich werde Janu in den nächsten Tagen einmal zu dir schicken, damit du ihr ein paar gute Ratschläge geben kannst. Jetzt müssen wir allerdings so schnell wie möglich zum Tempel; wir haben eine Verabredung mit dem Priester.«

Wir verließen Madhava Menons Haus. Ich war Ma dankbar für die Ausrede. Als wir die Straße entlangeilten, atmete sie schwer. »Als ich diese Kamala wieder sah, fiel mir ein, dass sie mit Manju Pillai, unserer Nachbarin, befreundet ist. Bestimmt stürzt sie jetzt als Erstes zum Telefon, um den neuesten Klatsch über dich zu verbreiten. Guruvayurappa, ich bitte dich, lass es nicht zu, dass der Name meiner Tochter in den Schmutz gezogen wird!«

Aber bald schon wurde mein Name aufs Übelste in den Dreck gezogen. Irgendwie gelang es mir, das Flüstern und die hinter vorgehaltener Hand geäußerten Gehässigkeiten zu ignorieren. Ma meinte, das sei nur deshalb der Fall, weil ich mich in wenigen Monaten all dem entziehen und nach England flüchten könnte. Sie hatte wahrscheinlich Recht, und ich empfand tiefes Mitleid mit ihr und meiner Großmutter. Selbst der Frieden ihrer Besuche im Tempel wurde jetzt gestört durch hässliche, gedankenlose Bemerkungen ... »...die Arroganz der modernen Mädchen ... Sie kümmert sich nicht im Geringsten um ihr Kind, das im Übrigen auch noch behindert ist ..., sie hätten sich jedes andere Mädchen aussuchen können, aber es musste ja unbedingt eines aus Delhi sein ...«

Wenig später wurden die Kommentare noch bösartiger; Arjuns Rolle in der Sache machte die Runde. Mitleid mit Suresh, dem armen Mann, den seine Frau verlassen wollte, wurde zum allgemeinen Gesprächsthema. Es war schwer zu sagen, wer diese Entwicklung in Gang gesetzt hatte. Ammumma war sicher, dass Suresh die Hoffnung, ich würde zu ihm zurückkehren, aufgegeben und deshalb nichts mehr zu verlieren hatte, wenn mein Ruf ruiniert würde. Dieses Mitleid mit Suresh war etwas, womit umzugehen mir sehr viel schwerer fiel. Die Bemerkungen wurden scharf, gehässig, gnadenlos, Geschosse, die verletzen und töten konnten ... Ehebrecherin ... Schamlos ... Promiskuitiv ... Materialistisches Flittchen ... Steigt mit jedem ins Bett ... Ihre Ex-Liebhaber ... Jedes dieser Worte traf wie ein giftiger Pfeil ins Herz meiner Mutter.

Für sie war der Tropfen, der das Fass zum Überlaufen brachte, ein Brief von Onkel Raghu und Tante Shobha aus Delhi. Sie hatten am alljährlich stattfindenden Dinner der Malayali Association in Delhi teilgenommen, als jemand ihnen von mir und den Geschehnissen in Delhi erzählte. Und Tante Shobha war auch noch so großzügig gewesen, mir ihren *besten* Kaschmirpullover auszuleihen. Mangelte es mir denn an jeglichem Schamgefühl? Während sie mich in ihrem Hause aufgenommen hatten, hatte ich ihnen die schlimmsten, unverschämtesten Lügen erzählt!

»Sogar in Delhi reden die Leute über dich! Werden wir jemals wieder erhobenen Hauptes unter Menschen gehen können? Mullakkalamma, bitte setz diesen Qualen ein für alle Mal ein Ende!«

Ich meinte, diejenigen, unter denen ich aufgewachsen war, gut zu kennen, aber es überraschte mich doch, wie Malayalis, gebildet, belesen und weltgewandt, anscheinend kaum einen interessanteren Gesprächsstoff fanden als mich und meine Probleme! Gewiss waren die Gerüchte über Spannungen in der Golfregion und den steigenden Benzinpreis passendere Gesprächsthemen für ein Treffen der gebildetsten Malayalis von Delhi. Schließlich hatten sie Verwandte, die in den Golfstaaten lebten, und sie alle brauchten Benzin für ihre Autos. Mein Leben war im Vergleich dazu wohl kaum besonders interessant. Dennoch zogen wir uns mehr und mehr in unser Haus zurück. In diesen drückenden, schwülen Sommertagen saßen wir unter dem Deckenventilator und lauschten dem dumpfen Quietschen seiner Flügel, die die feuchte, heiße Luft herumwirbelten. Draußen rannten wild schreiende Schulkinder umher und versuchten, mit Stöcken und Steinen Ammummas kostbare Mangos von den Zweigen zu schießen. Normalerweise wurde sie dann schrecklich wütend, rannte in den Garten hinaus und schimpfte heftig mit den Kindern, da sie die Mangos unbedingt für unsere alljährlichen Besuche aufsparen wollte. Jetzt saß sie reglos am Fenster, las ihre *Bhagawad Gita* und zuckte nur zusammen, wenn eines der Geschosse allzu nah am Fenster landete. Briefe von Ramama und Ammini Kunyamma, die sich besorgt erkundigten, warum sie seit längerer Zeit keine Post bekommen hatten, lagen unbeantwortet in einer Schublade. Ma wagte sich gelegentlich aus dem Haus, um die Rechnungen zu bezahlen und die Rente abzuholen, kehrte aber immer so rasch wie möglich zurück, manchmal blass und mit Tränen in den Augen. Ich vertrieb mir die Zeit, indem ich Riya ein paar englische Sätze beibrachte, die sie bald würde brauchen können. Bisher hatte sie nur gelernt, zwei oder drei Wörter aneinander zu reihen, und es war schier aussichtslos, ihr ein wenig englische Grammatik beizubringen.

»Ja, richtig, ›toila ponum‹, aber jetzt sag mal: ›Wo ist hier bitte die Toilette?‹ Oder sag einfach: ›Ich muss mal‹, Moley.«

»Toila ponum.«

»Jetzt sag mal: ›Ich bin hungrig.‹ Nein, nicht ›mamum‹, so sprechen Babys, das versteht in England niemand, dann bekommst du nie etwas zu essen. Also, versuch's noch einmal: ›Hun-grig – essen! Hung-rig!«

»MAAA-MU!« Riya wurde allmählich ungeduldig und mürrisch, und die Tatsache, dass wir im Haus Ammummas wie in einem Gefängnis lebten, machte die Sache nur noch schlimmer. Dennoch war sie es, die uns drei Frauen in jenem gnadenlosen Sommer wahrscheinlich davor bewahrte, den Verstand zu verlieren. Aber auch diese verhältnismäßig friedliche Phase ging bald zu Ende. Suresh hatte bereits einen neuen Plan geschmiedet.

Wie gewöhnlich brachen im Juni die Monsunregen herein und durchnässten die Kinder, die begeistert ins Freie rannten, bis auf die Haut. An jenem Morgen hatte der Himmel sich verdunkelt. Ein dumpfes Grollen kündigte den nächsten Guss an. Dämpfe stiegen aus dem Boden auf, ihr nasser, erdiger Geruch überlagerte den schweren Duft der letzten, überreifen Mangos an den Bäumen. Krähen und Papageien ließen sich lärmend auf den Zweigen nieder, eine geschlagene Armee, die ihre Waffen niederlegte, bevor die

Schlacht überhaupt begonnen hatte. Ma hatte vor ein paar Stunden mit einigen Rechnungen das Haus verlassen, als Sureshs Wagen fast geräuschlos vor dem Eingangstor vorfuhr. Er stieß die Tür auf, und ein starker, feuchter Hauch wehte durch das Haus und bauschte die Vorhänge auf wie ängstliche Gespenster. Einen schrecklichen Augenblick lang erschien mir Suresh wie der personifizierte Tod in den Comic-Heften meiner Kindheit, der mich monatelang in meinen Alpträumen verfolgt hatte.

»Hallo, Suresh«, sagte ich und kämpfte mich aus meinem Kissen auf dem Boden hoch, wo ich mit kleinen Karten spielte, die ich für Riyas privaten Englischunterricht gemalt hatte. Er antwortete nicht. Wieder konnte ich die eisige Hand spüren, die mir das Herz zusammenpresste. Riya verkroch sich irgendwo in den Falten meines Saris. In den ersten Tagen unseres Exils in Alleppey war sie Suresh immer begeistert entgegengelaufen, vor allem, da er ihr meist irgendein Plüschtier mitgebracht hatte, das er in der Hand hielt. Heute stand sie hinter mir, umklammerte mit beiden Armen meine Knie und verfolgte Suresh mit ängstlichen Blicken. Entweder war der Abstand zwischen seinen Besuchen zu lang geworden, oder sie spürte, was uns bevorstand …

»Ich bin gekommen, um Riya mitzunehmen.« Er sagte das mit monotoner Stimme, in der weder Freude noch Wut schwang, nur das Bedürfnis, sich gnadenlos zu rächen.

»*Wohin* mitzunehmen, Suresh?«

»Nach Hause, dorthin, wohin sie gehört. Du kannst gehen, wohin du willst. Leben, mit wem du willst. Aber du wirst meine Tochter nicht ins Ausland bringen, um sie von irgendwelchen fremden Männern großziehen zu lassen. Die Götter allein wissen, wie viele das sein werden.«

»Sie wird nicht von irgendwelchen Männern großgezogen werden, Suresh, ich allein werde für sie sorgen.« Ich versuchte mit ruhiger Stimme zu sprechen, da ich spürte, dass er an diesem Tag zu allem fähig war. Möglicherweise ermutigt durch ein paar Gläser Johnny Walker.

»Du?! Du willst dich um meine Tochter kümmern? Irgendwann kommt es noch so weit, dass du ihren Körper an Fremde verkaufst! Hast du gehört, wie die Leute über dich reden? Ich kann es nicht zulassen, dass eine *Prostituierte* meine Tochter erzieht. Also, wo sind ihre Sachen?«

Er stieß mich zur Seite und hätte, als er das Schlafzimmer betrat, fast Ammumma umgerannt, die ihm entgegentrat. Er entdeckte den Koffer in der Ecke, schüttete den Inhalt aus und begann, Kleider und Spielzeug hineinzuwerfen. Winnie-the-Pooh, das rosafarbene Nylonkleidchen, ein paar Plastiksandalen, ihre orthopädischen Schuhe, alles, was Riya besaß, landete auf einem unordentlichen Haufen. Inzwischen hatte ich sie auf die Arme genommen und drückte sie so fest an mich, dass sie zu weinen begann.

»Suresh, Suresh, was tust du denn da? Riya kann ohne mich nicht leben. Sie braucht mich! Wer soll sich denn um sie kümmern? Deine Mutter hat sie nie geliebt, und ich möchte sie nicht von irgendwelchen Hausangestellten aufziehen lassen!« Er entriss sie meinen Armen und ich begann laut schreiend zu protestieren. Sein Gesicht war verzerrt, er hatte den Taillenbund ihres Kleidchens zerrissen.

Riya schrie jetzt noch lauter als ich, ihr Gesicht war vor Angst und Zorn purpurrot und jede Locke ihres kleinen Schopfes zitterte und bebte. Sie streckte flehend ihre Ärmchen nach mir aus. Es gab nichts, was ich tun konnte, außer Sureshs Arm zu umklammern, aber er stieß mich zur Seite, sodass ich gegen den Türrahmen fiel. Von dort aus schauten Ammumma und ich, uns hilflos aneinander klammernd, zu, wie Suresh Riya und ihren Koffer auf dem Rücksitz seines Wagens einschloss. Wenige Sekunden später saß er am Steuer und fuhr davon. Ich konnte nur noch eine winzige, gegen das Rückfenster gepresste, verzerrte Scheibe erkennen, Riyas kleines Gesicht, ein Symbol des Schmerzes, kaum noch erkennbar durch den Schleier meiner Tränen und des Regens.

Eine Stunde später kehrte Ma von der Rechnungsabteilung des Elektrizitätswerks zurück und fand Ammumma und mich im Wohnzimmer vor. Wir kauerten niedergeschlagen am Boden, umgeben von bunten, überall verstreuten Illustrationstafeln. Die Bilder waren noch alle da: Apfel, Junge, Katze, Hund – nur das kleine Mädchen, für das sie gemalt worden waren, fehlte. Ammumma flüsterte nur ›Suresh … Riya‹, und Ma wusste, was geschehen war. Heute war sie diejenige, die Stärke beweisen musste. Ich selbst fühlte mich völlig kraftlos, als hätte jemand ein Schlachtermesser in meine Brust gestoßen, das eine tiefe, unablässig blutende Wunde hinterlassen hatte. Ma rief Madhava Menon an, um ihn zu fragen, was wir tun könnten und welche rechtlichen Möglichkeiten uns zur Verfügung stünden. Keine, lautete seine Antwort. Nach dem Gesetz wurde das Sorgerecht für alle minderjährigen Kinder den Vätern zugesprochen. Es sei ein sehr gutes Gesetz, sagte er, dazu gemacht, Kinder und ihre Mütter vor Vätern zu schützen, die sich absetzen wollten, ohne Unterhalt zu bezahlen. Es gab keine Gesetze, um Kinder vor Vätern zu schützen, die diese Kinder entführten, weil sie deren Mütter hassten. Danach rief Ma bei den Maraars an. Sie waren ebenfalls ratlos. Sie hätten versucht, so sagten sie, Suresh von seinem Plan abzubringen, schließlich, das sei nur natürlich, brauchten alle Kinder ihre Mütter, aber niemand habe ihn umstimmen können. Sie würden sehen, was sie für uns tun könnten. Es hätte jedoch keinen Sinn, noch einmal anzurufen.

Ein paar Tage lang wusste niemand, wo Suresh sich aufhielt, nicht einmal die Maraars. Wie ich später herausfand, hatte er sich in Cochin ein Hotelzimmer genommen, in dem er sich zusammen mit Riya ein paar Tage lang einschloss. Er weinte Tränen der Wut, stopfte sie mit gebratenem Hühnchen, Kartoffelchips und Pampelmusenkuchen voll, um sie ruhig zu halten und ihr zu beweisen, dass auch er ein liebevoller Elternteil war. Schließlich, vermutlich als ihm bewusst wurde, dass er dort nicht auf Dauer bleiben konnte und Pampelmusenkuchen und Zimmerservice nicht mehr ausreichten, um Riya bei Laune zu halten, kehrte er nach Valapadu zurück und stellte ein Hausmädchen ein, das sich um sie kümmern sollte, während er wieder seinen Geschäften nachging. Nach Aussage seiner Mutter bestand er darauf, Riya selbst zu baden und zu füttern. Amma ließ in einem Telefonat mit meiner Mutter keinen Zweifel daran, dass sie mich für den Kummer und die Schwierigkeiten verantwortlich machte, die Suresh durchlitt. Ob es wohl in Ordnung sei, wenn ein Mann seine Tochter allein großziehen musste, fragte sie. Sie tue alles, was in ihrer Macht stehe, um Suresh davon abzubringen, das Sorgerecht für Riya zu beanspruchen, aber er sei wie besessen. Ich hoffte verzweifelt, er kümmerte sich nicht um Riya, um sich an mir zu rächen, sondern weil er einen Ausgleich für die vielen Jahre schaffen wollte, in denen sie in seinem Leben keine Rolle gespielt hatte. Der Gedanke tröstete mich.

Es gelang mir nur ein einziges Mal, mit Riya zu reden, als Suresh im Büro war und Amma uns in Alleppey anrief, damit wir Riya, die weinend und schreiend nach mir verlangte, beruhigten. Ich hörte am anderen Ende der Leitung Riyas Schluchzen und drückte den Hörer ganz fest an mein Ohr, als könnte ich sie dadurch zu mir holen. Als sie mein bebendes ›Hallo‹ hörte, verstummte sie. Sie weiß nicht, wie Telefone funktionieren, dachte ich entsetzt, sie kann nicht verstehen, warum sie meine Stimme hören kann, ohne mein Gesicht zu sehen.

»Hallo, Riya Moley«, sagte ich noch einmal. »Ich bin es. Amma.«

»Amma?« Sie schluchzte noch ein paarmal, bevor ich ihre Stimme hörte, die plötzlich leise und verängstigt klang. Unter Tränen bat sie mich: »Amma, ba ...« Und, für den Fall, dass ich auch die englische Übersetzung hören wollte: »Amma ... come.«

Mein Versuch, ihr ein wenig Englisch beizubringen, war erstaunlicherweise nicht erfolglos geblieben. Aber trotz ihrer unmissverständlichen Bitte, sowohl in Englisch als auch in Malayalam, wusste ich mir keinen anderen Rat, als den Telefonhörer hilflos und schweigend an mein Ohr zu pressen. Tränen rannen mir die Wangen hinunter. Mein kleines Mädchen, mein Kind, dem das Sprechen so schwer fiel, hatte in *zwei* Sprachen die richtigen Worte gefunden, um mir zu sagen, dass es mich brauchte. Normalerweise hätte ich sie für diese Leistung begeistert gelobt. (Das hast du *toll* gemacht! Du bist Ammas kluge kleine Riya! ›Ba‹ und ›come‹, *genau* die richtigen Wörter, was für ein intelligentes kleines Mädchen du doch bist!) Aber ich wusste, wenn ich versuchte, sie für ihre Leistung zu loben, würde ich in Schluchzen ausbrechen. Deshalb hielt ich nur schweigend den Hörer fest, während mein Herz in tausend Stücke zerbrach. Und dann legte ich ihn hastig auf, als würde ich mich verbrennen, wenn ich ihn länger in der Hand hielt. Wenn der Klang ihrer Stimme mir so viel Schmerz bereitete, wie konnte ich ihn dann auch nur eine Sekunde länger ertragen? Wenn es mir auf irgendeine Weise gelänge, ohne ihn zu leben, dann, o Götter, lasst Riya bitte vergessen, dass ich jemals existierte.

15

Ich wartete auf den Tag, an dem Suresh begreifen würde, dass der Schmerz, den er Riya bereitete, für meinen Schmerz ein allzu hoher Preis war. Er würde sie zurückbringen müssen, bevor ich nach England abreiste. Schließlich hatte ich immer erklärt, um ihretwillen dorthin zu fahren. Aber Suresh hatte es darauf abgesehen, Riya als letztes Mittel einzusetzen, mich zurückzuhalten. Zweimal reisten kleine Abordnungen nach Valapadu, um die Maraars zu bitten, mir Riya zurückzugeben. Beim ersten Mal machten sich Ma und Ammumma in Joses Taxi auf den Weg. Ich ging ruhelos, mit klopfendem Herzen, im Haus auf und ab, während der Regen auf die Dachziegel trommelte. Gegen Mittag kamen sie wieder zurück – ohne Riya. Sie gingen gebeugt, als laste das ganze Gewicht der Welt auf ihren Schultern. Riya habe sie erkannt, erzählte Ma, hätte aber nicht gewagt, ihnen entgegenzulaufen, sondern sich hinter dem Rock von Kallu versteckt, dem Mädchen, das die Maraars angestellt hatten, damit sie sich um sie kümmerte.

»Und wie ist sie? Diese Kallu, hattet ihr den Eindruck, dass sie freundlich ist?«

»Sie hatte ein freundliches Gesicht, und ich sah, wie sie Riya in den Garten brachte, um ihr ihr Mittagessen zu geben, unter dem Jambakkya, so wie du es immer getan hast. Ich bin sicher, dass sie gut für sie sorgt.«

»Als wir vom Haus wegfuhren, hat Riya mit Jose gespielt; offensichtlich hat sie sich an ihn erinnert ... Sie nannte ihn ›Jonkel‹, so wie früher.« Wir lächelten bei der Erinnerung an Riyas Version von ›Jose Onkel‹, »aber als sie uns gesehen hat, hat sie sich wieder in den Armen des jungen Mädchens verkrochen, als hätte jemand ihr verboten, sich uns zu nähern.«

»Seid nicht albern, das würden die Maraars nie tun.«

Aber Ammumma hegte mittlerweile einen tiefen Groll gegen die Familie Maraar. Sie war nie bereit gewesen, Mas wohlwollende Sicht dieser Familie zu übernehmen. »Ich habe gehört, dass Padmaja Maraar die erste Woche, in der Riya in Valapadu war, damit verbrachte, mit ihr zusammen all ihre Freunde und Verwandten zu besuchen, um allen zu erzählen, dass Janu ihnen das Kind einfach aufgedrängt habe.« Ammumma beendete diesen Satz mit dem typischen verächtlichen Schnauben, das ihre Äußerungen über die Maraars zu begleiten pflegte.

Suresh war bei ihrem Besuch nicht zu Hause gewesen. Aber seine Eltern hatten erklärt, er würde gewiss ein zweites Mal nach Alleppey kommen und Riya erneut mitnehmen, wenn Ma sie in Jonkels Taxi zurückgebracht hätte. Mir war zudem bewusst, dass es Riya sehr viel mehr schaden würde, in dem Streit zwischen Suresh und mir als Schachfigur benutzt zu werden. Es schien für den Augenblick besser, sie dort zu lassen, wo sie war. Kinder konnten vieles überleben, versuchte ich mich selbst zu überzeugen, und waren immer bereit, ihre Liebe auf den zu übertragen, der sie gerade betreute. Ihr Schmerz, so hoffte ich, war weniger tief als meiner und würde irgendwann vergehen.

Es war mittlerweile fast September, und wir beschlossen, es sei einen Versuch wert, noch ein letztes Mal nach Valapadu zu reisen. Ramama war in Kerala, um dort Urlaub zu machen. Wir hatten ihm erzählt, was geschehen war, und er kam, um uns in den zwei Wochen, in denen er sich hatte frei nehmen können, moralisch zu unterstützen. Diesmal wollte er Ma nach Valapadu begleiten. Ich sah zu, wie Bruder und Schwester das Haus verließen, um zum Boot zu gehen, das sie hinbringen sollte, und bemerkte, wie Ramama, während sie die viel befahrene Straße überquerten, einen schützenden Arm um Ma legte. Plötzlich übermannten mich Schuldgefühle. Durch meine Heirat mit Suresh hatte ich meine ganze Familie glücklich gemacht, aber wie schnell hatte ich selbst das Blatt gewendet. Wie seltsam, dass Liebe innerhalb einer Familie manchmal so schwer zu ertragen war.

Diesmal hielt sich Suresh in Valapadu auf, und Ramama hatte die Absicht, sich mit ihm unter vier Augen, von Mann zu Mann, zu unterhalten. Es sei sinnlos, sagten sie mir später, es wäre unmöglich, Suresh umzustimmen. Wenn ich Riya haben wollte, müsse ich zu ihm zurückkehren. Wenn nicht, würde er sie allein großziehen.

»Er kann doch nicht, nach allem, was geschehen ist, noch immer glauben, es gebe für mich irgendeine Möglichkeit, zu ihm zurückzugehen? Er scheint der letzte Mensch in Kerala zu sein, der erkennt, dass unsere Trennung unwiderruflich ist.«

Ramama sah mich hoffnungsvoll an. »Paare trennen und versöhnen sich ständig, weißt du. Wenn du jetzt zurückgehst, dann werden die Leute die ganze Sache irgendwann vergessen, und wenig später ergibt sich ein neuer kleiner Skandal, über den sie klatschen können.«

Die Versuchung, zu Suresh zurückzukehren, nur um wieder mit Riya zusammen zu sein, war überwältigend. Mein Herz war in zwei Teile zerrissen. Bliebe ich bei Suresh, hätte ich Riya ... Zusammen mit Arjun würde ich glücklich ... Was für eine seltsame, quälende Entscheidung, die ich da treffen musste. »Ja, aber wird *Suresh* je vergessen, was geschehen ist? Und seine Eltern? Mein Leben mit ihnen war von Anfang an schwierig, jetzt wäre es absolut unerträglich. Ich müsste mein ganzes Leben lang einen hohen Preis dafür zahlen.«

Zu meiner Überraschung erklärte Ma mit fester Stimme: »Nein, das ist völlig unmöglich. Janu wird niemals wieder dorthin zurückgehen, Rama. Sie hat Recht, *die* Zeit ist vorbei. Wenn sie jetzt in diesem Haus lebte, könnte ich nachts kein Auge mehr zu tun. Gott allein weiß, was Suresh ihr in einem plötzlichen Wutanfall antäte.«

»Aber meine Riya? Wie kann ich meine Riya zurücklassen ...?« Ich hatte wegen Riya schon ein Meer von Tränen geweint. Wenn Ozeane über die Ufer treten könnten, Mullakkalamma! Was mochte in Riyas kleinem, beschränktem Kopf vorgehen?

»Ich glaube, genau darum geht es ihm und das ist es, was er herausfinden will. Ob du es übers Herz bringst, nach England zu gehen und Riya in Indien zurückzulassen. Dies ist seine letzte Trumpfkarte. Wenn du tatsächlich gehst, dann wird er sie uns vermutlich bald zurückgeben. Im Grunde kann er mit ihr gar nicht allein fertig werden. Vor allem, da auch seine Mutter Riya am liebsten wieder loswürde.«

Also beschlossen wir, ich sollte am siebenundzwanzigsten September nach England fliegen. Für die Fahrt zum Flughafen Cochin wurde wieder das Taxi des treuen alten

Jonkel bestellt. Ma packte mir in Essig eingelegte Früchte ein. (›Du musst unbedingt darauf achten, ordentlich zu essen‹.) Wir holten einen alten Blechkoffer vom Dachboden und verbrachten einen Nachmittag damit, meine alte Kleidung aus Delhi zu ändern. Jeans und T-Shirts aus einer anderen Zeit, hastig in einen alten Koffer geworfen, als ein sorgloser Teenager in eine elegante Maraar verwandelt wurde, komplett mit einem falschen Lächeln und einem falschen, hüftlangen Haarteil.

Früher einmal hatte Ma wie eine fröhliche Insel hier auf diesem Fußboden gesessen, umgeben von einem Meer Hochzeitsseide. Heute kam es mir vor, als läge eine schwere schwarze Wolke über ihr; sie zog Kleider aus einer Zeit hervor, in der sie glücklich gewesen war, und die jetzt vergilbt und verknittert aussahen. Die alte weiße Bluse mit den winzigen blauen Blümchen, aus einem Synthetikstoff; damals der letzte Schrei. Erinnerte sie sich ebenso deutlich wie ich an die fröhliche Fahrt zum Schneider, an den Tag, an dem wir sie hatten anfertigen lassen? Wir waren nach Connaught Place gefahren, damals das Zentrum der eleganten Geschäfte Delhis. Die Bewohner der Vororte pflegten regelrechte Ausflüge dorthin zu machen, in Autos, voll gepackt mit Kindern und Flaschen mit Eiswasser. Wir hatten kürzlich gelesen, dass Connaught Place sich, ebenso wie wir, verändert hatte und jetzt schmutzig und heruntergekommen wirkte. Die Bluse hatte mittlerweile kleine gelbe Flecken bekommen und wanderte auf den wachsenden Haufen von Kleidern für die Tochter der armen verwitweten Alamelu Mami, die demnächst das College besuchen würde. Ebenso wie Ma würde sie nie erfahren, dass ich sie an dem Tag getragen hatte, an dem Arjun mich unter der Überführung ›Defence Colony‹ zu den köstlichsten Parathas der Welt eingeladen hatte. Hier war das Kleid, das ich an dem Tag getragen hatte, als er England verließ. Nicht mein bestes, weil ich das Haus so überstürzt verlassen musste – mein einziges Salwaar Kameez, das damals gerade wieder in Mode kam und den schrecklichen Maxirock verdrängte –, ich trug es, als Dad vom Präsidenten des Landes eine Medaille erhielt … Vergiss nicht, vergiss nicht …, es hatte doch auch einmal glückliche Zeiten gegeben, nicht wahr, Ma?

Aber ich konnte Ma nicht vor der Trauer bewahren, die sich, während sie die alten Kleider auseinander faltete, die nach Mottenkugeln und Erinnerungen rochen, wie eine schwere, dunkle Decke über sie legte. Diese alten Sachen hätten eigentlich an irgendeinem Nachmittag unter fröhlichem Kichern und Kreischen wieder hervorgezogen und begutachtet werden sollen … (Sieh dir doch nur mal diesen Maxirock an, wie *scheußlich*, wenn man sich vorstellt, man sollte heute so etwas tragen! Papageiengrüne Hosen, und dann noch mit Schlag, absolut hässlich, findest du nicht?!) War das nicht das Übliche, was man mit seinen alten Kleidern machte? Sie eines Tages hervorholen, damit die Enkelkinder sie sich anschauen und darüber lachen konnten? Ich dagegen war dabei, meine Vergangenheit in die Gegenwart zurückzuholen, um dann die Gegenwart einzumotten und sie wegzupacken, als wäre sie eine Vergangenheit, die man am besten vergaß. Ma faltete meine Kanjeevaram-Saris zusammen (viel zu elegant für das Studentenleben in London) und einen Haufen Blusen, mit zunächst vier, dann aber nur noch zwei Abnähern, und legte sie sorgfältig beiseite, zwischen Mottenkugeln und Neemblätter. Hoffte sie, es werde nicht sehr lange dauern, bis ich wieder zurückkam und sie wieder anzog? Dafür solltest du besser *nicht* beten, Ma.

Bete stattdessen für eine freundlichere Zukunft unter Menschen, die sich weniger einmischen. Gleichgültigkeit, das ist es, was ich brauche. In der Kälte eines englischen Winters würden die Menschen ihre Türen und Fenster schließen, und niemand würde sich darum kümmern, ob ich liebte oder meine Liebe verlor oder überhaupt noch am Leben war. Darin läge ein großer Trost, Ma, der Trost, den ich am nötigsten brauchte.

Am siebenundzwanzigsten September strahlte die Sonne von einem leuchtend blauen Himmel. Dies war definitiv das Ende der Monsunzeit, und das Wetter wäre eigentlich für den Tag, an dem ich ein neues Leben begann, genau passend gewesen. Das Wetter für einen neuen Anfang, ein Leben in England, von dem ich lange geträumt hatte und in dem alles perfekt war. In dem Riya und ich uns ein kleines Apartment nahmen, in dem eine Menge Spielzeug und zerknautschte Kissen herumlagen. In einem Land, wo ich sie morgens an einer hübschen Schule mit einem speziellen Hydrotherapie-Schwimmbecken absetzen und dann zu meinen Vorlesungen gehen würde. Aber jemand hatte eine Schere genommen und Riya aus diesen wunderbaren Bildern einfach herausgeschnitten. Alles war da, die fröhlichen Spielkameraden, die sie haben würde, die freundliche, aber auch sehr durchsetzungsfähige Lehrerin, die hübsche junge Aufsichtsperson, das Hydrotherapie-Schwimmbecken, in dem die Kinder fröhlich herumplantschten. Aber Riya, die kleine Riya mit dem Wuschelkopf, die mit ihren orthopädischen Schuhen durch die Gegend stampfte, war nicht mehr da. Mit dem Verschwinden dieser schrecklichen schwarzen Schuhe, die ich so sehr hasste, war plötzlich Stille in mein Leben eingekehrt. In jedem Leben, das ich jemals wieder leben würde,

würde diese traurige Stille mich begleiten. Überallhin. Wie viele Leben würde es brauchen, um die Erinnerung an diese schreckliche, schleichende, gähnende Stille zu löschen?

Ich verabschiedete mich von meiner Mutter, beugte mich hinab, um Ammummas Füße zu berühren, drängte mich durch die Menschenmengen am Flughafen, stellte mich an verschiedenen Schaltern in die Warteschlange, checkte mein Gepäck ein und bestieg schließlich das Flugzeug. Ich tat alles, worauf ich mich so lange gefreut hatte, aber wo war jetzt die Freude, die dies alles eigentlich hätte begleiten sollen? Ich wusste nicht, ob die Tatsache, dass ich Indien verließ, auch bedeutete, dass ich Riya niemals wieder sehen würde. War ich die Einzige, der ein solches Schicksal aufgebürdet war, oder brachten alle Menschen die Hälfte ihres Lebens damit zu, irgendjemand oder irgendetwas Kostbares zurückzulassen? War ich die Einzige, oder machten wir alle Versprechungen, die wir nicht halten konnten, selbst wenn sich uns noch so wunderbare Chancen eröffneten? Ma sagte, es sei am besten, Riya nicht noch einmal anzurufen, da wir nicht wussten, was Suresh täte, wenn er erfuhr, dass ich Indien tatsächlich verließ. Steig einfach ins Flugzeug, sagte sie, wir werden sehen, was wir tun können, um sie zurückzubekommen. Selbst Ma hatte mittlerweile begriffen, dass es mir auf der anderen Seite der Welt besser ginge, weit entfernt von der Liebe einer Mutter, die jedoch nicht die Kraft hatte, mich zu beschützen. Und weit entfernt von dem kleinen Mädchen, das ich vor ein paar Jahren geboren hatte. Damals hatte ich mich verpflichtet, es, solange ich lebte, zu lieben und zu beschützen.

Das Flugzeug hob ab und gewann rasch an Höhe, und ich verabschiedete mich mit einem Blick aus dem Fenster vom

Land meiner Vorfahren. Palmwedel winkten mir ihren Abschiedsgruß zu, und das Meer glänzte und funkelte, als wollte es mir alles Glück der Welt wünschen. Es konnte keinen Zorn mehr geben gegen eine Tochter, die mit so viel Trauer im Herzen das Land verließ. Indien wusste, dass es nur der Melodie eines halb vergessenen Wiegenlieds bedurfte oder eines Hauchs würziger Seeluft, um die Liebe zu ihm wieder aufleben zu lassen. Bindungen, die geschaffen werden, noch bevor ein Kind den ersten Atemzug tut, können durch eine Distanz von ein paar tausend Meilen nicht aufgelöst werden, vor allem nicht, wenn noch alte Versprechen darauf warten, erfüllt zu werden.

War es der wässrige Rhythmus des Ruders gegen die Flanke des Bootes, war es das Flüstern der Palmen oder war es der sanfte Strich der Hand eines Ahnen, die an jenem Tag das Weinen eines Kindes besänftigt hatten? Würden sie jetzt die Tränen auf dem Gesicht meines Kindes trocknen? Und ihm versprechen, dass ich eines Tages zurückkäme?

Dritter Teil

16

Terminal vier des Flughafens Heathrow war zehnmal größer als der Flughafen Cochin. Es roch nach Kaffee und Parfüm – edle Düfte einer anderen Welt, Tausende von Meilen entfernt von dem salzigen, fischigen Meeresgeruch des Flughafens in Cochin. Ich hatte zuvor nur ein einziges Mal so viele weiße Gesichter auf einmal gesehen: die Gesichter der Männer, die damals bei der Parade des ›Republic Day‹ in Delhi in der Loge der Militärattachés gesessen hatten. Damals faszinierte mich das Englisch, das sie sprachen, jeder schien einen anderen Akzent zu haben, und die Größe der Schokoladentafeln, die sie aßen. Die Cadbury-Tafeln schienen mir erheblich größer zu sein, massiger und von einem glänzenderen Rotbraun als die abgemagerten, schmelzenden Versionen, die wir in Mota Kakas Laden kauften. Auch ihre Kinder waren größer und kräftiger und sahen aus wie meine Puppensammlung, blond und blauäugig und wunderschön. Tagelang hatte ich geschmollt, weil ich unbedingt ebenfalls blond und schön sein wollte. Und jetzt war ich hier, ein Gesicht in einem Meer weißer Gesichter, *ich* die Ausländerin, und plötzlich entdeckte ich meine Insel, Arjun. Am Treffpunkt der Fluggäste der British Airways, so, wie wir es ausgemacht hatten.

Ich hatte ihn vom Flughafen Madras aus angerufen,

nachdem ich kurz mit mir gerungen hatte, ob ich ihm die Sorgen und Schwierigkeiten meines Lebens ersparen sollte, indem ich einfach ins Blaue hinein verschwand. Er würde noch ein paar Monate auf mich warten, mich dann aufgeben und mit seinem Leben weitermachen, sagte ich mir. So wie er es schon einmal getan hatte. So schlimm sei es eigentlich gar nicht gewesen, würde er viele Jahre später einer Freundin (oder Ehefrau) erzählen. Als ich ihn nach ein paar Minuten dann doch anrief, wusste ich nicht, ob ich es tat, weil ich es ihm versprochen hatte, oder weil ich es mir selbst so verzweifelt wünschte. Seine Stimme klang blechern und wie aus weiter Ferne, aber glücklich. Sehr glücklich. Das Loch, das Riya in meinem Herzen zurückgelassen hatte, füllte sich ein wenig.

Er sah mich erst, als ich nur noch ein paar Schritte von ihm entfernt war. Er ließ die Zeitung, in der er las, fallen, packte mich, hob mich in die Luft und drehte mich im Kreis herum. Er sagte etwas, was ich nicht verstehen konnte, wegen des Tumults in meinem Kopf, und weil Terminal vier wie toll um mich herumwirbelte. Lächelnde Gesichter, blonde, schöne Kinder, mit Gepäck beladene Wagen, Cafés, die Croissants und Muffins verkauften …, alles reihte sich aneinander und tanzte um uns herum. Es fühlte sich verrückt und wundervoll an, wie der erste Tag, an dem man sich in einen Menschen verliebt. Aber ganz so war es nicht, auch, wenn ich es mir noch so sehr wünschte. Arjuns Glück war ungetrübt, er wusste noch nichts von den Schwierigkeiten und Kümmernissen, die hinter mir lagen, von dem Preis, den ich hatte zahlen müssen, und, was am schlimmsten war, von dem Loch, das Riya in mein Herz gerissen hatte. Aber in der Unschuld dieses beglückenden Wiedersehens konnte ich all das Schlimme vielleicht ebenfalls vergessen. Wenigstens jetzt, in diesen Sekunden, ein paar wunderbare Augenblicke lang. Wir verließen das Gebäude und zogen meinen Koffer voller alter Kleidung hinter uns her, zwei Liebende, die sich endlich wieder gefunden hatten. Und eine Spur der Zerstörung hinter sich ließen.

Er besaß ein rotes Auto. »Das ist ein *Scirocco*, kein rotes Auto«, sagte er, gekränkt, da ich seinen guten Geschmack, was Autos betraf, offenbar nicht zu würdigen wusste. Wir stiegen ein und fuhren auf eine stark befahrene Autobahn. Hier gibt es keine weißen Limousinen, dachte ich. Ich schaute durch das Fenster auf einen welligen, samtgrünen Teppich, auf dem wie zur Dekoration wollige, weiße Schafe standen. Ich war in England, und Arjun saß neben mir, in einem Scirocco! War ich zufällig in einen meiner Träume gestolpert? Ich wagte es nicht, den Kopf nach hinten zu drehen, um nachzuschauen, ob ein kleines Mädchen in einem rosafarbenen Nylonkleidchen auf dem Rücksitz saß, dessen Kopf im Schlaf hin und her pendelte. Würde ich plötzlich aufwachen, nur um festzustellen, dass ich noch immer in Kerala war, noch immer meine kindlichen Träume träumte? Wie viel Uhr ist es – zehn plus viereinhalb, halb drei also, am Samstagnachmittag. Riya hält jetzt gewiss ihren Mittagsschlaf. Wussten sie, dass sie es mochte, wenn man sanft auf ihren kleinen, nach oben gewandten Popo klopfte, damit sie leichter einschlief? Für den Augenblick vermochte ich nicht einmal Arjun von den Ereignissen zu erzählen, die mich von meinem Kind getrennt hatten. »Sie kommt wahrscheinlich am Ende des zweiten Semesters nach«, hatte ich am Flughafen auf Arjuns Frage gemurmelt. Er hatte mir darauf einen verwunderten Blick zugeworfen, aber wahrscheinlich den stummen Schmerz in meinen Augen wahrgenommen und keine weiteren Fragen gestellt.

Ich war erstaunt und verwundert, wie geschickt Arjun seinen Wagen durch den Verkehr lenkte. Rechts blinken – die Spur wechseln – überholen – links blinken – wieder zurück auf die alte Spur. Es verlief alles geradezu beängstigend geordnet, und ich hörte kein einziges Mal ein Hupen! »Es ist wie ein Tanz«, sagte ich zu Arjun, »all diese kleinen Autos, die graziös umeinander herumfahren, darauf achten, dass sie sich nicht gegenseitig auf die Zehen treten.«

Er lachte. »Ich bin froh, dass dir die Autobahn gefällt, denn bevor wir ankommen, muss ich dich erst mal warnen.«

»Mich warnen?«

»Tja, was Milton Keynes angeht; du musst dich darauf einstellen, dass es ganz und gar nicht typisch für England ist.« Während wir weiterfuhren, erzählte er mir mehr über diesen seltsamen Ort. Milton Keynes hatte weder mit John Milton noch mit John Maynard Keynes etwas zu tun. Es war benannt nach dem winzigen Dorf, das ursprünglich diesen Namen trug, und hatte sich erst vor etwa fünfzehn Jahren zu einer modernen Stadt entwickelt. Farmen und Felder waren von schicken neuen Büros und Häusern verdrängt worden, das Ganze sei ein Kunstprodukt der Stadtplaner (und im Rest Englands außerordentlich unbeliebt), erzählte Arjun, während er unter einem leuchtend blauen Hinweisschild von der Autobahn abfuhr. Goodbye, ihr kleinen Autos, dachte ich, danke für den Tanz.

Arjun hatte Recht: Milton Keynes hatte *definitiv* nichts Englisches. Nicht die geringste Ähnlichkeit mit den Bildern von Grün und Nässe, die ich mir in den heißen, schlaflosen Nächten Keralas angeschaut hatte. Keine gewundenen, von Hecken gesäumten Landstraßen, keine hübsche kleine Kirche und kein pausbäckiger Pfarrer. Sondern die langen Straßen gesäumt von Bäumen, deren Laub in Farben leuchtete, die mich an die Sarishops in Delhi erinnerten. Hunderte verschiedener Orange- und Goldtöne. Wir fuhren an einigen glänzenden Gebäuden und einem großen blauen See vorbei, auf den jemand zwei weiße Segelboote gemalt hatte. Es war alles nagelneu und blitzsauber und sah eher aus wie Phoenix, Arizona. Riesige Bürogebäude und gelegentlich ein Auto glitten an uns vorbei, bevor ich mich erschocken Arjun zuwandte: »Gibt es denn in Milton Keynes keine *Menschen*?«

Er lachte. »Wir ziehen es vor, wenn man sie nicht sehen kann. Um zehn Uhr morgens treiben wir die Bewohner der Stadt zusammen, öffnen die Tore zur Einkaufsstraße und schieben sie dann alle dort hinein.«

»So viel Platz!« Ich dachte an Kerala, in dem es von Menschen wimmelte. »Man könnte in Kerala keine zehn Sekunden fahren, ohne einem Kind auszuweichen oder einem Huhn oder etwas anderem. Im Vergleich zu dieser – dieser *Ruhe* eine völlig verrückte Welt.«

»Fehlt es dir? Kerala? Kommt dir das alles hier völlig fremd vor?«

»Ich glaube, die Stille hier wird meiner Seele gut tun, Arjun.« Fehlte mir Kerala, wo die Menschen am Steuer ihres Autos ständig den Daumen auf der Hupe hielten? Und wo jeder mehr Interesse für das Leben seines Nachbarn als für sein eigenes aufzubringen schien? Kerala war in meinem Blut, war Teil meiner Persönlichkeit, und jetzt war es die Mutter meines Kindes. Ich würde Kerala immer vermissen, so sehr ich es auch manchmal gehasst hatte.

»Was die Häuser hier angeht, muss ich dich ebenfalls warnen, Janu. Bitte erschrick nicht allzu sehr, aber du wirst zu Anfang das Gefühl haben, alles um dich herum könnte jede Minute einstürzen. Die Häuser sind alle aus Holz und billigen Fertigbauteilen, nicht aus soliden Steinen und Granit, wie die Gebäude in Indien. Und die Zimmer sind sehr viel kleiner als die Räume mit den hohen Decken, an die du gewöhnt bist. Als mein Wohnungsnachbar, der aus einer ländlichen Gegend kommt, einzog, war sein Doppelbett für die Eingangstür zu breit. Als ich eines Tages von der Arbeit kam, fand ich ihn, auf seinem Bett sitzend, im Garten vor, wo er verzweifelt mit seinem Handy herumtelefonierte, um das Ding zu verkaufen!«

Wir näherten uns einem kleinen Haus mit einem Satteldach und einem Vorgarten, der aus einer winzigen Rasenfläche bestand. Dies war das Puppenhaus, nach dem ich mich meine ganze Kindheit lang gesehnt hatte. Und die meiste Zeit meines Erwachsenenlebens. Das ganz allein mir gehörte und mit dem ich nach Herzenslust spielen konnte. Wir selbst wären die Puppen (wenn auch nicht blond und blauäugig). Als ich aus dem Wagen stieg, fragte ich mich, ob ich jetzt endlich an dem Ort angekommen war, nach dem ich mich immer gesehnt hatte. Hier würde es niemanden geben, der mir sagte, wie ich das Gemüse schneiden und meine Bluse aufhängen sollte. Dies würde mein Zuhause werden. Der Chor Minar meines Erwachsenenlebens, wo das Spiel zur Wirklichkeit wurde. Hier wollte ich noch einmal das Spiel spielen, dass Arjun und ich ein Ehepaar wären und uns nie mehr zu trennen brauchten. Wie damals, vor langer Zeit, war es wichtig, sich darauf zu konzentrieren, dass wir das Geschenk einer wunderbaren Gegenwart in unseren Händen hielten, selbst wenn man uns der Vergangenheit oder einer Zukunft beraubt hatte. Es war am besten, nicht allzu weit in die Zukunft zu schauen.

Später an diesem Abend erzählte ich Arjun von den Ereignissen der letzten Monate und spürte, wie das, was mich bekümmert und verletzt hatte, auch ihn zutiefst berührte. Ich erzählte ihm auch von Sureshs Drohungen und fragte ihn, ob wir nicht besser umziehen sollten, aber er lachte über meinen Vorschlag mit der Sorglosigkeit eines Menschen, der niemals mit wirklichem Hass konfrontiert war. Er sah so glücklich aus; ich brachte es nicht übers Herz, ihm zu sagen, dass ich, falls Suresh Riya nicht bis zum Ende des Jahres zu meiner Mutter zurückbrachte, nach Indien zurück musste, um mir das Sorgerecht zu erkämpfen. Selbst wenn das bedeutete, dass uns die Chance auf ein gemeinsames Leben ein zweites Mal entging.

In jener Nacht liebten wir uns mit der süßen, suchenden Neugier eines Paares, das sich zum ersten Mal in den Armen liegt. Plötzlich hatten wir unendlich viel Zeit! Hier gab es keine Chor Minars, die man hastig verlassen musste, wenn die Fledermäuse bei Sonnenuntergang zu flattern begannen. Und keine tyrannischen Expresszüge, die es uns ermöglichten, uns zu begegnen, nur um uns am Morgen wieder voneinander trennen zu müssen. Zeit und Nächte, die wir gemeinsam verbringen konnten, waren ein Luxus, den wir nie zuvor genossen hatten, und der Mond schien auf eine Welt voller Geheimnisse zu scheinen. Später, als wir, warm und schlaftrunken, eng umschlungen auf dem Bett lagen, schaute ich zu den Sternen hinauf und betete, die Göttin, die all dies für mich träumte, möge für immer weiterschlafen.

Twinkle – twinkle – stars of light – lovers laughing in the night.

Devi, o Göttin, die du so hell strahlst wie ein Stern, beschütze uns.

Danke, Devi, strahlende Göttin, danke für diese wunderbare Nacht …

Der Abend war windstill und heiß gewesen, aber jetzt, da der Himmel sich verdunkelte (und das war noch ein weiteres Wunder – um neun Uhr brach die Nacht herein!), konnte ich fühlen, wie eine kühle Brise vom nahe gelegenen See in unser winziges Schlafzimmer wehte. In ein, zwei Stunden wird es kalt werden, dachte ich. Ich zog die Decke, die am Fußende des Bettes lag, zu mir hoch und deckte Arjun und mich sorgfältig damit zu.

In der folgenden Woche fuhren wir nach London, um das Zimmer in Besitz zu nehmen, das man mir im Studentenheim zugewiesen hatte. Ich hatte an die Universität geschrieben und um eine normale Studentenunterkunft gebeten. (»Meine Tochter wird mich zunächst noch nicht begleiten.« Wie leicht es gewesen war, diese Mitteilung auf ein Blatt Papier zu schreiben.)

London ähnelte eher als Milton Keynes dem England, das ich aufgrund der Broschüren, die mir von der Universität zugesandt worden waren, erwartet hatte – hohe Gebäude und Doppeldeckerbusse und geschäftig klappernde Absätze auf hartem Pflaster. Das Institut, an dem ich studieren würde, war ein Komplex aus schwarzem Glas, hinter dem sich seine riesigen Vorräte an Wissen verbargen. Nur einen kurzen Fußweg entfernt lag das Studentenheim, ein hübsches weißes Gebäude im Herzen Bloomsburys, mit Blumenkästen, in denen rote Geranien prangten. Ich musste daran denken, wie sehr Ammumma sich erfolglos bemüht hatte, rote Geranien anzupflanzen, viele Jahre lang! Ihre kämpften sich jedes Jahr durch die sandige Erde Alleppeys ans Licht der Sonne, wurden gehegt, gepflegt und mit den teuersten Mitteln gedüngt, bevor sie nach kurzer Zeit unweigerlich verkümmerten. »Das nächste Mal, wenn ich hier bin, mache ich ein Foto von dir vor diesen Geranien, das kannst du ihr dann schicken«, sagte Arjun lächelnd, während er meinen Koffer aus dem Wagen zog. Nachdem wir meine Schlüssel von einem geschwätzigen italienischen Verwalter abgeholt hatten, stiegen wir zwei Etagen hinauf und erreichten Zimmer Nr. 108.

»Voilà!«, sagte Arjun und stieß die Tür auf.

»Wenn sie sagen ›für eine Person‹, dann heißt das anscheinend, dass man sich in dem Zimmer kaum bewegen kann. Das ist ja so eng wie ein Handschuh!« Das Zimmer war tatsächlich winzig, aber funktional, meine kleine Welt während des Jahres, das vor mir lag, und es gefiel mir spontan. »Ich packe später aus, wenn du weg bist. Jetzt möchte ich mir erst mal London anschauen.«

Die U-Bahn Station »Euston« lag jenseits einer Straße, die so dicht befahren war, dass es, wie mir schien, Ewigkeiten dauern würde, sie zu überqueren. »Lass uns lieber da oben rübergehen, wo die Ampel ist«, sagte Arjun.

Euston Station war ungefähr so groß wie der Bahnhof von New Delhi, nur hatte sich niemand die Mühe gemacht, irgendwelches Gepäck mitzunehmen. Nur Aktenmappen, Handtaschen und Zeitungen ... Die Engländer schienen zu wissen, wie man ohne Koffer und Taschen reiste – das musste ihnen sehr zugute gekommen sein, als sie auszogen, um die Welt zu erobern. Keine Gepäckträger und kein Streit. Ein großartiges System, dachte ich. Rolltreppen nahmen die Menschen auf und trugen sie auf die Bahnsteige hinunter ... was würden unsere armen Dienstmänner in Indien, die sich unter riesigen Bergen von Gepäck voranquälten, von solchen Zaubertreppen halten, die einem alle Mühe ersparten? Nachdem Arjun und ich zweimal die Rolltreppen hinauf- und hinuntergefahren waren, hatte ich das Gefühl, die Kunst zu meistern, sie betreten – und wieder verlassen zu können, ohne einen riesigen Satz machen zu müssen. »Ich lerne rasch«, sagte ich zu Arjun, der mich amüsiert anlächelte, änderte aber meine Meinung, als ich die Karte sah, an der man die U-Bahn-Verbindungen ablesen konnte.

Es gab eine Menge zu lernen für mich, und ich hätte mir keinen freundlicheren, engagierteren Lehrer wünschen können. Dessen Wissen jedoch auch nicht perfekt war, wie ich später an jenem Nachmittag feststellte.

»Schau mal, da drüben ist St. Paul's.« Arjun zeigte nach rechts, während wir über eine sonnenbeschienene Brücke gingen.

Ich betrachtete das lang gezogene, majestätische Gebäude, das sich wie ein schönes, aus altem Gold geschmiedetes Armband am Rande des Flusses entlangzog. Ich hatte dieses Gebäude schon hundertmal gesehen, damals, als ich als Kind meine Nase gegen die Glasscheibe von Ammummas Vitrine drückte und mit offenem Mund all die kostbaren Besitztümer bewunderte, die ich auf keinen Fall berühren durfte. Und da war es nun, genau dasselbe Bild wie auf dem Porzellanteller, den Ammumma als Schulmädchen gewonnen hatte, als sie beim Eierlaufen als Erste das Ziel erreichte.

»Aber das ist doch *Westminster*, oder?«

»Ach, tatsächlich? Tja, du könntest Recht haben. Mensch, eine richtige Bildungslücke! Genau das meine ich, wenn ich sage, dass ich nicht häufig genug nach London komme …«

Ich versetzte Arjun mit meiner zusammengerollten Zeitung einen leichten Schlag ins Gesicht. »Den ganzen Morgen über habe ich deine Perlen der Weisheit in mich aufgenommen; wie viele andere *Golis* du mir wohl heute noch untergejubelt hast?«

»Ach, halt die Klappe«, sagte er grinsend und verschloss mir den Mund mit einem schmatzenden Kuss. Wir küssten uns noch einmal, diesmal sanfter, gegen das Geländer der Brücke gelehnt. Neben uns rauschte der Verkehr vorbei, und unter uns hörten wir das fröhliche Tuckern und Tuten der Boote. Was für eine seltsame Welt, dachte ich, niemand kümmert sich darum, dass wir uns an einem öffentlichen Ort küssen … Was für eine fantastische, wunderbare Welt, wo man die Menschen das tun lässt, was sie wollen!

In Arjuns Gegenwart fiel es mir leicht, die Vergangenheit zu vergessen, die so sehr von Schmerz geprägt war. Das Gestern schien eine Ewigkeit entfernt zu sein. Aber in dem Gesicht jedes Kindes, an dem wir auf der Straße vorbeikamen, erkannte ich Riya. Dieses Bild ließ sich nicht verdrängen, tauchte ständig in meinem Bewusstsein auf, wie Arjuns Gesicht in den ersten Jahren meiner Ehe mit Suresh. Und jetzt war er hier, bei mir. Aber Riya fehlte. Es gab offenbar jemanden, der dafür sorgte, dass meine Freuden mir immer nur in ordentlich verschnürten Paketen zugeteilt wurden, nicht zu groß und nicht zu klein. Um zu verhindern, dass ich vor lauter Glück die Waterloo Bridge hinuntersprang.

An jenem Wochenende ließen wir keine Mahlzeit aus. Wir schlenderten durch die Straßen und hielten nach den Speisen verschiedener Nationalitäten Ausschau. Chinesisch, japanisch, libanesisch … »Weißt du, Arjun, eigentlich sollten wir zu den Mahlzeiten wieder ins Studentenheim zurückgehen. Schließlich hab ich im Voraus dafür bezahlt!«

»Wenn ich es irgendwie vermeiden kann, werde ich in meinem ganzen Leben nie wieder Mensaessen anrühren«, erwiderte er zornig.

»Wieso? Das ist doch völlig in Ordnung«, sagte ich, »außer dass man hier zum Frühstück *Fisch* isst. Igitt!«

»Du redest wie ein Mädchen, das in Kerala aufgewachsen ist.«

»Jeder Bewohner Keralas, der einigermaßen bei Verstand ist, wird dir sagen, dass man Fisch natürlich zu *jeder* Mahlzeit essen kann, außer zum Frühstück.«

Bei dem Gedanken an das Mensaessen und zwei Nächte in meinem winzigen Zimmer entschieden wir, es wäre vernünftiger, unsere Wochenenden in Milton Keynes zu verbringen. Ich ließ mir von Arjun genaue Anweisungen geben, welchen Zug ich am nächsten Wochenende von Euston aus nehmen musste. Aber jetzt war es Montagmorgen, und der Augenblick war gekommen, in dem Arjun mich allein lassen musste. »Ich wünschte, es wäre nicht so, aber es wartet ein Haufen Arbeit auf mich, und vermutlich wirst du am schnellsten lernen, dich zurechtzufinden, wenn du auf dich selbst gestellt bist«, sagte er, aber sein Vertrauen in meine Fähigkeit, allein zurechtzukommen, schien nicht allzu groß.

»Mach dir keine Sorgen, Arjun.« Ich nahm seine Hand, während wir zum Wagen gingen. »Dies hier könnte Arizona sein, und es hätte sein können, dass ich dich nie wieder gesehen hätte, und wer hätte sich dann um mich gekümmert? Du wirst sehen, ich werde es auch ohne dich ganz gut schaffen.«

Aber es gab da etwas, das er mir unbedingt noch mitteilen wollte. »Rassismus«, sagte er, während er in den Wagen stieg und sich aus dem Fenster lehnte. »Wenn du dich in irgendeiner Weise bedroht fühlst, geh einfach auf die andere Straßenseite. Reagier einfach nicht. Auch wenn du noch so wütend bist.«

Ich lächelte ihn an. Er hat sich nicht allzu sehr verändert, dachte ich. Er ist noch genauso fürsorglich wie früher, macht sich noch immer mehr Gedanken über mich als ich selbst. Ich streckte die Hand aus und zerzauste sein Haar. Dicht und braun wie früher, aber jetzt mit feinen grauen Strähnen!

»Und die andere Art von Rassismus – sehr viel bösartiger. Wenn jemand versucht, dich mit Eiseskälte zu behandeln. Du weißt, diese Leute an der Rezeption oder manche Verkäuferinnen in eleganten Boutiquen, die so tun, als könnten sie nicht verstehen, was du sagst. Oder die plötzlich anfangen, ganz langsam zu reden, auch wenn du noch so gut Englisch sprichst. Du darfst es *niemals* zulassen, dass sie dich klein machen. Ich verrat dir mal einen Trick: Stell sie dir einfach vor, wie sie auf der Toilette sitzen. Das hilft gewöhnlich.«

Ich lachte. »Ich kann es nicht erwarten, das auszuprobieren. Aber mach dir nicht so viele Sorgen, mein Liebling, sonst hätte ich auch für dich noch ein paar Ratschläge parat ... Fahr *langsam* ... Iss jeden Tag dein *Frühstück* ... Spiel *nicht* zu viel Kricket, das schädigt auf Dauer die Knochen ...« Ich redete noch immer, als er davon fuhr, viel zu schnell, wie ich fand.

Zum ersten Mal in meinem Leben war ich ganz allein. Aber seltsamerweise hatte ich mich niemals *weniger* allein gefühlt. Ich rannte die Stufen des Wohnheims hinauf und rief dem verwirrten Verwalter ein fröhliches ›Hallo‹ zu. Heute war der Tag, an dem ein Einführungsvortrag für die neuen Studenten gehalten wurde, und ich gesellte mich zu den anderen ausländischen Studenten, die für dieses Jahr aus so vielen weit entfernten Ländern nach London gekommen waren.

Wir gingen in einen Vortragssaal. Schweigen verbreitete sich im Raum, als der Präsident der Universität und eine Repräsentantin des staatlichen Gesundheitsdienstes zu sprechen begannen. Zu meinem Schrecken war einer der ersten Tagesordnungspunkte das Thema Empfängnisverhütung. Ein Thema, über das man daheim in Indien nur im Flüsterton redete, wurde plötzlich vor einer Gruppe männlicher und weiblicher Studenten erörtert, und ich hoffte, es gelang auch mir, einigermaßen gelassen zu wirken. Man riet uns, uns so bald wie möglich an die für uns zuständigen Berater zu wenden, um uns von ihnen über die Antibabypille beraten zu lassen, wenn wir sie brauchten. Die Großzügigkeit des staatlichen Gesundheitswesens schien grenzenlos: Als Nächstes wurden Sparpackungen mit Kondomen verteilt. Das nächste Geschenk, das man uns zukommen ließ, war ein kleines, unscheinbares Objekt, das wie ein Lippenstift geformt war. Dies, so sagte man uns mit beruhigender Stimme, sei ein *Screamer*, und wir sollten ihn benutzen, falls wir von einem Fremden belästigt würden. Die Vorstellung eines Fremden tauchte in meiner Fantasie auf, der sich mir mit unzweideutigen Absichten näherte und dann höflich wartete, während ich in meiner Handtasche wühlte, um meinen Screamer herauszufischen. Die Frau vom staatlichen Gesundheitsdienst stand erneut auf. Anscheinend hatte sie einen wichtigen Punkt vergessen. Mit freundlicher, aber fester Stimme informierte sie uns, dass wir zwar einen Anspruch auf sämtliche Leistungen des nationalen Gesundheitsdienstes hätten, dass die Behandlung von Augen und Zähnen jedoch nicht kostenlos sei. Sie wiederholte diese Aussage, diesmal gaaa-nz langsam, wie Arjun vorher gesagt hatte. Für die medizinische Behandlung von Augen und Zähnen müssten wir selbst aufkommen. Oder Brillen und Karies würden einfach warten müssen, bis wir wieder zu Hause waren. »Jetzt kommt der lustige Teil«, sagte die junge Japanerin, die neben mir saß. »Informationen über Theater, Nachtclubs und Touristenattraktionen. Ich hab vor vier Jahren hier studiert und mir sämtliche Shows im West End angesehen«, flüsterte sie mir mit einem verschmitzten Lächeln ins Ohr. »Diesmal bin ich hergekommen, um mir ›Blood Brothers‹ und ›Miss Saigon‹ anzuschauen.«

Ich lächelte zurück, sagte aber nicht, dass wir uns die vielfältigen Attraktionen des West End doch auch gemeinsam anschauen könnten. Ich wollte alle meine Wochenenden mit Arjun in Milton Keynes verbringen. Dort, in dieser lustigen kleinen Spielzeugstadt, wo sogar die Seen und die Bäume in bunten Farben gemalt waren, stand ein kleines Puppenhaus mit einem blauen Dach und Wänden aus Spanplatten – das würde mein Zuhause werden. Nicht für *immer*, natürlich, aber das war ein Wort, das seit meiner Kindheit keine Geltung mehr hatte.

Der Kursus, der am folgenden Tag begann, würde schwieriger werden als erwartet, das wurde mir sehr bald klar. Wörter und Abkürzungen schwirrten um mich herum, die keine Bedeutung für mich hatten – Stage 1 … EPs … OTs … ADDs … Ich schien in eine Art Unterwelt geraten zu sein, die ausschließlich von müde aussehenden Lehrern bevölkert war, die alle eine Geheimsprache aus einer Unzahl von Buchstabenwörtern sprachen. Die meisten der englischen Studenten schienen Lehrer zu sein, die sich durch das Studium beruflich verbessern wollten. Das Durchschnittsalter lag bei ungefähr vierzig, sodass sich Studenten und Tutoren kaum unterschieden. So ganz anders als die arme Schwester Seraphia, die Autorität ausstrahlte und ein so strenges Regiment geführt hatte. Als Betreuer wurde mir ein Professor Bailey zugewiesen, der jeden Morgen mit einem fröhlich hinter ihm her flatternden Schal auf seinem Fahrrad in den von Gebäuden umschlossenen eckigen Hof der Tutoren Einzug hielt. Sein Haar hatte die Farbe von frisch gefallenem Schnee. Das Beste von allem war, dass ich, mit einer Geschwindigkeit, die meinen Erfolg beim Lernen der Fachausdrücke bei weitem übertraf, lernte, wieder Freundschaften zu schließen. Ailish, eine Irin mit einem warmherzigen Lächeln, und Susan, eine Lehrerin aus dem nördlichen Teil Londons, hatten sich in der Kaffeepause in der Studentencafeteria zu mir gesetzt, um mit mir zu plaudern. Anfänglich ein wenig besorgt, alle Englander sprächen ein von Ironie gefärbtes, mir kaum verständliches Englisch, äußerte ich mich zunächst nur vorsichtig und hoffte, die Musik würde alle meine Fehler übertönen. Nachdem wir noch zwei weitere Male bei einer Tasse Kaffee miteinander geplaudert hatten, hatte ich das deutliche Gefühl, sie waren an dem, was ich zu sagen hatte, wirklich interessiert, und entspannte mich.

»Du hast doch hoffentlich nicht ernsthaft angenommen, dass wir uns alle schrecklich geziert und vornehm ausdrücken, oder?« Susan war überrascht, aber glücklicherweise auch ein wenig geschmeichelt.

Ich lachte und gestand ihr, ich sei eigentlich ein bisschen enttäuscht, aber ich konnte fühlen, wie die Jahre der Isolation und der Kälte wie eine schmelzende Eisschicht von meinem Herzen tropften. Dort, in Valapadu, hatte ich vergessen, dass es auf der Welt unzählige warmherzige und freundliche Menschen gab. An jenem Abend ging ich mit meinen beiden neuen Freundinnen zur Euston Station, um in einem kleinen indischen Restaurant in der Nähe ein paar südindische Gerichte zu probieren. Es hatte nicht lange gedauert, bis ich herausfand, dass das, was in eleganten englischen Restaurants serviert wurde, kaum etwas mit dem schwer verdaulichen Zeug zu tun hatte, das man uns im Studentenwohnheim vorsetzte. Während ich jetzt die weniger als mittelmäßigen Dosas und das Sambar gierig in mich hineinschlang, sehnte ich mich plötzlich nach den köstlichen Gerichten, die Ma immer für uns gekocht hatte. Die arme Ma, wie viel Kummer ich ihr bereitet hatte!

Stolz erklärte ich Ailish und Susan, wie Dosas eigentlich schmecken sollten, und, in einem plötzlichen Anfall von Großzügigkeit, bot ich ihnen an, ihnen zu zeigen, wie man richtiges Gemüsecurry zubereitet. Wir beschlossen, uns am folgenden Tag in Susan Finchleys Wohnung zu treffen; sie war augenblicklich die Einzige von uns, zu deren kleinem Apartment auch so etwas wie eine Küche gehörte. Bewaffnet mit den nötigen Masalas und einer Flasche Wein (»Das macht man in England so, du musst unbedingt eine Flasche Wein mitbringen«, hatte Arjun mir am Telefon gesagt), erklomm ich die vier Etagen zu Susans winziger Wohnung, die mir zunächst wie ein Dschungel aus Farnpflanzen erschien. In mancher Hinsicht eröffneten mir die Gespräche mit den beiden Frauen neue Welten, aber insgesamt teilten wir sehr ähnliche Gefühle und ähnliche Schicksale. Ailish war Single und trauerte noch immer einer Liebe nach, um derentwillen sie im Sommer aus Dublin geflohen war. Susan war vor fünf Jahren geschieden worden und schien entschlossen, diesen Status beizubehalten. Ich erzählte ihnen in groben Zügen von meiner eigenen Ehe, von Riya und von dem Loch in meinem Herzen, und ich wusste, dass ihr Interesse und ihre Warmherzigkeit nicht geheuchelt waren. Ich hätte auch in Kerala eine einfühlsame

Freundin finden können, aber ich war dort so unglücklich gewesen, dass ich vergaß, wie man Freundschaften schließt.

Fast schien es so, als könnte ich nur ermessen, wie schrecklich unglücklich ich in Kerala gewesen war, nachdem ich es hinter mir gelassen hatte. Ich betrachtete es als ein großes Glück, dass mein Leben augenblicklich keine größeren Herausforderungen für mich bereithielt als Abkürzungen und die Theorien Chomskys. Ich verlor sogar meine Angst vor Automaten, die zu Anfang ständig nur meine kostbaren Pennys zu verschlucken schienen, ohne mir dafür etwas zurückzugeben.

Aber es bekümmerte mich, dass angesichts dieses neuen, arbeitsreichen Lebens Riya in immer weitere Ferne zu rücken schien. Nur eine stumme Traurigkeit, die mich ständig begleitete, erinnerte mich an sie. Ich besaß keine neuen Fotos von ihr und fragte mich, wie sie inzwischen wohl aussah. Als ich Valapadu in meinem seltsamen Trancezustand verlassen hatte und in das psychiatrische Krankenhaus eingeliefert worden war, hatte ich das Wenige, das ich besaß, zurücklassen müssen. Später – nachdem er Riya zu sich genommen hatte – hatte Suresh zwei Blechkoffer mit meinen alten Kleidern und Schuhen und den sieben Halsketten, die Ma für mich aufgetrieben hatte, nach Alleppey geschickt. Als sei dies ein Versuch, sich endgültig von mir zu befreien, mich aus seinen Schränken und seinem Leben ein für alle Mal zu vertreiben. Aber unter all den traurigen Erinnerungsstücken an ein unvollständiges Leben war keines der Dinge, die ich wirklich brauchte und die mich ein wenig hätten trösten können. Keine Fotos, keine Erinnerungen an eine Ehe oder an ein gelegentliches, flüchtiges Glück.

Bevor ich nach England abreiste, hatte ich Mas Fotoalben durchgeblättert und ein paar alte Bilder gefunden, die jetzt am Pinboard in meinem Zimmer hingen. Riya – die mit schelmischem Blick vor Ammummas Hortensien posierte, deren Blüten fast so groß waren wie ihr Kopf. Riya mit einem struppigen Schnauzbart, als sie bei einer Schulaufführung einen der drei Weisen aus dem Morgenland spielte. Sie sah aus wie ein winziger wilder Sikh, unglücklich, dass man ihn in seinem Bademantel fotografiert hatte. An diese Erinnerungen klammerte ich mich in manchen Londoner Nächten, während der Wind an den Fensterscheiben rüttelte und das Lachen von Nachtschwärmern, die aus dem Pub zurückkehrten, durch die Nacht hallte.

Als sich schließlich der Winter in seiner ganzen grauen Melancholie über London senkte, begann ich mich dort heimisch zu fühlen, soweit dies in den großen, von Menschen wimmelnden Weltstädten überhaupt möglich ist. Als eine neue Gruppe von Studenten im Studentenheim eintraf, bemühte ich mich, einem jungen Mann namens Andhra Pradesh, der trotz eines schweren grauen sibirischen Mantels und Ohrenschützern erbärmlich zitterte, zu erklären, wie man sich in London am besten zurechtfindet. Die Untergrundbahn dürfte kein Problem sein, hörte ich mich sagen. Wenn Sie Zweifel haben, dann fragen Sie einfach, die Engländer sind normalerweise sehr hilfsbereit. Allerdings wusste ich natürlich genau, und auch Arjun hatte mich diesbezüglich gewarnt, dass die Welt nicht vollkommen war. Einmal hatte ein durchaus zivilisiert aussehender Mann eine Coladose in meine Richtung gekickt, und mir war mit Schrecken bewusst geworden, dass elegant gekleidete Menschen ebenfalls rassistisch sein können. Natürlich waren nicht alle Studenten so freundlich wie Ailish und Susan. Einige von ihnen schienen nicht den geringsten Wert darauf zu legen, mit mir zu reden, da sie es wahrscheinlich als Zeitverschwendung betrachteten, sich mit Leuten aus entfernten Gegenden der Welt zu unterhalten, die niemals verstehen würden, wie schwierig es ist, behinderte Kinder in städtischen Schulen zu unterrichten, zudem, da ihnen die Ausübung ihres Berufs jetzt durch ein neues Gesetz noch weiter erschwert wurde. Aber während ich am Institut meine Kurse absolvierte, fehlte mir ohnehin die Zeit, gesellschaftliche Kontakte zu pflegen, und an den Abenden war es im Studentenheim, wo afrikanische Musik durch die Wände drang, angenehm und warm. An dem Tag, an dem Maggie Thatcher gestürzt wurde, ging es dort besonders fröhlich zu; Studenten, die sich gerade in der Caféteria aufhielten, kletterten auf Kaffeehaustische, trampelten mit ihren Stiefeln darauf herum und johlten begeistert, als bedeute dieses Ereignis für die ganze Welt einen neuen und wunderbaren Anfang.

Gelegentlich rief ich in Alleppey an und hörte Mas entfernte Stimme über eine Welt reden, die, so schien es mir, kaum jemals existiert hatte. Riya sei, soweit sie wisse, gesund und munter. Man brachte sie wieder in Sheelas Schule, weil ihr Benehmen zu wünschen übrig ließ. Ma telefonierte manchmal mit Sureshs Mutter, aber Suresh selbst hatte kein einziges Mal mit ihr Kontakt aufgenommen. Mich selbst rief er zweimal an. Anrufe in Arjuns Haus, Sätze, unterbrochen von Tränen und Schluchzern, die mich zutiefst erschütterten. Damit fertig zu werden war weitaus schwieriger als mit Wut und Beschimpfungen. Er war noch immer nicht bereit, Riya in ein Flugzeug nach England zu setzen, damit sie dort die Sonderschule in Camden besuchen konnte, wo ich einen Platz für sie reserviert hatte. Stattdessen holte er sie ans Telefon. Sie sollte ein stummer kleiner Köder sein, dem allerdings die Worte fehlten, um mich zur Rückkehr zu überreden. Ihr tapferer Versuch, die Wörter ›Ba‹ und ›Come‹ hervorzubringen, war schon einmal ohne Erfolg geblieben. Kontinente und Meere und die fehlgeleitete Liebe eines Vaters würden uns auch in Zukunft trennen. Ich presste den Hörer mit zitternden Händen an mein Ohr und flehte sie wortlos an, ihrer tief traurigen Mutter zu verzeihen, dass sie ihr nicht helfen konnte.

In jenen Monaten legte Sureshs Bitterkeit, sein Gefühl, betrogen worden zu sein, einen grauen Schleier über das Leben, das Arjun und ich uns aufzubauen versuchten. Jedermann weiß, dass das Bemühen, sich ein Leben auf dem Fundament des Schmerzes eines anderen Menschen zu schaffen, letztlich zum Scheitern verurteilt ist. Dieser Schmerz ist ständig präsent wie ein böser Geist, der in den unerwartetsten Augenblicken auftaucht und ein fröhliches Fest mit einer einzigen Handbewegung zu ruinieren vermag. Suresh war noch immer verzweifelt und suchte noch immer unablässig nach einer Möglichkeit, das Glück, das ich in England gefunden hatte, zu zerstören. Und in der Tat machte er noch einen weiteren Versuch – am Weihnachtsabend.

Aber Arjun und ich verbrachten unsere Wochenenden miteinander und genossen das Glück, zusammen zu sein. Vermutlich war es, aufgrund der Umstände, ein nur sehr eingeschränktes Glück. Einmal zählte ich sie – zweiundvierzig Wochenenden von Freitagabend bis Sonntagnacht. All diese Wochenenden, plus jeweils eine Woche zu Weihnachten und zu Ostern, machten zusammen genau achtundneunzig Tage. Das war es, das wunderbare Geschenk, das uns zuteil wurde, achtundneunzig gemeinsame Tage, um all die verlorenen Jahre wettzumachen. Um uns eine Art Leben, eine Art Glück zu schaffen. Ein Leben, das man als

Segen oder als Fluch betrachten konnte, je nach dem Standpunkt, den man einnahm.

17

Normalerweise halten die Menschen einen Streit in einer Paarbeziehung nicht für etwas Wünschenswertes, aber als Arjun und ich uns dann doch einmal stritten, hatten wir den Eindruck, unser gemeinsames Leben würde auf köstliche Weise zur Normalität. Im Dezember hatten wir sowohl unsere erste kleine Auseinandersetzung als auch unseren ersten Streit. Und irgendwie beruhigte es mich, dass in unserer Beziehung nicht das gähnende Schweigen herrschte, das Suresh und mich immer mehr entfremdet hatte.

Wir waren an einem Samstag im Supermarkt »Sainsbury's«, um Lebensmittel einzukaufen, und ich wanderte zwischen den Regalen hin und her, wie immer fasziniert angesichts der ungeheuer großen Auswahl an Waren, die dort angeboten wurden. Arjun, der, ohne dass ich es wusste, irgendwo zwischen Milch und frischen Säften nach mir gesucht hatte, begann, als er mich endlich gefunden hatte, wütend zu schimpfen.

»Was zum Teufel machst du denn da? Ich habe überall nach dir gesucht ...«

Ich machte eine vage Handbewegung in Richtung des Regals, in dem Hunderte von Gläsern und Dosen mit Kaffee aufgereiht waren. »Ich glaube, wir haben keinen Kaffee mehr ...«

»Und wie lange dauert es, sich ein Glas Pulverkaffee zu nehmen? Hier, ich zeig's dir.« Er nahm ein Glas vom Regal und sagte, auf seine Uhr schauend, mit sarkastischer Stimme: »Hmmm – drei Sekunden ... Weißt du, was, du scheinst ein ganz besonderes Talent zu haben, die Dinge ständig vor dir her zu schieben.«

Ich war zutiefst verletzt, weil ich wusste, dass er auf die Jahre anspielte, die ich gebraucht hatte, bis ich Kerala endlich den Rücken kehrte. »Woher sollte ich wissen, welche Sorte du am liebsten magst?«, zischte ich wütend, mich dabei auf das unmittelbar anliegende Problem beschränkend, um nicht auch noch das andere zur Sprache bringen zu müssen. Jedenfalls nicht mitten in einem Supermarkt. »Du tust so, als wäre das alles so einfach, ›Geh mal und hol ein bisschen Kaffee ...‹, aber wenn du nicht aufpasst, kannst du hier in Kaffee *ertrinken* – mit Koffein, ohne Koffein, Kaffee aus Kolumbien, aus Kenia, Blue Mountain, Pulver, Bohnen ...« Je mehr ich redete, desto stärker fühlte ich mich. »In Indien sagst du ›Kaffee‹, und der Besitzer des Ladens bringt dir das Glas mit derselben Marke, die du schon hundertmal bei ihm gekauft hast. Aber dies hier – dies ...« Ich zeigte anklagend auf das überwältigenden Warenangebot hinter mir und erklärte mit Nachdruck: »Ich habe noch nie etwas so *Lächerliches* gesehen wie einen ganzen Gang in einem Supermarkt, in dem es nichts anderes gibt als verschiedene Kaffeesorten!«

Mein kleiner Ausbruch überraschte mich selbst mehr als Arjun. Wann war meine Zunge aus ihrem jetzt schon so lange währenden Winterschlaf erwacht? Ma war der einzige Mensch, mit dem ich jemals in einem unfreundlichen Ton geredet hatte, und das auch nur deshalb, weil ich wusste, dass sie nie aufhören würde, mich zu lieben. War Arjun jetzt der zweite Mensch, den ich auf diese Liste gesetzt hatte? Ich grinste ihn an, plötzlich voller Stolz über meinen

Mut, ihm Widerstand zu bieten. Er legte beschwichtigend seinen Arm um meine Schulter, trug allerdings nichts zu unserer Versöhnung bei, als er besorgt sagte: »Du bist ja in einer fürchterlichen Laune! Hast du etwa deine Tage?«

Bei Auseinandersetzung Nummer zwei ging es um seinen Sport. Arjun, der in den letzten Jahren (zu meinem Glück) keine Freundin gehabt hatte, war dazu übergegangen, sich seine Samstage so angenehm wie möglich zu gestalten: Im Sommer spielte er Kricket und im Winter Tennis. Für mich war das unerträglich. »Unsere gemeinsame Zeit ist ohnehin so begrenzt, Arjun! Ist dir das denn völlig egal?«

»Sie ist nicht begrenzt – immerhin hast du doch die Absicht, für den Rest deines Lebens bei mir zu bleiben, oder?«

»Ja, natürlich, aber wenn ich das Studium beendet habe, muss ich erstmal nach Indien zurück, um mich scheiden zu lassen und Riya zu holen.«

Dieser Satz war der Auslöser für unseren ersten richtigen Streit.

»Hast du je darüber nachgedacht, was passiert, wenn er dir Riya nicht zurückgibt?«

Ich hatte dieses Problem irgendwann mit Arjun besprechen wollen, aber mein ›Talent, die Dinge ständig vor mir her zu schieben‹ hatte mich daran gehindert. Jetzt musste ich es ihm sagen, obwohl er gereizt und in schlechter Stimmung war. Meine eigene Stimmung war ebenfalls nicht die beste. Ich hatte gerade eine Geburtstagskarte an Riya abgeschickt, auf die ich Wörter geschrieben hatte, die sie nie würde lesen können, und ich wusste, dass Suresh noch nicht einmal den Versuch machen würde, ihr zu erklären, die Wörter bedeuteten, dass ich sie liebte.

Ich sagte, wenig einfühsam: »Wenn er mir Riya nicht gibt, werde ich so lange in Indien bleiben, bis er es tut.«

»Das könnte Jahre dauern, du kennst doch das indische Rechtssystem.«

Ich sagte, noch weniger einfühlsam: »Das ist mir egal, sie ist das Wichtigste in meinem Leben. Alles andere ist mir im Grunde egal.«

Arjun sah mich an; tiefe Verletztheit spiegelte sich in seinen sonst so sanften Augen. Er öffnete den Mund, um etwas zu sagen. Dann stand er, seine Meinung ändernd, abrupt auf und verließ das Zimmer. Ein paar Sekunden später hörte ich das Zuschlagen der Eingangstür. Er hatte seine Tennissachen nicht mitgenommen, und ich dachte verärgert, er käme bestimmt zurück, um sie zu holen, bevor das Spiel begann. Nichts wird ihn dazu bewegen, seinen Sport zu vernachlässigen, dachte ich, noch immer beleidigt. Aber er kam nicht zurück, und gegen zwei Uhr nachmittags war ich besorgt und in Tränen. Nachdem ich im Geiste all meine schlecht gewählten Worte noch einmal hatte Revue passieren lassen, war mir klar geworden, wie tief ich ihn verletzt haben musste. Aber meine Rückkehr nach Indien war ein Thema, das ohnehin hätte angeschnitten werden müssen. Wir waren nicht mehr die Teenager, die einander einst geliebt hatten, obwohl es so leicht gewesen war, sich dieser Illusion hinzugeben – schließlich war ich Studentin und meine Tochter lebte im weit entfernten Indien. Wir waren inzwischen zwei erwachsene Menschen, die sich in einem völlig neuen Leben begegnet waren, und mussten uns bemühen, den Menschen kennen zu lernen, zu dem der andere geworden war. *Und* ich hoffte, auch Riya in unser Leben einbeziehen zu können. Aber sie war nicht unser Kind, das Kind eines liebenden Elternpaares, sondern Riya. Riya mit dem Wuschelkopf, die mit ihren orthopädischen Schuhen durch die Gegend stapfte und mit einem ›Ah-aha-ah‹ signalisierte, dass sie etwas brauchte, etwas haben wollte. Und die jetzt, jedenfalls zur Hälfte, zu Suresh gehörte, der sich so verzweifelt bemühte, sich selbst und der Welt zu beweisen, dass er sie ebenfalls liebte. Wie in aller Welt würde Arjun mit dieser Situation fertig werden? Ich musste ihn finden und ihm diese Frage selbst stellen.

Ich zog hastig meinen Mantel an und ging hinaus in den diesigen Herbstnachmittag. Was wollte ich tun, wenn Arjun sich tatsächlich von mir abwandte und sich von Riya oder meinem Bedürfnis, sie bei mir zu haben, überfordert fühlte? Die letzten drei Monate hatten mir gezeigt, dass ich ohne sie niemals wirklich glücklich sein würde. Arjun würde das ertragen müssen, und ich musste es ihm sagen. Ich schwor mir, tapfer zu sein, meine Sachen zu packen und nach Indien zurückzugehen, wenn er nicht bereit war, mir Verständnis entgegenzubringen. Das Studium erschien mir im Vergleich zu diesen Problemen plötzlich nebensächlich.

Ich entdeckte ihn auf einer Holzbank mit Aussicht auf den Tongirell Lake. Die Enten hatten ihn bereits aufgegeben, da er offensichtlich nicht bereit war, sie mit Brot zu füttern, und paddelten nun unglücklich in einem entfernten Bereich des eiskalten Sees herum. Ich setzte mich neben ihn und sah seine roten Augen und die erstarrten Gesichtszüge. »Arjun, es tut mir Leid, wenn ich dich verletzt habe. Was ich gesagt habe, muss schrecklich gefühllos geklungen haben.« Er schwieg, und ich fuhr fort: »Aber ich brauche Riya, ich kann ohne sie nicht leben. Manchmal ist sie schrecklich schwierig, aber wenn sie bei mir ist, brauche ich mir ihretwegen keine Sorgen zu machen. Wenn sie es nicht ist, bin ich ständig unruhig. Wenn der Kursus vorbei ist, werde ich nach Indien fliegen und versuchen, sie zu holen.«

»Ich habe dich nicht gebeten, sie aus deinem Leben zu

verbannen, oder?«, sagte er schließlich. In seiner Stimme schwang kalte Wut.

»Nein, das hast du nicht ...«, hob ich an, aber er unterbrach mich.

»Meinst du, das ist die Alternative? Entweder sie oder ich?«

Plötzlich dachte ich an die fest verschnürten Pakete der Freude, nicht zu groß und nicht zu klein. Aber Arjun, von Natur aus ein Optimist, würde niemals verstehen, wie man so verzagt in die Zukunft schauen konnte. Die Vorstellung, sich geduldig anzustellen, um auf Freuden zu warten, die einem das Schicksal gewährte, wäre ihm verhasst.

»Ich bin nicht sicher, ob du es schaffst, mit ihr fertig zu werden, das ist alles. Sie sabbert und brüllt herum und poltert durch die Gegend. Sie wird dein Leben völlig verändern. Wie in aller Welt wirst du damit zurechtkommen?«

»Ich *weiß* nicht, ob ich damit zurechtkommen werde, aber ich hab dir doch schon gesagt, dass ich bereit bin, es zu versuchen.«

»Und wenn es nicht klappt?«

»Janu, um Himmels willen, hast du denn immer noch nicht begriffen, dass man das Leben nicht bis in alle Einzelheiten planen und kontrollieren kann! Du möchtest *ganz genau* wissen, wie unser Leben in zehn Jahren, in fünf Jahren, in einem Jahr aussehen wird! Tja, die Antwort lautet: Ich weiß es einfach nicht. Alles, was ich weiß, ist, dass ich mein Bestes tun werde, damit die Dinge gut laufen, auch, was Riya angeht, und ansonsten werden wir eben abwarten müssen, wie sich alles entwickelt.«

Ich schaute zum See hinüber, in dem sich der Himmel spiegelte. Ma hatte mir einmal etwas Ähnliches gesagt: Die Dinge seien, ob es uns nun gefällt oder nicht, vorherbestimmt, und es sei Hochmut, sie selbst in die Hand zu nehmen und zu verändern. Aber Arjun hatte auch gesagt, er sei bereit, sein Bestes zu tun. Das war eine Einstellung, die mir Hoffnung machte und die ich mit ihm teilte. Und jetzt hatte ich ihn gekränkt, und er trug keinerlei Schuld daran, dass Riya nicht bei mir war. Ein Gänseschwarm flog über unsere Köpfe hinweg; die Vögel schienen sich laut schnatternd darüber zu streiten, in welche wärmeren Gegenden sie in diesem Jahr fliegen sollten. Ich beobachtete, wie sie mit der Präzision eines Flugzeugs der Air Force über den See und die Autobahn von Milton Keynes flogen. Hallo, liebe Gänse, solltet ihr zufällig über Indien fliegen, könntet ihr dann in Valapadu Halt machen und meiner Tochter sagen, dass auf der Geburtstagskarte (der mit den lustigen kleinen Hunden) steht, ich liebe sie!

Ich rutschte ein Stück näher zu Arjun hinüber, als Zeichen, dass ich mich bei ihm entschuldigen wollte, aber er war zu einer Versöhnung noch nicht bereit. Es brauchte noch zwei weitere Tage, bis er mir verzieh, zwei ganze Tage von den kostbaren achtundneunzig, die uns geschenkt waren. Riyas winzige Gestalt warf einen sehr, sehr langen Schatten. Herzlichen Glückwunsch zum Geburtstag, Moley, dachte ich traurig.

Aber wenige Tage später, kurz vor Weihnachten, verlor sogar dieser Streit angesichts eines völlig neuen und unerwarteten Schreckens an Bedeutung. Arjun und ich standen in der Küche und waren dabei, ein Weihnachtskorma zuzubereiten. In all den Jahren, in denen er in England lebte, hatte Arjun sich vehement geweigert, sich den traditionellen englischen Essgewohnheiten anzupassen. Bei den Engländern kommt immer dasselbe auf den Tisch; diese fürchterliche Langeweile: Eier und Fritten am Dienstag, Roastbeef am Sonntag, pflegte er stirnrunzelnd zu sagen. Ich hatte gerade das Hühnchen gewaschen, als es an der Tür klingelte.

»Wahrscheinlich diese verdammten Weihnachtssänger. Ich geh nicht hin«, sagte Arjun.

»Ich finde diesen Brauch eigentlich nett. Ich glaube, ich mag Weihnachten.«

»Warte nur, bis du das hier zum zehnten Mal erlebt hast. Truthahn, Truthahn und nochmals Truthahn, bis er einem zu den Ohren herauskommt …«

Wieder klingelte es an der Tür. »Seltsam. Normalerweise geben sie nach dem ersten Mal auf.«

»Ich gehe hin«, sagte ich und wusch mir die Hände. Sie an meinen Jeans trocken reibend öffnete ich die Tür. Ein Polizist und ein Mann in Zivil standen auf den schneeverkrusteten Stufen. Der Mann in Zivil hielt mir eine Plastikkarte entgegen.

»Ich bin Neville Canning von der Einwanderungsbehörde. Ich bin gekommen, um einer Beschwerde nachzugehen; in diesem Haus soll eine Person leben, die sich illegal in diesem Land aufhält. Sind Sie Mrs. Janaki Maraar?« Er sprach das Wort *Junaaki* aus, und einen Moment lang war ich versucht, ihn zu korrigieren, aber er sah nicht aus, als hätte er ein besonderes Interesse daran, sich mit ausländischen Namen abzuplagen.

»Ich bin Janaki Maraar. Aber ich bin nicht illegal hier, ich habe ein Studentenvisum.« Plötzlich ging mir durch den Kopf, dass heute Weihnachtsabend war – wieso waren diese Leute an einem solchen Abend unterwegs, auf der Suche nach illegalen Einwanderern? Sollten sie nicht alle beim Truthahnessen sitzen, umgeben von ihren Kindern, die lustige Hüte trugen?

»Ich muss Sie leider bitten, uns zur Polizeistation zu begleiten, um uns einige Fragen zu beantworten. Bitte bringen Sie Ihren Pass mit. Ich wäre Ihnen dankbar, wenn Sie mitkämen, ohne Widerstand zu leisten, andernfalls müssen wir Sie festnehmen.«

Ich konnte spüren, dass Arjun hinter mir stand. »Kann ich sie begleiten?«, fragte er.

Die beiden Männer musterten ihn kritisch, als ob er ebenfalls zu denen gehörte, die sich illegal in diesem Land aufhielten. Die richtige Hautfarbe, der entsprechende Geruch (Zwiebeln!). Und wieso kommen sie auf die Idee, am Weihnachten ein *Currygericht* zu kochen, schienen sie zu denken.

Wir schalteten den Gasherd aus und fuhren schweigend in unserem roten Scirocco zur Polizeistation im Zentrum der Stadt. Der Polizeiwagen folgte uns. Es gab keine Ratschläge, die wir einander hätten geben können, keiner von uns war jemals mit einer solchen Situation konfrontiert gewesen. Arjun wurde aufgefordert, im Vorraum zu warten, in dem eine Gruppe verzweifelt aussehender Menschen mit hängenden Schultern auf schäbigen Bänken hockte. Ich wurde in ein Kellergeschoss gebracht, ein Labyrinth von Fluren und Zimmern. Menschen saßen mit leerem, hoffnungslosem Blick in kleinen vergitterten Zimmern. Ich versuchte, sie nicht anzustarren, um sie nicht zu beschämen, wobei ich für eine Minute vergaß, dass ich in der gleichen Lage war wie sie. Ich folgte Mr. Cannings breitem Rücken in einen winzigen Raum, und jemand schloss hinter uns die Tür. Schüchtern ließ ich mich auf einem Stuhl nieder, der auf einer Seite eines zerkratzten, abgenutzten Tisches stand. Mr. Canning setzte sich mir gegenüber und begann an einem großen, altmodischen Tonbandgerät herumzuhantieren. Der Polizist war verschwunden. Vermutlich hatte er seine Pflicht erfüllt, nachdem ich dem Beamten gehorsam, ohne zu treten und um mich zu schlagen, in die Polizeistation gefolgt war. Ich hatte in den Zeitungen über illegale Immigranten gelesen, die man, als sie sich wehrten, gefesselt und deren Mund man mit Klebestreifen zugeklebt hatte. Meine Erfahrungen mit Suresh und seiner Truppe von Psychiatern standen mir noch deutlich vor Augen, deshalb wäre ich nicht auf die Idee gekommen, dasselbe Risiko mit Mr. Canning und seinem Kommando von Einwanderungsbeamten einzugehen.

Suresh? Konnte er für diese Aktion verantwortlich sein? Ich kannte niemanden in England, der mich hier wegen irgendeines Vergehens anzeigen würde. *War* es ein Vergehen, als Studentin nach England gekommen zu sein und außerdem mit Arjun zusammenzuleben? Auf jeden Fall war ich noch immer Studentin. War *Ehebruch* in diesem Land ein Verbrechen? Ich wusste, dass man in Indien dafür ins Gefängnis kommen konnte. Mr. Cannings Tonbandgerät begann zu surren; er hatte mich etwas gefragt und spähte jetzt kalt und forschend in mein Gesicht.

»Mrs. Maraar, brauchen Sie einen Übersetzer?« Er sprach das ›R‹ am Ende meines Nachnamens nicht aus, sondern ließ ihn mit einem ›aah‹ ausklingen, als bereite es ihm großes Vergnügen, den Laut auszusprechen.

»Oh, nein, danke …« War er nicht verpflichtet, mich zu fragen, ob ich mich durch einen Anwalt vertreten lassen wollte? Oder gab es so etwas nur in Amerika? Die vielen amerikanischen und englischen Filme, die ich als junges Mädchen gesehen hatte, hatten seltsame Vorstellungen über das Leben in diesen Ländern in mir geweckt. Ich *wusste* nicht, ob ich das Recht auf einen Anwalt hatte. Ich wagte nicht, danach zu fragen, weil ich fürchtete, mir Mr. Canning dadurch ein für alle Mal zum Feind zu machen. Ehrlichkeit wäre wahrscheinlich die beste Politik. Einige meiner Erfahrungen in Indien hätten mich lehren sollen, dass man sich mit Ehrlichkeit nicht immer einen Gefallen tat, aber ich war bereit, es noch einmal zu versuchen.

»Es ist richtig, dass ich mit einem Studentenvisum eingereist bin. Ich studiere in London, an der pädagogischen Hochschule. Ich halte mich nur in den Ferien und an Wochenenden in Milton Keynes auf. Der Grund dafür ist, dass ich Mr. Mehta, in dessen Haus ich augenblicklich wohne, heiraten möchte. Momentan ist eine Heirat noch nicht möglich, weil mein Ehemann – *Ex-Ehemann* – nicht in die Scheidung einwilligt. Ich lebe aber von ihm getrennt, ich habe ihn seit Monaten nicht gesehen. Hat er das hier veranlasst?«

Die Worte kamen hastig und überstürzt über meine Lippen, und sie schienen in einem hässlichen Haufen auf Mr. Cannings zerkratztem alten Tisch zu landen. Scheidung, Ehebruch – das waren beschämende, ensetzliche Wörter, in welchem Land auch immer man sich aufhielt. Sein Tonbandgerät surrte gehorsam, während er mir eine Reihe von Fragen stellte, immer wieder dieselben. Während sein Blick immer kritischer wurde, wurde ich mir bewusst, dass sich mein Englisch zunehmend verschlechterte. Hör auf zu stottern, denk an die *Hauchlaute* … Mein indischer Akzent wurde immer deutlicher, meine Zunge bewegte sich immer schneller. Ich erinnerte mich an den Ratschlag, den Arjun mir einmal gegeben hatte, und stellte mir vor, wie Mr. Cannings mit heruntergelassener Hose auf einer Toilette saß. Plötzlich kam er mir harmlos, fast freundlich vor. Er schien sich ernsthaft zu bemühen, herauszufinden, ob ich die Wahrheit sagte. Obwohl alles, was ich sagte, stimmte, hatte ich das Gefühl, darüber hinaus noch ein unschuldiges Gesicht aufsetzen zu müssen, um ihn davon zu überzeugen, dass ich keine illegale Immigrantin war, trotz meiner Hautfarbe, meines indischen Akzents und der verschlissenen Jeans, die meine Mutter so mühsam und unter Tränen geändert hatte. Der Geruch von Zwiebeln, der an meiner Kleidung haftete, war gewiss nicht hilfreich. Plötzlich, überraschenderweise, änderte sich Mr. Cannings Gesichtsausdruck. Er glaubte mir! Während das Tonbandgerät noch immer lief, erklärte er mir, es sei illegal, unter Angabe falscher Tatsachen nach England einzureisen. Natürlich sei es kein Verbrechen, mit Mr. Mihitaah zusammenzuleben, aber es sei absolut erforderlich, dass der wesentliche Grund für meinen Aufenthalt in diesem Land mein Studium sei. Wenn also der Kursus zu Ende sei, würde ich das Land verlassen müssen, in welcher Beziehung zu Mr. Mihitaah ich zu jenem Zeitpunkt auch immer stehen mochte. Wenn ich als seine Ehefrau oder Verlobte zurückzukehren wünsche, dann müsse ich einen separaten Antrag an die British High Commission in England stellen. Über diesen Antrag würde dann erneut entschieden. Er sei bereit, in meinem Fall Mitgefühl und Verständnis zu zeigen, deshalb werde er nicht darauf bestehen, dass ich mich jede Woche in der Polizeistation melde, was in Fällen wie diesem das normale Vorgehen sei. Es genüge, wenn ich einmal pro Woche bei der Einwanderungsbehörde in Luton anriefe, um die Beamten darüber zu informieren, wo ich mich aufhielt. Hoffentlich sei mir klar, dass es ein sehr ernstes Vergehen sei, ohne Sondergenehmigung eine bezahlte Arbeit anzunehmen.

Als das Gerät ausgeschaltet wurde, erhob ich mich mit noch immer zitternden Knien. Ich war entlassen. Von meinen sorgfältig abgezählten achtundneunzig Tagen würde mir keiner abgezogen werden. Ich musste so schnell wie möglich zu Arjun, um ihm zu erzählen, was geschehen war, und ihn von seiner quälenden Ungewissheit zu befreien. Ich verließ den Kellerraum und rannte in den Vorraum der Polizeistation. Als ich ihn sah, lief ich auf ihn zu und umarmte ihn, ermutigt dadurch, dass das in diesem Land kein Verbrechen war. Auch die letzte Trumpfkarte, die Suresh aus dem Ärmel gezogen hatte, hatte ihm nicht zu einem Sieg verholfen. Bald war es so weit, er würde aufgeben müssen, er hatte einfach keine andere Wahl. War es Kummer, ein gebrochenes Herz, das ihn dazu trieb, mir all diese Steine in den Weg zu legen? Oder war es verletzter Stolz, ein Gefühl, das weitaus mehr Schaden anrichten konnte? Was auch immer seine Motive waren und trotz der Energie, die sein Schmerz ihm verlieh, würde er mit Sicherheit bald seine Angst verlieren. Es würde ihm nichts übrig bleiben, als sich wieder um sein eigenes Leben zu kümmern.

Ich hatte Recht. Der Winter verstrich, einer der kältesten in London seit vielen Jahren, wie es hieß. Ich hatte jede Woche in Mr. Cannings Abteilung angerufen und hatte die offizielle Erlaubnis erhalten, mein Studium fortzusetzen. Als Ostern sich näherte und wir vor den Ferien die zweiten Referate dieses Semesters einreichen mussten, klangen die Nachrichten aus Kerala immer ermutigender. So wie der Schnee an den Straßenecken allmählich zu schmelzen begann, geriet Sureshs Entschlossenheit ins Wanken. Arjun warnte mich, dass das Tauwetter im März manchmal nicht anhalte und gegen Ende des Winters noch einmal ein Frosteinbruch kommen könne. Aber ich glaubte fest an die unwiderrufliche Wendung der Dinge. Ma sagte, Suresh habe Riya für ein paar Tage nach Alleppey gebracht und ziehe ernsthaft in Erwägung, sie mir zurückzugeben! Er schien einzusehen, dass Mädchen ihre Mutter brauchen. Zudem hatte er Ma erklärt, er werde, wenn ich nach Indien käme, in die Scheidung einwilligen. Es gab sogar Gerüchte über seine Pläne, erneut zu heiraten! Ihm standen, so hieß es, einige hervorragende Optionen offen, Verbindungen, wie die Maraars sie sich nur wünschen konnten.

Das Leben schien mir alle meine Wünsche zu erfüllen. Ich absolvierte mein Studium mit Erfolg, Riya war wieder bei Ma, es war nicht so wichtig, dass ich sie augenblicklich noch nicht nach England kommen lassen konnte. Dafür war noch reichlich Zeit, wenn die Scheidung rechtskräftig wurde und Arjun und ich heiraten konnten. Riya würde, so hatte ich in Mr. Cannings Büro erfahren, automatisch eine Aufenthaltserlaubnis in England bekommen, sobald ich mit Arjun verheiratet war. Ich hatte in Milton Keynes eine gute Sonderschule für sie ausfindig gemacht und der Leiterin bereits sämtliche Unterlagen gegeben. Ein lokales College hatte mir angeboten, für ein akademisches Jahr dort zu unterrichten, sobald ich eine Arbeitserlaubnis vorweisen konnte. Als auf dieser winzigen, smaragdgrünen Insel die Blätter wieder zu sprießen begannen, als es allmählich wärmer wurde und der Sommer sich ankündigte, hatte ich das Gefühl, auch in meinem Leben ginge wieder die Sonne auf.

Ich hielt das Versprechen, das ich Mr. Canning gegeben hatte, und bereitete mich darauf vor, England an dem Wochenende, nachdem ich meine letzten Examen abgelegt hatte, wieder zu verlassen. Arjun wollte noch kurz vor meiner Reise mit mir ein paar Tage Urlaub in Wales machen. Aber als Ma mich das letzte Mal angerufen hatte, hatte sie gesagt, Suresh habe sich jetzt endgültig mit der Scheidung einverstanden erklärt. Es war am besten, die Dinge nicht länger aufzuschieben. Arjun gab seine Reisepläne zögernd auf, da wir beide wussten, dass Mr. Canning und sein Immigrationskommando, wenn wir nicht heiraten konnten, erneut vor unserer Tür stünden. Diesmal, um mich endgültig des Landes zu verweisen. Gefesselt und mit einem Klebestreifen über den Lippen, falls ich mich widersetzte. Wir machten ein paar Einkäufe für meine Rückkehr nach Kerala. Spielzeug und Bücher für Riya, verschiedene Seifen und Talkumpuder für Ammumma, einen Schirm für Ma. Nichts Teures. Wir beschlossen, dass ich die Scheidung abwarten und danach sofort bei der British High Commission in Madras den Antrag stellen sollte, nach England zurückzufahren, und zwar als Verlobte Arjuns. Dieser würde mit Mr. Canning in Luton in Verbindung bleiben und bei seinem lokalen Parlamentsabgeordneten vorsprechen, um den Antrag zu beschleunigen. Wenn die Dinge in Indien sich nicht unseren Vorstellungen entsprechend entwickelten, würde ich zu Arjuns Familie in Delhi ziehen und dort bleiben, bis er zu mir kommen konnte.

Die letzten Tage unseres Zusammenseins verstrichen so langsam wie ein Film in Zeitlupe. Denk daran, konzentrier dich darauf, dass du *Riya* wieder siehst, sagte ich mir an dem Tag, an dem mein Ticket in einem Umschlag mit der Aufschrift ›Gandhi Travels, Leicester‹ ankam. Es war ein warmer Sommertag, erfüllt vom Summen der Insekten. Draußen schienen mir unzählige hellrote Rosenknospen zuzunicken, die zwischen den Blättern hervorschauten. Aber bei dem Gedanken, Arjun erneut verlassen zu müssen, war es mir, als legte sich ein Hauch von Raureif über die Welt. Ich stieg langsam die Treppe hinauf, um die Tasche zu holen, in die ich einige der Sachen gepackt hatte, die ich für meine Reise brauchte, und um mein Ticket hineinzulegen. Ticket, Pass, ein Portemonnaie mit Rupien … alles, was ich brauchte, um den Mann erneut zu verlassen, den ich so lange gesucht und in der Vergangenheit so schmerzlich vermisst hatte. In jenen letzten Nächten liebten wir uns so leidenschaftlich, als wäre es das erste – und vielleicht das letzte – Mal. Danach lagen wir eng umschlungen da, und Arjun redete über die Zukunft, die vor uns lag, während ich seinen Worten lauschte, ängstlich und sehnsüchtig zugleich. Wenn er schließlich eingeschlafen war, schaute ich durch das Fenster auf die Sterne, die noch immer funkelten, als hätte sich niemals irgendetwas geändert.

Würde in meiner Zukunft genügend Platz für Arjun und auch für Riya sein? Gab es wirklich eine Welt, in der die Menschen nicht ständig fünfeinhalb Stunden zu ihrer Zeit hinzufügen oder abziehen mussten, um sich vorstellen zu können, was der Mensch, den sie liebten, gerade tat? Lebten andere ein Leben, in denen sie nicht ständig nachzählen mussten, wie viele Wochenenden ihnen noch verblieben? – Achtundneunzig Tage – das war die Zeit, die uns geschenkt worden war. Achtundneunzig Tage, achtundneunzig himmlische Nächte, zwei kleine Auseinandersetzungen und ein Streit. Waren sie ein Segen oder ein Fluch gewesen? Ein Segen im Hinblick auf die Erinnerungen, die ich immer in meinem Herzen bewahren würde, selbst wenn ich Arjun niemals wieder sah – und gewiss auch ein Fluch, weil es genau diese Erinnerungen waren, die mir bis zum Ende meines Lebens, und vielleicht auch eines zukünftigen Lebens, meinen inneren Frieden rauben würden.

Wir standen eng umschlungen am Flughafen und es schien unmöglich, uns voneinander zu trennen. Vor zehn Monaten waren wir uns hier, an diesem Terminal, wieder begegnet, hatten wir einander in den Armen gehalten, als wollten wir uns nie wieder voneinander trennen. Ich sah um mich; es wimmelte von Menschen, *jeder* schien sich hier von jemandem zu verabschieden. Die ganze Welt schien eine Art makabres Abschiedsritual zu vollziehen. Eine Mutter hielt, die Tränen mühsam zurückhaltend, die Hand ihres Sohnes, der gekleidet war wie ein Hippie und ein Halsband aus Apfelkernen und lederne Sandalen trug. Eine kleine Gruppe von Kindern ohne Begleitung marschierte an uns vorbei, sie hielten ihre Pässe fest in den Händen und folgten einer Frau in British-Airways-Uniform.

»Dreimal – dreimal mussten wir uns schon voneinander verabschieden, Arjun – und *wussten* noch nicht einmal, ob wir uns jemals wieder sehen würden ...« Tränen strömten in kleinen Rinnsalen meine Wangen hinab. Sogar einige nüchterne Geschäftsleute, die sich betont förmlich voneinander verabschiedeten, warfen uns diskret neugierige Blicke zu.

»Wir werden ja nur für ein paar Monate getrennt sein, Janu, vielleicht auch nur für ein paar Wochen. Ich werde versuchen, sobald wie möglich Urlaub zu nehmen, um nach Delhi zu fliegen. Und dann, sobald deine Scheidung durch ist, heiraten wir. Danach wird es auf der ganzen Welt keinen Menschen mehr geben, der uns trennen kann, das verspreche ich dir.« Selbst Arjun schien von dem, was er sagte, nicht allzu überzeugt zu sein.

Seine Augen röteten sich. Er weinte selten, nur dann, wenn er wirklich im Innersten berührt war, das hatte ich im Laufe der Monate über ihn erfahren. Über den Mann, den ich als junges Mädchen geliebt hatte und den ich in England wieder sah, um ihn erneut kennen zu lernen. Und dann war das Wunder geschehen, dass wir uns noch ein zweites Mal in einander verliebten.

Der Abschied lähmte uns, ließ uns verstummen. Zum

ersten Mal hatten Arjun und ich einander nichts zu sagen. Oder zu viel zu sagen, und nicht genügend Zeit, um es aussprechen zu können. Ich klammerte mich an seinen Arm. Das Gesicht der Mutter des jungen Hippies war vor Anstrengung gerötet, so sehr bemühte sie sich, nicht in Tränen auszubrechen.

»Letzter Aufruf für Passagiere der British Airways 192 nach Madras, bitte benutzen Sie Gate 16 ... Der letzte Aufruf ...« Ich riss mich von Arjun los und rannte, ohne etwas zu sehen, mit meinem Handgepäck zur Passkontrolle. Als ich in der Warteschlange stand, schaute ich ein letztes Mal zurück. Arjun stand vor dem mit bunten Früchten dekorierten Schaufenster einer Filiale von Naturkosmetikläden. Seine Augen waren noch immer rot, aber er lächelte mich mit jenem Ausdruck an, der mir signalisierte: ›Kopf hoch und lass dich nicht unterkriegen.‹ In mancher Hinsicht war er tatsächlich zu einem Engländer geworden – eine Tatsache, die mich oftmals geärgert hatte, als ich in England mit ihm zusammenlebte. Warum nur zwang er sich die ganze Zeit über, ein fröhliches Gesicht aufzusetzen? Selbst in der Wartehalle dieses hässlichen Flughafens? Er war der junge Bursche, der mir vor so langer Zeit so großzügig den Rest des Nimbu-Pani in seiner Thermosflasche angeboten hatte, und er war der Mann, den das Schicksal mir an jenem wunderbaren Nachmittag erneut geschenkt hatte. Welches uralte Versprechen hatte ihn ein zweites Mal mit mir zusammengeführt? Und konnte ich wirklich erwarten, dass er mir noch ein drittes Mal geschenkt würde? Plötzlich wirkte er, durch meinen Tränenschleier hindurch, wie eine weit entfernte Vision. Ein großer, trauriger Engel in einem bunten, nassen, parfümierten, himmlischen Garten Eden – umgeben von Pampelmusenseife und Erdbeerschaumbad.

Auf Wiedersehen, Arjun. Ich verspreche dir, ich werde mein Bestes tun, um zu dir zurückzukehren …

18

Als das Flugzeug über dem Flughafen Cochin kreiste, schaute ich auf die sanft im Wind schwingenden Palmen und das schimmernde Meer hinunter. Ich erwartete nicht mehr, von diesem Land lächelnd, mit ausgebreiteten Armen begrüßt zu werden. Hatte England mich ein wenig von den abergläubischen Vorstellungen befreit, in denen ich so lange gefangen gewesen war? Von all dem seltsamen Malayali-Hokuspokus, wie Arjun einmal respektlos gesagt hatte. Die Landung auf dem Flughafen war so holprig und nervenaufreibend, wie ich sie in Erinnerung hatte. Einige Passagiere meinten, die Rollbahn sei zu kurz. Es sei unmöglich, sie zu verlängern, *Willingdon Island* sei zu kurz, sagten andere. Jedermann wusste, dass es unmöglich war, Dinge zu verändern, die so waren, wie sie waren. Wie die Tatsache, dass der erste Schultag immer auf den ersten Tag der Monsunregen fiel. So war es immer gewesen, warum also sollte man etwas daran ändern?

Ma, Ammumma und Jonkel, meine treuen Unterstützer aus Alleppey, standen am Flughafen, um mich abzuholen. Ma strahlte vor Glück. In der Vergangenheit hatte sie es leichter ertragen können, wenn ich für längere Zeit weg war, weil Dad damals noch lebte. Und sie hatte nicht jeden Abend nach Einbruch der Dunkelheit in ein trauriges, schwach erleuchtetes Haus gehen müssen. Es war wunderbar, sie wieder zu sehen. Und es gab so viel zu erzählen.

Riya lebte jetzt seit einiger Zeit bei ihnen, und sie schien nichts vergessen zu haben, obwohl sie so lange bei den Maraars gewesen war. Die Kleine habe eine Weile nach mir gesucht, sagten sie, in Badezimmern und Schränken, als spielten wir miteinander ein Versteckspiel. Dann habe sie es aufgegeben und, ohne ein Anzeichen von Kummer, weiter Hortensien gepflückt und Jagd auf Marienkäfer gemacht.

»Habt ihr ihr erklärt, wo ich war?« Es fiel mir schwer, mich nicht verletzt zu fühlen, weil Riya meine Abwesenheit anscheinend so gleichgültig hingenommen hatte.

»O ja, wir haben ihr gesagt, du seist für eine Weile verreist, würdest aber bald zurückkommen. Aber sie hat jedes Mal, wenn jemand deinen Namen erwähnte, zur Seite geschaut.« Also war ihr Schmerz ebenso tief gewesen wie meiner.

»Hat Suresh ganz klar gesagt, er sei einverstanden, dass ich das Sorgerecht bekomme?«

»Nein, nicht ausdrücklich, er hat es aber mehr oder weniger angedeutet – du weißt schon, er meinte, es sei besser für Riya, wenn sie bei ihrer Mutter lebt – alle Mädchen brauchten ihre Mütter – und dergleichen.«

Ammumma, die auf dem Beifahrersitz saß, drehte sich nach hinten um. »Wie wir hörten, steht sogar das Datum für seine Hochzeit schon fest. Möglicherweise hat seine neue Ehefrau kein allzu großes Interesse daran gezeigt, ein Kind wie Riya aufzuziehen. Es war Jose, der uns erzählt hat, dass Suresh wieder heiraten will.«

Jose nickte verbindlich und sagte: »Das weiß doch jeder, Chechi. Sie ist die Tochter eines Geschäftsmannes aus Quilon, siebenundzwanzig, eine alte Jungfer sozusagen.«

Das Netzwerk der Taxifahrer war eines der besten Nachrichtensysteme in Kerala. Es bestand vor allem aus jungen, intelligenten und mobilen Männern, die Zugang zu Hinterhöfen und Küchen hatten. Für sie war es ein Leichtes herauszufinden, was in den Häusern der Bewohner vor sich ging. Ich fragte mich, ob ich noch immer die Hauptperson all der Klatschgeschichten war – oder war ich mittlerweile von jemand anderem verdrängt worden?

Ma hatte in meiner Abwesenheit harte Arbeit geleistet. Sie hatte Madhava Menon noch mehrmals aufgesucht; die Scheidungsdokumente waren bereits vorbereitet. Als wir zu Hause ankamen, warf ich einen Blick auf die fünf Seiten, mit dem Zusatz, in dem das Sorgerecht für Riya geregelt wurde. »Antrag zur Auflösung der Ehe in gegenseitigem Einverständnis«, so lautete die offizielle Version. Zwei Antragsteller, keine Gegenantragsteller, entsprechend Paragraph 13b des Ehegesetzes für Hindus vom Jahre 1955. Soweit erkennbar, gab es gegen diesen Antrag keine legalen Einwände. Fünf Seiten in einem schwülstigen, archaischen Gerichtskauderwelsch, die zehn Jahre einer Partnerschaft, die ein Leben lang hätte andauern sollen, abrupt beenden würden. Ging es um Schuld? Wie viel Anteil hatte ich selbst daran? Ein wenig? Allen? Ma hatte mir oft gesagt, *wenn du heiratest, dann bekommst du nur die Hälfte des Mannes, die andere Hälfte musst du selbst erschaffen.* Hatten mir das Talent oder der Mut gefehlt, das zu erreichen? Oder war es mir nur nicht wichtig genug gewesen?

Dass unsere Ehe von unseren Eltern arrangiert worden war, war gewiss nicht der Grund für ihr Scheitern gewesen. Ich hatte häufig genug beobachtet, wie solche Ehen sich zu guten Partnerschaften entwickelten. Und ich hatte in England gesehen, dass viele Ehen scheiterten, obwohl die Männer und Frauen dort alle Freiheit hatten, sich ihren Lebenspartner selbst auszuwählen. Der Grund lag tiefer, irgendwo in einer vergangenen Zeit, an die niemand von uns sich erinnern konnte. Welche Schuld hatten Suresh und ich uns in einem unserer vergangenen Leben aufgebürdet, die uns in diesem Leben zusammenführte, damit wir einander so viel Schmerz zufügten? Arjun lachte nur, wenn ich solche Erklärungen suchte, und meinte, sie klängen wie eine gute Hindu-Ausrede für all das Unrecht, das wir unseren Mitmenschen antaten. Das mochte richtig sein, aber ich konnte noch immer nicht erkennen, warum ich zehn Jahre meines Lebens vergeuden musste, wenn es in Wirklichkeit mein Schicksal war, in diesem Leben Arjuns Frau zu sein. Konnte es sein, dass diese Dinge rein zufällig geschahen?

Vielleicht spielte es keine Rolle mehr. Suresh und ich hatten hoffentlich unsere Schulden abbezahlt und waren jetzt bereit, ein neues Leben zu beginnen. Jetzt konnten wir unsere gemeinsamen Jahre wie ein Fotoalbum beiseite legen, das man nur selten hervorholt. Die Bilder würden allmählich verblassen. Viele Jahre später würde es uns schwer fallen, uns an die Namen und Gesichter zu erinnern, wenn wir es überhaupt versuchten. Und irgendwann, in einem zukünftigen Leben, würde uns auch das nicht mehr gelingen. Wenn alle Rechnungen beglichen, alle Schulden bezahlt und keine weiteren Versprechen gemacht worden waren.

Wir sollten uns um vier Uhr nachmittags beim Familiengericht in Cochin einfinden. Suresh würde mit seinem Vater und mit Riya dorthin kommen. Ich war nervös und ängstlich, und mein Magen schmerzte bei dem Gedanken, Riya wieder zu sehen. Ob sie in der Zwischenzeit gewachsen war? Würde sie zurückweichen, wenn sie mich sah? Wie lange würde es dauern, bis wir uns wieder aneinander gewöhnten, wieder Mutter und Tochter wurden?

Das Gerichtszimmer war winzig und überfüllt. Es schien unglaublich, dass so viele Menschen sich hier eingefunden hatten, um ihre Ehen zu beenden. Unsere Namen standen an neunter Stelle der Liste, die an der Eingangstür hing. Die Liste der Scheidungen, die im Laufe des Morgens stattgefunden hatten, klebte noch immer daneben, obwohl all diese Personen schon seit vielen Stunden getrennte Wege gingen. Ich war Zeugin, wie die Ehen der Parteien eins bis vier aufgelöst wurden, und nur eine Beteiligte, eine Frau, die ein winziges Kind im Arm hielt, schien traurig darüber zu sein. Die Gesichter aller anderen Scheidungswilligen waren leer, ausdruckslos; was sie traurig machte, war offensichtlich nicht die Scheidung selbst, sondern das Scheitern ihrer Ehe. Als Paar Nummer fünf vor den Richter trat, sah ich, wie Suresh und sein Vater ins Gerichtszimmer kamen. Neben ihnen ging ein kleines Mädchen, das nicht mehr ganz mein kleines Mädchen war. Mein Gott, wie sehr sie gewachsen war! Sie sah so aus, wie ich wahrscheinlich am Tag meines Hochzeitsempfangs ausgesehen hatte, kaum wieder zu erkennen, nicht wirklich sie selbst. Ein Maraar-Mädchen mit Maraar-Lippen und Maraar-Haaren. Ich konnte nicht genau sagen, was sich verändert hatte. Ihr Haar war länger, zum Glück war es ihr eigenes, kein Haarteil. Sie schaute mit leerem Blick um sich, es fehlte das schelmische Blitzen in den Augen, das ich so sehr liebte. Unsere Blicke begegneten sich. Sie sah mich verdutzt an; sie hatte mich erkannt! Sie erstarrte, nur ihre Hand, die sich an Sureshs Arm klammerte, bewegte sich, sie zerrte an diesem Arm – schau mal, sie ist *hier*, sie ist hier, versuchte sie ihm mitzuteilen. Aber als ich sie anlächelte, versteckte sie ihr Gesicht hinter dem Rücken ihres Vaters. Wie ein kleiner, verwirrter, kopfloser Vogel Strauß, gekleidet in ein Kidsworld-T-Shirt und Jeans.

Suresh ging in den hinteren Teil des Gerichtszimmers, wo ich Platz genommen hatte. Als sein Vater sich ebenfalls zu uns gesellte, stand ich auf und reichte beiden die Hand. Der Richter, der aussah wie ein typischer kleiner Bürokrat in Hosen und einem Buschhemd, redete mit gelangweilter, monotoner Stimme. Seine schwarze Richterrobe hatte er auf einen Stuhl geworfen. Es war zu heiß, um sie in diesem stickigen kleinen Raum zu tragen, in dem sich die drückende Hitze gebrochener Versprechen staute.

Nach ein paar Minuten war alles vorbei. Der Richter hatte uns aufgefordert, unsere persönlichen Daten zu nennen, und überprüft, ob wir waren, wer zu sein wir behaupteten. Überprüft, ob Suresh gewillt war, mir Riya zu übergeben, und ob kein Anspruch auf Unterhaltszahlungen gestellt worden war. Und dann mit abgewandtem Kopf genickt, um anzudeuten, unser Fall sei erledigt, und – könnten wir jetzt bitte zurücktreten, weil er sich um andere Dinge kümmern und andere Ehen auflösen musste.

Als wir das Gerichtsgebäude verließen, hielt sich Riya noch immer ein paar Schritte von uns entfernt. Ma versuchte ein paarmal, sie uns heranzuwinken, aber jedes Mal versteckte sie sich hinter jemandem, während sie mich die ganze Zeit über mit ihren dunklen Augen fixierte. Ich wandte mich Sureshs Vater zu. Sein Haar war inzwischen noch stärker ergraut, und ich hatte das Gefühl, ich sollte dem alten Mann, der seinen Sohn zu einem so traurigen Anlass hierher begleitet hatte, ein paar Worte sagen, ihm mein Bedauern ausdrücken. Aber ich wusste nicht, wie ich es anfangen sollte. ›Es tut mir Leid‹ war ohnehin ein Satz, den die Maraars nicht besonders mochten. Ich hoffte, er würde nicht denken, ich benähme mich wie die Heldin aus einem Hindufilm, wenn ich mich vor ihm verneigte und seine Füße küsste. Aber ein Gespräch schien unter diesen Umständen nicht das Angemessene zu sein, und ich erinnerte mich daran, dass er früher einmal freundlich zu mir gewesen war, wenn auch ein wenig überrascht, als ich plötzlich entdeckte, dass ich einen eigenen Willen hatte. Er berührte leicht meinen Kopf, eine Geste, mit der er mich segnete. War es für Sureshs Familie wirklich so schwierig gewesen, mich zu lieben, als ich in ihrem Haus lebte und mich so sehr bemühte, eine ihrer Töchter zu sein? In meiner Naivität hatte ich gedacht, es wäre leicht, über den Abgrund zu springen, von der Rolle der Schwiegertochter in die der Tochter zu schlüpfen, ohne ihnen zunächst meine Kindheit zum Opfer gebracht zu haben. Und jetzt musste ich erneut über einen Abgrund springen, wurde erneut zu einer Unbekannten. Deren Gesicht man allmählich vergessen würde, denn es würde keine Schnappschüsse und keine Postkarten aus meinem künftigen neuen Leben geben … Dieser stille, wortlose Abschied schien für eine solche endgültige Trennung das Angemessene zu sein. Den Göttern sei Dank, dass Amma nicht hier ist, dachte ich erleichtert. Sonst wäre das Ganze gewiss zu einem Melodram geworden. Vielleicht sogar zu einer Szene aus einem richtigen Hindufilm, bei dem man sich theatralisch an die Brust schlug.

Suresh vermied jeden Blickkontakt und teilte mir nur mit abgewandtem Gesicht mit, dass Riyas Koffer im Kofferraum seines Wagens sei. Dann fügte er hinzu, er habe den Wunsch, Riya einmal im Jahr, in ihren Sommerferien, zu sehen. Die Fehler, die ihre Eltern gemacht hatten, würden sie zwingen, sich in jene ständig wachsende Armee von Kindern einzureihen, die an Wochenenden und in den Ferien von einem Elternteil zum anderen reisten. Für die Geschenke und Vergnügungen sich auf wunderbare Weise verdoppelten, die aber zugleich eine schwere Last zu tragen hatten: die Last der geteilten Loyalität und des sich ständig wiederholenden Trennungsschmerzes.

Als wir uns Sureshs Wagen näherten, um den Koffer zu holen, fühlte ich, wie eine kleine Hand in meine glitt. Zu ängstlich, um hinabzuschauen, falls sie sie mir wieder entziehen sollte, drückte ich sie und fühlte zugleich, wie die alte, tiefe Wunde in meinem Herzen sich für immer schloss. Riya war wieder bei mir, und meine Seele war wieder geheilt, ich war wieder zu einem ganzen Menschen geworden. Irgendwo in meinem Hinterkopf lauerte der Gedanke, dass ich dafür etwas anderes verlieren könnte, da ich mittlerweile nichts anderes erwartete, als meine Freuden in kleinen, ordentlich verschnürten Portionen zugeteilt zu bekommen, nicht zu groß und nicht zu klein. Aber es gibt nichts, so sagte ich mir, *nichts*, was so wichtig wäre, wie dieses kleine Mädchen nicht zu enttäuschen, das mir geschenkt worden war, weil ich versprochen hatte, für sie zu sorgen, solange ich lebte.

Sie wehrte sich nicht, als Suresh und sein Vater sie umarmten und sich von ihr verabschiedeten. Aus der Tatsache, dass sie plötzlich Eltern hatte, die getrennt lebten, schien sie ihre eigenen Schlüsse gezogen zu haben. Ich fragte mich plötzlich, ob ihre Unfähigkeit, die Dinge mit ihrem eigenen, kritischen Verstand zu beurteilen, nicht ein Segen für mich war. Wie schwierig wäre es, in einer solchen Situation die Fragen eines normal intelligenten, wissbegierigen Kindes zu beantworten. Arjun hatte einmal gesagt, ich hätte Suresh wohl nie verlassen, wenn Riya nicht lernbehindert gewesen wäre. Ich hätte eine unglückliche Ehe (oder eine Ehe, die ein wenig unglücklich war, wie meine Mutter einmal widerwillig eingeräumt hatte) ertragen, als Preis, den ich hätte zahlen müssen, damit meiner Tochter die Möglichkeit offen stand, sich gut zu verheiraten. Niemand hätte bei der Neuigkeit, dass ihre Mutter mit dem Mann ihrer Träume ein neues Leben begonnen hatte, romantisch geseufzt und mir alles Gute gewünscht. Ein »normales« Kind, dessen Mutter den Vater verlassen hatte, nur um mit dem Mann, den sie liebte, zusammenzuleben, hätte es schwer gehabt, einen guten Ehemann zu finden. Und deshalb hielten Frauen an unglücklichen Ehen fest, um es ihren Töchtern zu ermöglichen, Ehen zu schließen, die hoffentlich nicht unglücklich wären. Und die Töchter führten dann, wenn sie Glück hatten, Ehen, die nur ein wenig unglücklich waren, und hatten bald selbst Töchter, die eines Tages verheiratet werden müssten. Riyas Behinderung war für mich die Chance gewesen, mich aus diesem Teufelskreis erzwungenen Glücks zu befreien. Ich würde nicht zu denen gehören, die unwissentlich Generationen von jungen Frauen dazu verdammten, ihn für alle Zeiten zu wiederholen.

Während der Staub von Cochin um unsere Füße wirbelte, warteten wir darauf, dass Suresh und sein Vater in ihrem Wagen davonfuhren. Riya winkte ihnen, in den Staubwolken auf und ab hüpfend, begeistert nach. Ich hoffte, Suresh verstand, dass ihre Freude seine Bedeutung in ihrem Leben nicht schmälerte. Das Jahr, das sie mit ihm verbracht hatte, hatte ihre Beziehung mehr als je zuvor gefestigt, aber ihre Bindung an mich war schon entstanden, bevor sie den ersten Atemzug tat; bevor sie und ich Mutter und Tochter geworden waren. Wahrscheinlich spürte auch sie, ebenso wie ich, dass sie endlich wieder zu einem ganzen Menschen geworden war. Im übrigen war »Bye-bye-bis-bald« eine Floskel, die sie in jüngster Zeit in ihren begrenzten Sprachschatz aufgenommen hatte, und jetzt nahm sie voller Stolz jede Gelegenheit wahr, sie anzubringen.

Nachdem Suresh und sein Vater weg waren, kniete ich mich, den Staub und den Verkehr vergessend, neben Riya auf den Boden und umarmte sie so fest, als wollte ich sie nie wieder loslassen. Eine Umarmung, in der ich Jahrhunderte von Liebe und Dankbarkeit zum Ausdruck brachte, die nicht nur auf den Anfang unserer Geschichte in diesem Leben zurückzuführen waren, sondern auf eine sehr alte Schuld. Auf die Zeit, als ich damals als müde Reisende an ihrer Schwelle aufgetaucht war. Da sie sich damals mir gegenüber so selbstlos und großzügig verhalten hatte, bemühte ich mich noch immer, meine Schuld zu begleichen.

»Bye-bye-bis-bald! Wo hast du denn das gelernt? Du bist Ammas kluges, kluges kleines Mädchen!« Riya lachte glucksend und hielt ihre Arme in die Höhe, damit ich sie hochhob. Ich setzte sie auf meine Hüfte, überrascht, wie schwer sie geworden war. Jetzt musste ich sie allein tragen. Im Grunde war all dies nicht anders als das, was ich in meiner Zeit bei den Maraars erlebt hatte, aber in den Augen vieler war ich nun (auch wenn man sich dies nur hinter vorgehaltener Hand zuflüsterte) *eine geschiedene Frau mit einem Kind.*

Ich musste einfach weitermachen. War ich durch meine Vergangenheit für das, was auf mich zukam, besser gerüstet? Die Tatsache, dass es Arjun gab, hatte mir eine Chance eröffnet, die jedem Menschen wenigstens einmal im Leben geboten werden müsste. Allerdings hatten unsere achtundneunzig Tage und achtundneunzig Nächte mit dem Schmerz so vieler anderer Menschen bezahlt werden müssen. Das würde demjenigen, der die Konten führte, gewiss nicht entgehen. Die Geschichte war gewiss noch nicht zu Ende. Sie würde weiter geschrieben, präzise und detailliert, und ich würde noch immer nur eine sehr kleine Rolle darin spielen. Würde ich jemals erfahren, ob ich selbst die Regeln aufgestellt hatte oder ob sie mir nur von irgendeiner Instanz aufgezwungen worden waren, die das Schicksal der Menschen lenkte? Ich wusste, dass man von Personen, die eine Nebenrolle spielten, nicht erwartete, dass sie sich gegen das Schicksal auflehnten und ihre Geschichte selbst zu schreiben versuchten. Aber ich wollte an die Bedeutung des eigenen Willens und die der eigenen Überzeugung glauben. Es musste auch zählen, wenn man sein Bestes tat, damit die Dinge gut liefen. Das war eine Weisheit, die mir einmal, an den Ufern eines ruhigen Sees, von einem Propheten mit grüngrauen Augen vermittelt worden war. Und für uns Menschen war es gewiss wichtig zu lernen, die Dinge nicht einfach hinzunehmen, sondern uns zu bemühen, Türme zu bauen, so hoch, dass sie in den Himmel ragen.

Ich sah eine leere Auto-Rikscha und hob den Arm. Der Fahrer lenkte sie in einer selbstmörderischen Kehrtwendung in unsere Richtung, den Fuß auf das Armaturenbrett gestemmt. Ma kletterte auf den Plastiksitz, auf den eine rosa Plastiklotosblüte appliziert war, und zog Riya auf ihren Schoß. Ich stellte den Koffer vor ihren Füßen ab und kletterte neben sie. »Zum Busbahnhof«, sagte Ma, während die Rikscha sich in den Verkehr einfädelte. Riya schaute um sich und johlte vor Vergnügen über die vielen bunten Fotos, auf denen verschiedene Göttergestalten dargestellt waren. Sie waren alle da: Ganesha mit seinem Elefantenkopf, der schöne blaue Krishna, eine süß lächelnde Devi, alle heiter und strotzend vor Gesundheit. Sie begleiteten uns in ihrem kleinen, lauten Dieselfahrzeug auf unserer Fahrt in die hereinbrechende Dunkelheit. Morgen war wieder ein neuer Tag. Morgen würde das nächste Kapitel beginnen.

Nachwort

In den Monaten, die es brauchte, bis mein ursprüngliches Manuskript sich zu diesem Buch entwickelte, wurde ich immer wieder gefragt, wie viel von dieser Geschichte wahr ist. Zu Anfang flüchtete ich mich in die vage, unverbindliche Antwort, es sei, nun ja, *halb*-autobiografisch, was die Fragenden gewöhnlich verstummen ließ, außer den besonders neugierigen und hartnäckigen.

Die Wahrheit ist etwas, womit eine Schriftstellerin normalerweise nicht belästigt werden möchte. Sie ist banal und langweilig; Dichtung ist ganz einfach sehr viel spannender. Aber jetzt, nachdem die Veröffentlichung bevorsteht, empfinde ich so viel Dankbarkeit für meine Leser, dass ich meine, ihnen diese Erklärung zu schulden.

Ich habe mich tatsächlich mit sechzehn verliebt und verlor die Liebe meiner Jugend an eine englische Universität und eine arrangierte Ehe. Wir trafen uns nach zehn Jahren tatsächlich wieder, unter Umständen, die denen in diesem Buch ähnelten, und dadurch wurde meine Ehe endgültig beendet. Ich habe tatsächlich eine Riya, eine Tochter mit einer Lernbehinderung, und ich liebe sie so sehr wie die Riya in meinem Buch. Aber die Realität endet in der Stadt Valapadu – ein fiktiver Name für eine fiktive Stadt. Die Personen, die diese fiktive Stadt bevölkern, sind ein reines Produkt meiner Fantasie. Zwar gab es natürlich in meiner ersten Ehe einen Ehemann und angeheiratete Verwandte, aber ich möchte betonen, dass sie in keiner Weise den Personen in diesem Buch ähneln.

Für diejenigen, die eine Fortsetzung wünschen – hier ist sie, in einem Satz. Ich heiratete Arjun und Riya lebt bei uns.

Was die Zukunft angeht, so muss ich, so wie Sie, abwarten, was das nächste Kapitel bringen wird.

Danksagung

Es gibt viele, denen ich Dank schulde …

David und Heather Goodwin, ohne deren Hilfe dieses Buch noch tief in meinem Computer schlummern würde;

Louise Moore – dafür, dass sie an dieses Buch glaubte und für mich ein so wunderbarer Dynamo an Energie und Enthusiasmus war;

Jane Ray – für ihre Zuversicht, zu der sie durch eine kurze Radiosendung inspiriert wurde, und die mich seither zuverlässig begleitet;

Ranju Dhawan – die mich an einem frischen Morgen in Hampstead Heath daran erinnerte, dass ich auch schreiben kann;

Simon Corns, der mich lehrte, *die Dinge immer so einfach darzustellen, wie sie in Wirklichkeit sind!*

Professor Madhukar Rao – für Wissen, Lachen, gesunden Menschenverstand und einen MA, vor langer Zeit …

K. Rajamma – meiner Großmutter, für Gebete, so inbrünstig, dass die Götter keine Wahl hatten;

Daya Misra – meine schöne, lebhafte feministische Schwiegermutter, die mir zeigte, wie man tapfer ist;

Omana Nair – meine schöne, sanfte, standhafte Mutter, die mich lehrte, dass Geduld und heitere Gelassenheit ebenfalls Ausdruck von Mut sind;

Rohini – meine Glücksbringerin und Muse –
und vor allem D, dem dieses Buch gewidmet ist – weil ich keine andere Möglichkeit wusste, um ihm zu danken.